rich description of students, speeches,
meetings, proceedings, decisions, etc. PB, etc. SC.
No consideration re accuracy of perception, cont.
of success / failure of moves. Take students at
face value, re Mao, Deng, etc = "was great success."
Leave at that.

Key improvement re process.
overwhelming domination by Mao.
More often than not, he
point direction & others support.
Many editorial, etc personally
drafted or revised by Liu. (+ p. 391)

great attention to ML theory
Debate repeatedly, frequently in PB, SC, etc.
Argue out places, collective cont. re
the programme revised document, etc.
Many by Mao personally, written
or drafted / revised ... Great concern
w/ theory, Dial. Mat, w/ Marxism
views of CPSU / K, etc

Unanimous opinion ?? Implausible
Liu propose alternative route
, 1960

十年论战

1956～1966
中苏关系回忆录

吴冷西／著

中央文献出版社

1956年2月14日至25日，苏共中央在莫斯科举行第二十次全国代表大会。

上图：中共代表团团长朱德与其他参加苏共20大的兄弟共产党和工人党代表团成员在一起。

下图：代表们举手通过大会报告。

1957年11月2日，毛泽东率代表团赴苏参加十月革命40周年庆典抵达莫斯科时，与前往欢迎的赫鲁晓夫在机场握手。

1957年11月6日，毛泽东在苏联最高苏维埃庆祝十月革命40周年大会上致祝词。

1957年11月14日，中国党政代表团在兄弟党会议上。左边第三人起为：刘晓、陈伯达、杨尚昆、胡乔木、郭沫若、邓小平、李越然(译员)、毛泽东、宋庆龄、乌兰夫、陆定一。

1957年11月16日，毛泽东代表中国共产党在社会主义国家共产党和工人党宣言上签字。

1958年7月31日，毛泽东在北京首都机场欢迎赫鲁晓夫访华。

1959年10月2日，毛泽东与应邀前来参加中华人民共和国成立十周年庆典的赫鲁晓夫及代表团成员会谈。

1960年4月，毛泽东在中南海颐年堂西厅主持召开中央政治局常委会。左起：陈毅、彭真、邓小平、陈云、朱德、刘少奇、毛泽东、周恩来、林彪。图中的扶手椅是作者列席时的座位。

1960年4月，北京隆重举行纪念列宁90诞辰大会，陆定一代表中共中央讲话。

1960年7月8日至8月10日，中共中央在北戴河召开工作会议。图为毛泽东在会上讲话。

1960年11月至12月，刘少奇率领中国共产党代表团参加莫斯科兄弟党会议。图为赫鲁晓夫同中苏两党代表团主要成员合影。左起：米高扬、刘少奇、赫鲁晓夫、邓小平、科兹洛夫、苏斯洛夫、彭真。

1960年12月7日，莫斯科各界代表12000多人在中央列宁运动场举行苏中友好群众大会，欢迎以刘少奇为团长的中国党政代表团。

上图：刘少奇在大会主席台上。

下图：大会会场一角。

1960年12月9日，毛泽东在首都机场欢迎刘少奇访苏归来。

1960年12月9日，毛泽东、周恩来、朱德、邓小平等党和国家领导人在首都机场欢迎刘少奇率领中国党政代表团访苏归来。毛泽东面对握手的戴白帽者即本书作者。

1963年7月21日，邓小平、彭真率参加中苏两党会谈的中共代表团抵京，在首都机场与前往迎接的毛泽东、刘少奇等党和国家领导人合影。

左起：黄炎培、朱德、陈毅、刘少奇、刘宁一、邓小平、毛泽东、彭真、陈叔通、周恩来、康生、邓子恢。

1964年3月，毛泽东与罗马尼亚工人党中央政治局委员扬·格·毛雷尔以及代表团成员交谈。

左起：彭真、刘少奇、尼·齐奥塞斯库、毛泽东、扬·格·毛雷尔、基·斯托伊卡、埃·波德纳拉希、邓小平。

1960年12月9日，毛泽东在首都机场欢迎刘少奇访苏归来。

1960年12月9日，毛泽东、周恩来、朱德、邓小平等党和国家领导人在首都机场欢迎刘少奇率领中国党政代表团访苏归来。毛泽东面对握手的戴白帽者即本书作者。

1963年7月21日，邓小平、彭真率参加中苏两党会谈的中共代表团抵京，在首都机场与前往迎接的毛泽东、刘少奇等党和国家领导人合影。

左起：黄炎培、朱德、陈毅、刘少奇、刘宁一、邓小平、毛泽东、彭真、陈叔通、周恩来、康生、邓子恢。

1964年3月，毛泽东与罗马尼亚工人党中央政治局委员扬·格·毛雷尔以及代表团成员交谈。

左起：彭真、刘少奇、尼·齐奥塞斯库、毛泽东、扬·格·毛雷尔、基·斯托伊卡、埃·波德纳拉希、邓小平。

1964年11月14日，周恩来、贺龙率领的中国党政代表团在苏参加十月革命47周年庆典后，乘飞机回到北京。图为周恩来、贺龙等与前往欢迎的毛泽东、刘少奇、朱德、董必武、邓小平、彭真等在机场合影。

1965年2月11日，毛泽东、刘少奇、周恩来、邓小平、彭真与苏联部长会议主席阿·尼·柯西金（前排左六）和由他率领的代表团成员合影。

目　录

第一章
苏共“20大”的震动

第一节　“破题”

1956年3月17日晚，我按中央办公厅的通知，到中南海的颐年堂参加毛主席召开的中央会议。

整个颐年堂由一个大厅和东西两个小厅构成，均以紫藤木雕刻装饰。大厅有100平方米左右，中间摆着一张大长桌，铺上深绿色的呢绒。毛主席主持的政治局会议通常在这里召开。

西边是一个小厅，由12张沙发围成一圈，通常是中央书记处会议的地方（党的八大以前的中央书记处，相当于八大时选出的中央政治局常委，是党中央的最高决策机构）。书记处人数较少。党的七大选出的书记处由毛泽东、刘少奇、周恩来、朱德、任弼时(1950 年 10 月去世)五人组成,主持中央日常工作(1945 年 8 月毛主席赴重庆谈判前夕,增补陈云、彭真为候补书记;1950 年 6 月七届三中全会时又补选陈云为书记)。书记处开会时,也有一些政治局委员列席,如邓小平、陈毅等,一般都在 12 人以内。七大选出的政治局成员有 13 人,他们是毛泽东、朱德、刘少奇、周恩来、任弼时、陈云、康生、高岗、彭真、董必武、林伯渠、张闻天、彭德怀。除任弼时 1950 年 10 月去世外,1954 年高岗也去世。1955 年七届五中全会补选林彪、邓小平为政治局委员。政治局开会时人数较多,加上列席的有关部门负责人,通常有 20 余人,因此就在中间的大厅开会。

东边小厅一般是毛主席请客人吃便饭的地方,摆着餐桌。如毛主席便宴斯诺、斯特朗等美国客人时,我作陪,都在那里。通过一个过道往东走,便是毛主席住所四合院(原称菊香书屋)。

这次开的书记处会议,除毛、刘、周、朱、陈、彭真外,邓小平、张闻天、王稼祥都列席了。还有杨尚昆、胡乔木和我。邓小平在两年前(1954 年)从西南局上调中央工作,任中共中央秘书长。1954 年 4 月,中央决定撤销所有中央局,这是高岗、饶漱石事件后中央采取的重大组织措施。毛主席早在撤销各中央局之前,就先后把各中央局的原第一书记上调中央工作,除邓小平任中央秘书长外,东北局的高岗调任中央计划委员会主任,华东局的饶漱石调任中央组织部长,西北局的习仲勋调任中央宣传部长，中南局的邓子恢调任中央农村工作部长，华北局的李雪峰调任中央工业部长。这样的措施，当时海外舆论类比如汉代的削诸侯和唐代的罢藩镇，其实质是加强中央集权。

我接到参加会议的通知在3月15日，是当时中央办公厅主任杨尚昆告诉我的。他说，毛主席要求把赫鲁晓夫在苏共第20次代表大会上（1956年2月14日至25日举行）的秘密报告印发给中央政治局委员和有关部门的负责人，以便中央开会讨论。当时我以为要开政治局会议。我第二天接到毛主席秘书通知我到颐年堂参加书记处会议时，又以为会议缩小了。这都同我第一次参加毛主席召集的党的最高领导核心会议有关。我当时还不了解毛主席处理重大事件的习惯。后来才知道，他处理重大事件时通常都是先开小会，再开大会。在政治局会议之前，先开书记处会议，酝酿一下意见，再拿到政治局会议去充分讨论。

这次会议的主题是讨论赫鲁晓夫的反斯大林的秘密报告。这个秘密报告，在苏共"20大"不久，就断断续续地在西方报刊上透露出来。我党曾派出朱德同志为团长、邓小平同志为副团长的代表团参加苏共"20大"。朱老总在大会上宣读了中共中央的贺词。从大会开幕到闭幕，我党代表团都没有听到赫鲁晓夫大反斯大林的报告。只是在大会闭幕后的第二天，苏共中央联络部的人才把赫鲁晓夫的秘密报告向我党代表团通报，只口译一遍就把稿子拿走了。但是，半个月后，《纽约时报》在3月10日详细发表了秘密报告。新华社收到《纽约时报》后马上组织人连夜翻译，校对好一部分就先印一部分，先送中央领导同志，全篇译校完毕再重印成本，再送中央领导同志。毛主席是在新华社把译文全部印出后才决定召集中央会议的。

当我来到颐年堂时，杨尚昆和胡乔木先我到达，接着少奇同志、周总理、朱老总、陈云同志以及小平同志、彭真同志也来了。此外还来了张闻天和王稼祥同志。张闻天同志当时是协助周总理主持外交部工作的，是外交部常务副部长，他曾是新中国第二任驻苏大使，青年时代在苏联东方大学学习并当教授，俄文、英文都很好。王稼祥同志当时是中央联络部长，主管同兄弟党的关系，他是新中国第一任驻苏大使，青年时代也留学莫斯科，俄文很好。

大约8点钟，毛主席到了。他坐下来就问我：赫鲁晓夫的报告是否都印发给大家了？我说：都发了。所有书记处书记，政治局委员及外交部、中联部、中央办公厅的负责同志都发了。毛主席接着问，报告是根据《纽约时报》发表的吗？我说是根据这家报纸发表的英文稿译出的。（后来才知道，《纽约时报》的英文稿是美国中央情报局根据从华沙获得的俄文译出的。）毛主席说，苏共搞得那么神秘，"20大"时只派人给我们口译一遍就走，而西方却得到了文本。这时小平同志补充说，我党代表团参加苏共"20大"，大会在25日闭幕。我们在会议期间没有听到反对斯大林的秘密报告。在会议闭幕的第二天下午，苏共中央联络部派人拿着报告到代表团住处，说受苏共中央委托，有重要文件给中共代表团通报。当时代表团商量，朱总司令年纪大，由我听通报。实际上不是什么通报，而是由翻译念赫鲁晓夫的秘密报告。我们的翻译边看边口译，念完苏方就拿走，只念了一遍。当时感觉报告很乱，无条理，就听到了一大堆关于斯大林破坏法制、杀人、靠地球仪指挥战争、对战争毫无准备等等，还讲了一个南斯拉夫问题，其他政策性的错误无甚印象。当时我表示此事关系重大，要报告中央，没有表态。随后我们就根据记得的电报中央了。

接着，大家议论纷纷，一致认为赫鲁晓夫是搞突然袭击，把斯大林骂得一塌糊涂，使各国党很被动。毛主席说，关于苏共“20大”，我们发了两篇社论，一篇是大会开始时根据赫鲁晓夫代表中央委员会作的工作报告写的，那时我们不晓得他会批判斯大林。虽然对他们的报告我们是有意见的，但也不能因此就不支持。所以我们第一篇社论只谈了和平竞赛和和平共处问题，没有谈和平过渡问题，我们对这个问题有不同的意见。苏共“20大”闭幕后，第二天接到代表团从莫斯科发来的电报，知道赫鲁晓夫作了反斯大林的秘密报告，但不了解详细情况，不好表示什么意见。所以，我们当时的方针就是王顾左右而言他，在第二篇社论中，只讲了他们的第六个五年计划，最后笼统地表示对他们的支持。

毛主席说，赫鲁晓夫反斯大林的秘密报告，一是揭了盖子，这是好的，二是捅了娄子，全世界都震动。揭开盖子，表明斯大林及苏联的种种做法不是没有错误的，各国党可根据各自的情况办事，不要再迷信了。捅了娄子，搞突然袭击，不仅各国党没有思想准备，苏联党也没有思想准备。这么大的事情，这么重要的国际人物，不同各国党商量是不对的。事实也证明，全世界的共产党都出现混乱。

毛主席接着说，过去认为赫鲁晓夫这个人不死板，较灵活。1954年，我国国庆五周年，赫鲁晓夫到中国访问，那次接触中感到此人比较灵活。那次谈判结果，他给了我们一些东西。如将旅顺口和新疆的几个中苏合营公司还给我们，帮助我们修建兰州、乌鲁木齐到阿拉木图的铁路，给我们贷款五亿卢布，帮助我们兴建15个项目，连同过去斯大林答应的141个项目，共156个项目，是我国第一个五年计划的骨干工程。不过，现在看来，此人有点实用主义。他上台后需要我们支持，所以把中苏关系搞得好一点，把斯大林的沙文主义的某些做法收敛了一些。

小平同志谈到，此次在莫斯科参加苏共“20大”时，苏方没有同我们单独会见，而是在同各国代表团礼节性会见时，对朱老总祝词中支持他们，对我们发表的社论，说了一些好话。但是，看来苏共的大国主义基本上没有改。作秘密报告，事前不打招呼，事后念一遍就完。王稼祥、张闻天同志也强调指出，苏联党的大国沙文主义恐怕不易改。从彼得大帝开始,大国主义传统在俄罗斯人头脑中影响很深。他们两人因在苏联多年,谈了苏共搞大国沙文主义的一些事例。毛主席说,赫鲁晓夫的秘密报告值得认真研究一下,特别是报告所涉及的问题以及它在全世界范围内所造成的影响。大家刚拿到材料,可能没有来得及看完。我也刚开始看。希望大家仔细地看一看。现在全世界都在议论,我们也要议论。总之,它一是揭了盖子,二是捅了娄子。想一想我们如何对待这事,这是一个大问题。

这样,17日晚上的会议就结束了。可以说,这次会议只作了"破题",即毛主席的两点意见,讨论还没有展开。

第二节　评论赫鲁晓夫报告

过了两天,3月19日下午,我再到颐年堂参加会议。这次会议把上次书记处扩大会议改为政治局扩大会议,除了13位政治局委员外,还有王稼祥、胡乔木、陈伯达、杨尚昆、胡绳、邓拓等人参加。大家都在正厅围着那张大长桌坐下。我到颐年堂后不久,毛主席进来了。看来毛主席刚起床不久,因为不一会儿勤务员给他送来用茶杯盛的稀粥。他一边喝粥,一边主持会议。通常,毛主席晚上睡得都很晚,有时天亮时才睡。很多会议都是在下午开，毛主席边开会边吃早饭。

毛主席边喝粥边说，请大家议论议论。有什么意见，可以讲一讲。他说：我从头到尾看了赫鲁晓夫的秘密报告，不过很吃力。总的感觉是很乱，不知你们觉得怎样？

接着，大家议论纷纷。王稼祥作了比较系统的发言，张闻天、少奇、周总理都讲了话，好多人也在中间插话。

王稼祥认为，报告给他印象较乱，格调不高，近乎谩骂，没有讲多少道理。究竟斯大林错在哪里，说是个人崇拜、破坏法制。个人崇拜是结果还是原因，搞不清楚。讲到斯大林的政策错误，肃反的错误，对战争准备不够以及战争初期瞎指挥，农业问题的错误，南斯拉夫问题的错误等，就是这么一些零零碎碎的事情，没有讲出系统的、有分析的道理来。看起来这个报告写得很仓促。

小平同志说："20大"闭幕大会是2月25日下午。很可能是正式会议闭幕后在晚上举行秘密会议，开得很仓促。在"20大"会议上，只有米高扬几个人一般地谈到个人崇拜，其他人没有涉及。但秘密报告似乎也不是完全没有准备的，如报告开头也讲到列宁是怎样讲的。报告主要是从斯大林个人性格方面讲的，但个人性格不能说明这么大的国家，这么大的党，在这么长的时期内犯了一系列的错误。

稼祥同志说，苏联不仅是在南斯拉夫问题上犯了错误，而且是在国际共运一系列问题上，在对中国党的问题上，犯了错误。我党历史上的错误，如立三路线，与斯大林有关。特别是王明路线的错误达三四年之久,直接与斯大林有关,与共产国际有关。共产国际有过积极的作用,但后来抑制各国党的积极性,对各国党瞎指挥,有教条主义的错误,危害很大。(王稼祥同志过去在王明“左”倾路线开始时曾表示支持,后来怀疑、反对,在中央苏区第三、四次反“围剿”时同毛主席议论过。在遵义会议上他首先起来支持毛主席。毛主席曾多次肯定稼祥同志的功劳,说没有他首先起来造反,遵义会议不会那样快否定王明路线。)

张闻天同志在会上也讲到,苏联内政错误主要是没有把农业搞好,粮食问题始终没有解决。当然,斯大林对苏联工业化做了贡献,为苏联国防力量奠定了基础。苏联最后战胜德国法西斯是靠30年代建立的工业基础,这也是应该肯定的。但是,似乎太偏重于工业,特别是重工业。苏联轻工产品几十年无改进。我在苏联当大使时去商店几乎没什么可买。粮食也一直很紧。农、轻、重如何摆是个大问题,值得从中吸取教训。再一个问题是大国沙文主义,这次外交部召开大使会议,我们好些大使觉得与驻在国的苏联大使共同语言很少,话不投机。我国驻外大使觉得他们与英、法、美等国一样,都非常强调欧洲问题。他们是欧洲第一主义,以大国自居,在亚洲、非洲的工作开展得不好。这次驻外使节回来开会,大家觉得苏联看不起亚洲、非洲。

周总理也谈到苏联大国主义的问题。他说:这个问题由来已久，我们搞外交工作时间不长，他们比我们长得多，理应比较有经验。但是，看来他们思想比较僵化，许多事情不讲策略。周总理说，在1954年日内瓦会议时，我们与杜勒斯（美国国务卿）、艾登（英国外交大臣）、蒙代斯·佛朗斯（法国外长）的斗争很复杂，怎样利用英法与美国的矛盾以孤立美国，怎样争取印度，当时都是很重要的问题。当我们把这些问题与苏联同志交换意见时，莫洛托夫很古板，只讲斗、斗、斗，对怎样争取大多数，最大限度地孤立美国，考虑不多。他们的脑子里，要么就是破裂，要么按自己拟定的原方案办事，如果原来方案不成，第二个、第三个方案都没有准备。他们把英、法、美这些国家都看作铁板一块，没什么矛盾可以利用。他们不讲利用中间势力，这也与斯大林过去的公式有关。斯大林一直认为中间派是孤立和打击的对象，说它是最危险的。这个公式当然是错误的，应该是孤立和打击顽固派，争取中间派。我们在抗日战争时期就是这样做的。所以，日内瓦会议在朝鲜问题上很快就闹僵了。我们准备几个方案，事先与苏联同志商量时，他们认为没什么好谈的。我们明知问题比较困难，还是准备了几个方案。在会议上，我们一个接一个地把几个方案提出，美方都拒绝了，这就充分揭露美国顽固不化，毫无解决问题的诚意，使美国真面目暴露在世界舆论面前。而苏联代表团则认为没有必要这样做。这也可能反映苏联满足于朝鲜南北对立，要保持朝鲜半岛的紧张对峙局面。

周总理又说，在印度支那问题上，我们在日内瓦会议一开始就提出争取和平解决，但苏方不积极，认为还要打下去。当时法国政府自己也觉得打不下去，困难很多。法外长当时希望按他们的条件停战，我们提出要利用这一点做法国外长的工作。莫洛托夫认为没什么可谈的。葛罗米柯当时是莫洛托夫的助手，他认为法国与美国一样不愿意和平解决。我们提出要改变把西方视为铁板一块的观点，做英、法、印度、加拿大、泰国等国的工作。后来事实证明，我们可以利用美国和这些国家的矛盾，因为美国希望把战争继续下去，把法国拖垮，由它接手。我们要利用美法这种分歧。当然苏联最后还是接受我们的意见。日内瓦会议说明苏联同志比较僵硬、不讲策略，他们处理许多问题都是这样。

总理还谈到在中苏两党关系中，历史上有过多次事件。在党的七大之前的《关于若干历史问题的决议》中谈到我党的许多错误时，我们没有讲苏联，只讲自己犯错误。但实际上许多问题并不是我们决定的，而是苏共决定的，或由苏共主持的共产国际决定的。当时中国党只是照办。现在谈斯大林的错误，应该说中国革命受的损失，苏共要负一定责任。看来共产国际解散是对的。一个外国党，尽管是一个大党，历史很长的党，像苏联党这样由列宁创立的党，对别国的革命提出这样那样的意见，也未必正确，甚至可以说肯定会犯错误的。因为你不了解别国国情，不能把马克思列宁主义原理与别国革命运动的具体实践相结合，这就要犯错误。我国革命之所以胜利是由于我们结合得好。我们没有按斯大林的意见办，按毛泽东思想办。

毛主席说，我并不认为斯大林一贯正确，这个话过去不好讲。他对中国革命的指导，出的主意，有许多是错的。过去我们只讲是我们自己错了，没有联系到斯大林。那时我们党采取这样的方针是对的。斯大林的错误是明摆着的，问题是如何评价斯大林的一生。是二八开，三七开，还是倒二八，倒三七，还是四六开？我看三七开比较合适。正确是七分，是主要的；错误是三分，是次要的。这个问题大家还可以议。还要想一想我们对批判斯大林是否表态，采取什么方针。

这时已是6点多钟。大家都没有吃饭，毛主席宣布会议暂停，以后再来讨论。

第三节　怎样看待斯大林

过了五天，3月24日，毛主席又主持召开政治局扩大会议，也是在颐年堂。会议开始时，毛主席就讲了比较系统的意见。看来休会这几天他是做了认真考虑的。

毛主席说，我们党同苏共的关系，历史上斯大林整了我们四次。第一次，土地革命战争时期王明的"左"倾机会主义路线，是斯大林在莫斯科决定，要中国党执行，结果白区党损失了百分之百，苏区损失了百分之九十。第二次，抗日战争初期王明的右倾机会主义路线，叫做"一切通过统一战线"，"一切服从统一战线"，就是一切听蒋介石的，也是斯大林主持的共产国际在莫斯科决定的。我们党很快就抵制了这条错误路线，制定了又团结又斗争，实行保持我党独立性的抗日民族统一战线的路线，终于巩固和扩大了革命力量，特别是抗日根据地，终于取得了抗日战争的胜利。第三次，是抗日战争结束后，蒋介石发动内战，我党进行自卫反击，斯大林从莫斯科发来电报，要我们无论如何不能打内战，否则中华民族要毁灭。我党没有听他的。毛主席说，这些事想起来就有气。

毛主席这时停了一会儿，大家知道他还没有说完，谁也没有插话。他接着就说了他六年来一直藏在心里的话。他说，最后一次是我访问莫斯科的时候。我在莫斯科整整呆了两个月(从1949年12月16日到达至1950年2月17日离开)。这两个月很不好受。当然我们是去祝寿的。斯大林70寿辰，世界各国共产党都去向他祝寿。但我此行目的不单是祝寿，主要是要订立中苏友好同盟互助条约。我在莫斯科看出斯大林不愿意订立中苏友好同盟互助条约，他对中国党是不信任的。我在《论人民民主专政》的文章中不是说要一边倒吗？我们中国共产党人是真心诚意把苏联作为最亲密的战友，我们要和他们站在一起的。斯大林曾把铁托看作是帝国主义的代理人，把南斯拉夫共产党开除出情报局。我们党取得新民主主义革命胜利之后，斯大林并不把我们看作是共产主义者，而是把我们看作属于铁托一类的人，说我是半个铁托。但我们当初并不了解这个底细，而一心要同苏联签订一个同盟条约。我到莫斯科第一次见到斯大林就向他提出这个问题。当时苏联采取拖延的办法，一直不提这个问题。

毛主席说，在开完斯大林的祝寿会以后，我在莫斯科没事干，我就发牢骚，骂娘，估计他们会听到的。我对苏联党的联络员说，我在这里没事。但是我做了很重要的事情，第一吃饭，第二拉屎，第三睡觉。每天做这三件事。他们让我参观，我不去，不答应订同盟条约我哪里也不去。这样僵持到了 1950 年元旦那一天，斯大林才同意订同盟条约，我同意发表对塔斯社记者谈话。第二天他又派莫洛托夫和米高扬来看我，商定请恩来到莫斯科来具体商谈订约事宜。所以，周总理在 1 月 20 日到莫斯科来。总理在莫斯科与他们谈判很辛苦，七磨八磨，最后才谈成。苏联同意签订中苏友好同盟互助条约，也答应帮助中国搞建设，搞重点工程项目，后来陆续增加到一百多项重点工程。但是，在谈判中他们明显表现出对我们不信任，至少不完全信任。中长路要中苏共同管理，旅顺口要做苏联的海军基地，在靠近苏联的新疆搞了什么合股公司，总之，新疆和东北三省他是不想放手的。

毛主席说，苏共“20 大”反斯大林，对我们来讲的确是个突然袭击。但赫鲁晓夫大反斯大林，这样也有好处，打破"紧箍咒",破除迷信,帮助我们考虑问题。搞社会主义建设不一定完全按照苏联那一套公式,可以根据本国的具体情况,提出适合本国国情的方针、政策。

毛主席说,苏共"20大"反斯大林已经发生,我们也没有办法。天要下雨,娘要嫁人,有什么办法呢?我们要做的是从苏联的错误中吸取教训。不要一反斯大林就如丧考妣。现在全世界是否要来一个反共高潮,我们也没有办法。人家要反,有什么办法呢?当然,我们自己要硬着头皮顶住。

毛主席说,其实,十月革命以来,搞社会主义建设时间并不长。说到共产主义运动,从马克思发表《共产党宣言》时起,迄今也只有100年多一点,实现共产主义是空前伟大、空前艰巨的事业。不艰巨就不能说伟大,因为很艰巨,才很伟大。这样伟大艰巨的事业,不犯错误是不可能的。苏联要犯错误,我们也要犯错误。因为我们所走的道路是前无古人的道路。苏联是第一个搞社会主义,第一个搞无产阶级专政,所以,可以说他们犯错误是不可避免的。中国搞社会主义也可能犯错误,甚至犯大错误。因为要摸清建设社会主义的规律不是容易的事情。路如何走,不容易。我们搞民主革命也是犯了许多错误之后才成功的。建设社会主义同样是这样。要树立错误难免的观点。任务是尽量少犯错误,使主观符合客观,按客观规律办事,反对主观主义,反对教条主义,反对片面性。这样才能避免犯大错误。我们力求不犯大错误。

少奇同志在这次会议上讲了他的看法。他讲到赫鲁晓夫反斯大林的秘密报告没有什么逻辑性,对斯大林的错误没有什么分析。一棍子把斯大林打死,一股脑儿都算作个人崇拜。他说,在社会主义建设中,像刚才毛主席讲的,犯错误是难免的。特别是像苏联这样的第一个社会主义国家。问题是怎样不使个别的、局部的、暂时的错误发展成为一系列的全局性的、长期的错误。问题不在于犯不犯错误,而在于怎样才能使小错不致发展成大错。

少奇同志说,我看斯大林的错误主要有四条:第一条是肃反扩大化,这与王明"左"倾路线时肃反扩大化相似。第二条是在苏德战争前夕缺乏必要的警惕,没有对希特勒搞闪击战保持高度警觉。但话说回来,希特勒既然要搞闪击战,他必然要用各种欺骗手段。苏联完全觉察也难。问题在于斯大林过分相信德苏协定,没有估计到希特勒会这样快发动进攻。这个问题究竟应当怎样看,现在我们根据也不充分。赫鲁晓夫说斯大林按地球仪指挥战争,那么苏联卫国战争是如何打赢的呢?说不清楚了。第三条是农业问题上犯错误。苏联至今没有解决农业问题,包括赫鲁晓夫搞开垦荒地也没有解决这个问题。第四,斯大林作为国际共产主义运动最重要的领导人,他指导各国党有许多错误,不仅是南斯拉夫问题上的错误,在指导中国党及其他兄弟党的问题上也有不少错误。

少奇同志强调指出:对这些错误要作历史的分析,把它放在一定的历史背景下加以分析,这样才能得出正确的结论。不能把所有问题都算到个人迷信上，不能说都是斯大林个性粗暴造成的。把种种复杂的现象归结为斯大林的个人品质，这样就不仅不能解释错误的本质，而且更重要的是不能从错误中吸取历史教训。我看，斯大林错误主要是思想方法问题，主观主义问题，思想方法片面性问题，理论和实践脱节的问题。斯大林有些理论是错误的。比如总理讲的斯大林认为中间势力是最危险的，是打击的重点。但斯大林许多理论还是对的，不过他实际上没有完全照那样做。比如说社会主义国家无产阶级专政与无产阶级民主问题他都讲了，有时还强调民主。但是看起来在这个问题上又不那么言行一致。再比如自我批评问题，他也讲了自我批评只会提高威信，不会丧失威信。可是从秘密报告看来，斯大林骄横专断，缺乏自我批评精神也是实在的。但我们也不能说斯大林一点自我批评精神也没有。

少奇同志接着讲了他 1949 年到莫斯科去见斯大林的情况。少奇同志说，1949 年夏天我们去莫斯科，那时苏联方面接待我们很好。有一次斯大林宴请我们，他在祝酒时说：在抗日战争结束后，我们不赞成你们同国民党打仗，认为这将是中华民族的灾难。你们没有接受这个意见，你们打赢了。对胜利者是不能裁判的。为胜利者——中国党干杯！少奇同志说，这时我站起来说，我不能干杯。中国人民赢得人民解放战争的胜利是离不开苏联的帮助的，这个胜利是我们共同事业的胜利。应该为我们共同的胜利干杯,也为苏联党干杯！我这样说了以后,斯大林不同意,坚持为中国党干杯。这样争论了很久,局面很僵。最后,斯大林才说,好吧,为我们共同的事业干杯,为中国党也为苏联党干杯。从这里可以看到斯大林知道他要中国党不要打自卫战争是错了。在这个问题上他有自我批评精神。对斯大林不能一棍子打死,要作具体分析。

毛主席接着说,斯大林是什么时候对我们比较放心了呢？那是在我们派志愿军过鸭绿江,抗美援朝战争开始之后。我们军队过江一打,他放心了,觉得我们不是半个铁托,是国际主义者,是真正的共产党了。苏联决定援助我们141个项目是在抗美援朝战争打起来以后才完全定下来的。我们在莫斯科的时候没有完全定下来。

小平同志在会上讲到,斯大林搞个人崇拜的确是要不得的。当然不能把斯大林的所有错误都归结为个人崇拜。个人崇拜是错误的结果,而不是错误的原因。个人崇拜是个坏东西,我们党比较注意这个问题。我记得延安整风时就谈到过这个问题。毛主席讲领导方法时,特别强调群众路线,就是反对个人崇拜。我们党是有群众路线传统的。我党七大提倡批评和自我批评也是反对个人崇拜的。抗日战争中我们搞群众路线,集体领导,自我批评。毛主席1943年写的《关于领导方法的若干问题》,1948年写的《关于健全党委制的决定》,都是贯彻群众路线防止个人崇拜的重要文献。1949年,七届二中全会明确提出不突出个人，不祝寿，不以人名命名地方、街道、工厂等，都是有远见的、正确的。赫鲁晓夫报告中讲那时不能对斯大林提不同的意见，谁提不同意见就保不住脑袋。这种说法难以服人。共产党人应当坚持真理，不坚持真理，阿谀逢迎，算什么共产党人。而且在党的最高领导机构——政治局里不能提不同的意见，这怎么行！怕死怎么行！赫鲁晓夫说怕丢脑袋，不能以此来原谅他们自己的错误。不能说错误都是斯大林的，没大家的份儿。功劳是大家的，没斯大林的份儿。这两个片面性都是不对的。

会上，政治局的其他同志都讲了话，谈到赫鲁晓夫的秘密报告泄露出去影响很坏。当时已有迹象，一些资本主义国家的兄弟党受影响特别大。因为他们过去同苏共说一样的话。苏共习惯于把各国党当作自己的传声筒，对国际群众组织更不在话下。所以，一些兄弟党有人退党，英国党、美国党都出现这种情况，许多人悲观失望。有几位同志提出，在这样的风浪面前我们党要表明自己的态度。

毛主席问大家是不是要表态。他说，是不是用支持苏共“20大”的姿态，讲一些道理，弥补赫鲁晓夫秘密报告的片面性，对斯大林的错误做一些分析，讲一讲我党也是犯过错误的，也不赞成个人崇拜的。在讲我们的错误时不要联系苏联。对共产主义前景要表示充分的信心。“四十而不惑”，这是中国的古谚。十月革命明年才到40

周年。是不是40岁就不惑呢？这也难说，可能好一点，但是要充分表示共产主义最终要胜利的信心。

这样，这次政治局扩大会议决定要写一篇文章，说明我们的观点，并决定由陈伯达执笔，新华社、中宣部加以协助。毛主席说，文章不要太长，要有针对性地讲道理，希望能在一个星期内写出来。

会后，陈伯达要我帮助收集和整理一些材料，供他起草时参考。由于政治局会议讨论比较充分，许多观点都讲了，所以他如期把这些观点综合起来形成初稿。

第四节 探索正确道路

十天以后，4月3日下午，刘少奇同志受毛主席的委托，召开政治局扩大会议，参加的人与上次差不多。会上大家讨论由陈伯达起草的初稿。

在这之前，这篇初稿出来后，小平同志（他当时是中共中央秘书长）指定陆定一、胡乔木、胡绳和我同陈伯达一起讨论修改。我们提了一些意见后由陈伯达再行修改，于4月1日送毛主席、少奇同志、周总理和其他中央政治局的同志。这次少奇同志主持讨论的已经是第六稿。

在少奇同志主持的会议上，大家对文章提了一些修改意见。少奇同志说，“个人崇拜”与“个人迷信”这两个译名，用哪个更合适？现在用的是“个人崇拜”，先这样用也可以，不过，从贬义上说，用“个人迷信”好一些。（按：这篇文章发表时，用的是“个人崇拜”，后来在《再论无产阶级专政的历史经验》一文中才改用“个人迷信”。）文章中要突出斯大林错误的历史背景和时代特点，要讲无产阶级专政的历史时间还不长，搞社会主义建设还缺乏经验。

小平同志也讲，我党历来提倡群众路线、集体领导，与个人崇拜相对立。这是我党的传统，文章已经提到，但要更突出地写。

周总理说，稿子中谈到反对教条主义时，只讲我党历史，不要使人误以为我们现在号召国际共运反教条主义。周总理指出，现在已有些兄弟党在赫鲁晓夫反斯大林报告泄露后，借反教条主义之机来反对马克思列宁主义。

朱总司令认为对斯大林的伟大功勋还要再加强调，写得更充分些。这篇文章主要不是对苏共，而是回击西方反共反苏。其他同志还提出了一些文字上的意见。

会议结束时少奇同志征求大家意见后说，政治局原则通过。要陈伯达先根据会上的意见修改。他还说毛主席还要召开会议讨论。

4月4日下午，毛主席主持召开中央书记处会议（参加人数较少）。他先把他昨天夜里在稿子上修改的意见作了解释。他说，要鲜明地提出斯大林是伟大的马克思主义者，是一个犯了一些严重错误而不自觉其为错误的马克思主义者。除了其他原因外,这主要是由于他思想上和工作作风上有严重毛病。毛主席着重讲了两个重要观点。

第一个观点是:在消灭了阶级对立之后,社会主义社会还有矛盾。按照马克思主义的基本原理,矛盾是普遍存在的。消灭了阶级对立以后,社会主义社会还会存在什么矛盾?至少还会有新与旧的矛盾,先进与落后、正确与错误的矛盾。按照辩证法,没有矛盾就没有运动,没有运动,生命就要结束,社会就要停止运动,以至灭亡。

第二个观点是:斯大林的著作还要不要读?他说,既然斯大林有错,他的书也是有错误的。但斯大林一生中正确是主要的,第一位的,错误是第二位的。他的书里正确也是主要的,第一位的,错误也是第二位的,还是应该读。因为搞无产阶级专政历史不长,真正用马克思主义观点总结无产阶级专政的历史经验,斯大林还是第一人。他主持写的《联共(布)党史》,其中是否有错误可以研究,但它毕竟是第一部力图用马克思主义的观点叙述共产党的斗争历史,总结苏共革命斗争的经验。这是国际共运历史上第一部这样的书。还有斯大林的《苏联社会主义经济问题》,也是第一本总结社会主义建设经验的书,还是应该读的。这些书中肯定有错误,但我们还是应该读。学习苏联的经验,学习任何国家的经验,有两种学习方法,一种是教条主义的方法,生套硬搬,全盘接受,不加分析、思考,不联系本国实际,这当然是要不得的。我们党的历史上犯过这样的错误。另一种是马克思主义的方法,学习时要加以分析,要联系本国当时当地的实际,学会用马克思主义的立场、观点、方法分析问题,这种态度是正确的态度。所以,大家要动脑筋,多想想建设社会主义的实践中的问题,要按实际情况办事,不受苏联已有的做法束缚。比如苏联肃反扩大化的错误,我党历史上也犯过这样的错误,那是王明“左”倾路线时期,后来我们对这个问题处理得比较妥当。我们的方针是有反必肃,有错必纠。我们还规定:在党政机关中搞肃反,大部不抓,一个不杀;在社会上则劳动改造,可杀可不杀的不杀。这不仅可以保留活证据,如果他真是反革命的话;如果我们搞错,他不是反革命,还可以改正。一旦人头落地,平反也没有意思了。

毛主席在会议快结束时还讲了一番话。他说,发表这篇文章,我们对苏共“20大”表示了明确的但还是初步的态度。苏共大反斯大林,各种议论正在开始,以后还会有,还会有更广更深的影响表现出来。问题在于我们自己从中得到教训。这篇文章算是我们初步总结了经验教训。我认为最重要的教训是独立自主,调查研究,摸清本国国情,把马克思列宁主义的基本原理同我国革命和建设的具体实际结合起来,制定我们的路线、方针、政策。民主革命时期,我们走过一段弯路,吃了大亏之后才成功地实现了这种结合,取得革命的胜利。现在是社会主义革命和建设时期,我们要进行第二次结合,找出在中国进行社会主义革命和建设的正确道路。新中国成立以来，我们有过不少成功的探索和实践，但也不是没有缺点，没有片面性，这说明我们还没有完全地系统地掌握中国社会主义革命和建设的规律，还要在今后长时期内探索符合客观规律的正确道路。开始我们模仿苏联，因为我们毫无搞社会主义的经验，只好如此，但这也束缚了自己的积极性和创造性。现在我们有了自己的初步实践，又有了苏联的经验和教训，应当更加强调从中国的国情出发，强调开动脑筋，强调创造性，在结合上下功夫，努力找出在中国这块大地上建设社会主义的具体道路。

毛主席建议把文章的题目改为“关于无产阶级专政的历史经验”，并修改了文章的最后一段。根据会上其他同志提出的大多数是属于文字方面的意见，我们当场把稿子改好了。毛主席决定，文章当天晚上广播，4 月 5 日见报。因为 4 月 6 日米高扬将率苏联代表团到北京。

由于时间匆促，《关于无产阶级专政的历史经验》4 月 5 日发表前来不及在文字上精雕细刻，还存在一些缺陷，论点有些重复，文字有些累赘等。

第五节　文章的要点

《关于无产阶级专政的历史经验》一文的主要论点是：

1. 文章从各国反动派对赫鲁晓夫秘密报告兴高采烈讲起，指出无产阶级专政国家出现错误同一切剥削阶级专政的错误在性质上根本不同。人类社会自分裂为几个阶级以来，几千年间经历了奴隶主阶级专政、封建主阶级专政和资产阶级专政，他们在很长时间内犯过无数次错误，而且重复地一犯再犯，最后仍然不可避免地要犯更大更多的错误，促进自己的灭亡。无产阶级专政是十月革命后产生的完全不同于过去一切阶级专政的新的多数人对少数人的专政。它的最终目标是建立一个没有阶级、没有剥削的共产主义社会。为实现这个伟大目标的斗争，无疑是情况很复杂、道路最曲折、斗争最艰难。因此在这个斗争过程中，不可避免要出现许许多多错误，但也存在着无限发挥人民群众主动精神和积极作用以克服种种错误的可能性，从而为实现共产主义开拓光辉的前景。

2. 文章充分肯定苏联人民和苏联共产党在过去几十年中，在世界六分之一的土地上建立了第一个社会主义国家，在第二次世界大战中成为打败法西斯的主力，大大地鼓舞和支持了世界各国人民的正义斗争，创造了人类历史上空前伟大的业绩。同时，文章在指出苏联的伟大成就的同时，也指出在建设第一个社会主义国家过程中产生的严重错误。文章指出，作为列宁逝世后苏联党和国家主要领导人物的斯大林，在苏联的伟大成就中有他的不可磨灭的功劳，在苏联的严重错误中也有他的不可否认的责任。当斯大林正确地运用马克思列宁主义而在国内外人民中获得很高的荣誉时,他却错误地把自己的作用夸大到不适当的地位,把个人的权力放在和集体领导相对立的地位,他骄傲,不谨慎,脱离群众,脱离集体。他思想里产生主观主义,产生片面性。他接受个人崇拜和实行个人专断。他离开了自己原来宣传的马克思列宁主义某些基本观点,理论同实践脱节,从而在某些重大问题上不可避免地作出了不合实际的错误决定,并且使那些个别的、局部的和暂时的错误发展成为全国性的和长时期的严重错误。

3. 文章指出,斯大林一生的后期,愈来愈深地陷入主观主义和片面性,欣赏个人崇拜,违反党的民主集中制,因而发生了例如以下的一些重大错误:在肃反问题上扩大化;在反法西斯战争前夜缺乏必要的警惕;对于农业的进一步发展和农民的物质福利缺乏应有的注意;在国际共产主义运动中出了一些错误的主意,特别是在南斯拉夫问题上作了错误的决定。文章在这里提到的斯大林的错误,有同于又有别于赫鲁晓夫的秘密报告,既指出个人崇拜的影响,又指出思想的原因。文章还指出,对于斯大林所犯的错误,必须采取分析的态度。有些人认为斯大林完全错了。这是严重的误解。斯大林是一个伟大的马克思列宁主义者,但也是一个犯了严重错误而不自觉其为错误的马克思列宁主义者。我们应当用历史的观点看斯大林,对于他正确的地方和错误的地方作出全面的适当的分析,从而吸取有益的教训。

4. 文章专门论述了个人崇拜。文章指出,个人崇拜是人类长期历史所留下的一种腐朽遗产,也是千百万人的习惯势力,在社会主义社会中仍然有影响,甚至像斯大林这样的党和国家领导人也接受和鼓励这种落后思想。文章肯定,苏共“20大”展开反对个人崇拜的斗争,是苏联共产党和苏联人民扫清前进道路上的思想障碍物的斗争。文章谈到,中国共产党曾经不断地反对脱离群众的个人突出和个人英雄主义,反复提倡领导和群众相结合、集体领导和个人负责相结合,坚持从群众中来到群众中去、集中起来和坚持下去的群众路线。文章指出,马克思列宁主义者肯定领导人物在历史上有很大的作用,同时任何时候也反对夸大领导人物作用的个人崇拜。个人崇拜的思想影响还会长期存在,一次克服了,下次还会出现,有时由这些人表现出来,有时又由另一些人表现出来,这是应该经常加以注意的问题。

5. 文章没有谈到斯大林在中国革命问题上出过一些错误的主意。文章只是正面论述中国共产党历史上几次路线错误,检讨自身的错误教训,强调反对教条主义,特别是王明在土地革命战争时期的“左”倾机会主义路线和在抗日战争时期的右倾机会主义路线。其实,这两次王明路线的错误,都是同斯大林有关的。文章只批评了斯大林在革命中基本打击方向是孤立中间社会政治力量的公式,但指出这是我们党自己犯了千篇一律地加以应用的教条主义错误。

6. 文章把斯大林的错误提高到哲学的高度加以论述。文章指出,有一些天真烂漫的想法,仿佛认为社会主义社会不会再有矛盾。否认矛盾存在,就是否认辩证法。各个社会的矛盾性质不同,解决矛盾的方法不同,但是社会主义社会的发展也是在生产力和生产关系的矛盾中进行着的。革新和守旧,先进和落后,积极和消极以至主观与客观、唯心论与唯物论这类矛盾,都将不断地在各种不同的条件下和各种不同的情况中出现于社会主义社会和共产主义社会内。一切都还将是这样:一个矛盾将导致另一个矛盾,旧的矛盾解决了,新的矛盾又会产生。这样看来,存在着个人和集体的矛盾现象,并不是一件什么奇怪的事。

7. 文章指出,人类现在还是在青年时代,人类将来要走的路,将比过去走过的路,不知道要长远多少倍。无产阶级专政现在已经在地球上九亿人口的范围内取得了伟大的胜利。无论在苏联,在中国,在其他人民民主国家,都有自己的成功的经验和错误的经验。我们应当继续总结这些经验。不论斯大林的正确方面或错误方面,都是国际共产主义运动的一种现象,带有时代的特点。整个说来,国际共产主义运动还只有一百年多一点的时间,从十月革命胜利以来,还只有三十几年的时间。我们有伟大的成绩,但许多工作的经验还是不足的。必须有这样的警惕:以后我们还是可能犯错误。重要的教训,就

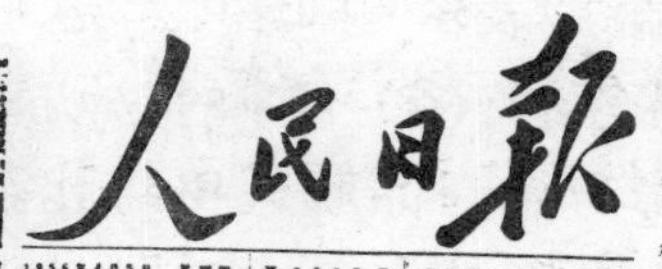

1956年4月5日　星期四　第2827号　今日共四版　每份五分　每月一元五角　订阅处：全国各地邮局

4月5日内容提要

第一版　关于無產階級專政的歷史經驗

第二版　國務院發布关于保證完成今年高等学校招生計划的指示

　　　　郭沫若之理設宴招待各國科学家

　　　　首都各界人民公祭謝平山

第三版　鮑威尔、貝巴林、李四光在世界科協成立十周年紀念大会上的發言

第四版　苏联－瑞典公报簽字

　　　　胡志明和朱高揚在歡迎苏联政府代表团的群众大会上的講話

关于無産階級專政的歷史經驗

（这篇文章是根据中國共產党中央政治局擴大会議的討論，由人民日报編輯部寫成的）

1956年4月5日，《人民日报》发表的《关于无产阶级的历史经验》一文的版面。

是我们党的领导机关应该使错误限制在个别的、局部的、暂时的范围内，而不应该让它们变为全国性的或者长时期的错误。文章最后表示：中国共产党人深信，经过批判个人迷信之后，苏联曾经被压抑的一切积极因素将普遍活跃起来，苏联共产党和苏联人民将比过去更好地团结一致，为建设一个人类从来没有看见过的伟大共产主义社会和争取世界持久和平而奋斗。

第六节　必要的说明

《关于无产阶级专政的历史经验》一文，是中国共产党第一次对当代国际共产主义运动的重大问题发表独特意见。它充分肯定苏联、苏共和斯大林的主要的正确的方面，也批评了他们次要的错误的方面，坚持了马克思列宁主义的原则立场，又比较全面地辩证地分析问题，提出新的发人深思的观点和令人信服的论据。中国共产党的声音，受到国际舆论的普遍重视，也发生深远的影响。苏联《真理报》转载了这篇文章。

这篇文章 4 月 5 日发表后，毛主席和中央领导同志开始同外国党的同志说明我们对苏共“20 大”大反斯大林的态度。虽然《人民日报》编辑部的文章是从正面阐述了我党中央立场的，明眼人也一望而知我们同赫鲁晓夫的分歧，但是，中央以为，还有必要对赫鲁晓夫的秘密报告作必要而又适当的表态。

毛主席首先同兄弟党谈及批判斯大林的是苏联同志。苏共中央主席团委员米高扬,在《关于无产阶级专政的历史经验》发表后的第二天,4月6日,率苏联政府代表团到达北京。代表团此行的主要任务是签订苏联援助中国再建55项重点工程(连同斯大林时期援助的141项,合共156项)的协定。毛主席在会见米高扬时,感谢苏联对我国建设的援助,并表示我们也将一如既往地尽力支持苏联。毛主席又谈到,面对西方国家的反共喧嚷,中苏应当加强团结,共同对敌。毛主席说,中苏之间有些不同的看法,如对斯大林。我们认为斯大林功大于过,对他要作具体分析,要有全面的估计。但我们一致的地方远远超过分歧,有必要也有可能团结对敌。几天后毛主席在同苏联驻中国大使尤金的谈话中,又重申了我们党中央对斯大林的看法。

4月29日,毛主席会见拉丁美洲六个国家的共产党代表,包括古巴、墨西哥、巴西、委内瑞拉、危地马拉、哥伦比亚的共产党的代表。他们在谈话中对《人民日报》发表的《关于无产阶级专政的历史经验》议论纷纷,一致给予好评。毛主席对他们说,这篇文章是经过中共中央政治局多次讨论写成的。我们认为,斯大林有好的东西,有坏的东西。大体上,他是七分功劳,三分错误。如果说他八分好,二分坏,同志们不会通过。如果说他六分好,四分坏,更不会通过。否认他好的东西是不对的。毛主席在这里虽然没有指名批评赫鲁晓夫的秘密报告，但含义是明白无误的。

9月和10月，在我党第八次全国代表大会和我国国庆节期间，毛主席会见了好些兄弟党的代表团，对其中有的兄弟代表团，也谈了我党对斯大林的看法。

毛主席曾单独同苏共代表团团长米高扬谈到兄弟党之间有不平等的现象，指出存在着好像老子党对儿子党的关系。毛主席所以这样说，是因为苏共代表团在中共八大大会上致词时大讲苏共如何伟大，对中国革命如何帮助等等，俨然以老子党自居。

对南斯拉夫共产主义联盟代表团，毛主席谈了斯大林对中国革命出了一些坏主意。毛主席还说，苏联总的来说是好的。敌人利用对斯大林的批评在全世界展开反苏反共攻势，我们应当支持苏联。

毛主席同英共主席波立特等会谈时，波立特称赞《关于无产阶级专政的历史经验》一文写得好。毛主席说，我们有些话还没有在文章中讲，现在说了没有好处。由于我们同苏联的关系，我们对斯大林问题只说了分量和原因，说了三七开，说了历史的、社会的和思想的根源。但对责任问题，我们说了斯大林的责任，但没有说只是斯大林个人有责任，别人没有责任；也没有说不但斯大林个人有责任，其他人也有责任。

从这些情况可以看到，毛主席和党中央是认真的、慎重的，也是顾全大局的。可以说，毛主席和党中央着眼点放在如何从苏联的历史(包括苏共“20大”在内)吸取经验教训,探索如何在中国建设社会主义。这集中表现在这一年9月召开的中国共产党第八次全国代表大会上。

第二章 苏波关系与匈牙利事件

第一节　苏联兵临华沙

1956年10月中旬,外国通讯社纷纷报道,苏联同波兰的关系突趋紧张。波兰境内苏军调动频繁,苏波边境苏军也向波兰东部移动,苏联波罗的海舰队正向波兰港口前进,华沙气氛非常紧张。10月20日下午,我到中南海颐年堂参加政治局会议。八大新选出的政治局成员,包括常委毛主席、刘少奇、周恩来、朱德、陈云、邓小平,还有委员董必武、彭真、罗荣桓、陈毅、李富春、彭德怀、贺龙、李先念,候补委员张闻天、陆定一、陈伯达、薄一波等都出席这次会议。林彪、林伯渠、刘伯承都因病未到会。另外还有王稼祥、胡乔木、杨尚昆、田家英等也参加。

这次政治局会议由毛主席主持。他穿着一身睡衣，一开始就说明召开这次会议的原因。他说，收到苏共中央一个通知，说波兰反苏势力嚣张，要求苏联军队撤出波兰。苏联根据华沙条约有权力在波兰驻军，有义务保卫东欧社会主义阵营的安全。苏联不能允许反苏事件发展，准备调动军队来解决问题。苏共在通知中表示想知道我们对此有什么意见。毛主席说，看来苏联要武装干涉，但还没有下最后决心。事情很紧急，很严重，所以召开政治局会议，讨论如何答复苏联。

毛主席接着问我，有什么新的消息？我汇报说，今天上午收到的消息，说波兰军队已动员，连保安部队也处于紧急戒备状态，华沙工人也武装起来。同时从斯德哥尔摩、赫尔辛基、哥本哈根传出的消息说，苏联的军舰已集中在波兰的港口格旦斯克（即过去的但泽）港外；在苏联西部和民主德国，苏联军队也在调动。这些都是西方通讯社的消息。

毛主席听了之后说，现在情况非常紧急，我们要早定方针。苏联动用军队来对待波兰这样一个社会主义国家很不妥当。儿子不听话，老子打棍子，旧社会习以为常。但苏波关系不是老子与儿子的关系，是两个国家、两个共产党之间的关系。按道理，两党之间的关系是平等的，不能像旧社会老子对儿子那样。看来苏联就是把波兰当作儿子。苏波关系搞得这样紧张，我看是苏联大国沙文主义造成的。赫鲁晓夫批评斯大林对南斯拉夫的政策不对,可是他对波兰的政策比斯大林还要厉害。他要动用军队,是严重的大国沙文主义。毛主席还谈到我们驻波兰大使馆发来的电报,我们大使馆的看法不大对头,他们比较强调波兰反苏情绪高涨,很可能是从苏联驻波兰大使那里听来的。我驻波使馆的另外一些同志觉得波兰的情况是苏联大国沙文主义的结果。这两种意见,看来后一种意见是对的。

接着会议上议论开了。大家都认为这是一件大事。一个社会主义国家对另一个社会主义国家动用军队,这不仅给帝国主义一个机会,而且无法向苏波两国人民,特别是波兰人民交待。这是违反社会主义国家之间独立平等的原则的。即使按照一般国际法也是不允许的。大家一致认为这是非常严重的问题,建议中央采取紧急措施,警告苏联,表明我们反对苏联武装干涉波兰。

在会议进行中我又接到新华社参考消息编辑部的电话,说外国通讯社传出消息:苏联一个代表团已到达华沙与波兰谈判。后来我们才知道,这个代表团是由赫鲁晓夫率领的,包括莫洛托夫、米高扬、卡冈诺维奇、苏斯洛夫等,差不多苏联的主要人物都去了。

苏波关系这样紧张,要从苏共"20大"以后波兰的局势说起。

1956年2月苏共"20大"以后,6月间波兰各地不满情绪在增长。波兹南市工人首先要求提高工资,政府不接受。工人要派代表团谈判,政府不愿意谈。这样一来,工人开始罢工，然后上街游行示威。波兹南事件以后，波兰许多地方的工人都在闹事。波兰统一工人党在7月间召开七中全会，讨论局势。会上，大家认为这几年经济工作不好，不如哥穆尔卡时期。（按：哥穆尔卡是1945年—1948年任波党总书记，1948年由于他反对情报局开除南斯拉夫党，被免除总书记职务并被开除出党，1951年被监禁，1954年秘密释放出狱。）七中全会认为哥穆尔卡没有错，开除他是受斯大林的影响。会议决定为哥穆尔卡恢复名誉，并在全党和全国平反错案、冤狱。

哥穆尔卡恢复名誉后积极参加了波兰党中央的工作。这时波兰党内批判斯大林的情绪高涨。由于过去斯大林对波兰采取大国沙文主义的政策，这个批判就带有强烈的民族主义色彩。苏联认为这是反苏。但是波兰党认为，过去党的路线是错误的，要像赫鲁晓夫批判斯大林那样肃清个人崇拜的影响，要加强法制，发展社会主义民主等等，意见都很激烈。

波兰党政治局决定在11月初开中央全会，到10月15日又确定提前在19日召开中央全会。苏共知道波兰党决定开中央全会后，非常紧张，要求波兰党中央政治局成员到苏联去谈判。波兰党的答复是在中央全会开完之后再去莫斯科。接着，苏共又建议苏共派代表团到华沙去。波兰党回答说，他们要开中央全会，无暇接待，要苏共代表团在波兰党开过中央全会后再来。赫鲁晓夫认为这是波兰党采取拖的办法，以便中央全会上改组政治局，然后再让苏共代表团去。赫鲁晓夫非常生气，决定不顾波党不同意接待，匆匆率代表团于 10 月 19 日晨飞往华沙。苏共代表团的座机到达华沙上空后，华沙机场拒绝接收。结果赫鲁晓夫所乘飞机在华沙上空盘旋很久（有人说一个小时，有人说两个小时），最后才被允许降落。

这是 19 日上午的事情。这时，波兰党正在开中央全会。会议由奥哈布主持。原来的波兰党第一书记和共和国总统贝鲁特参加苏共"20 大"后，听到赫鲁晓夫的秘密报告，情绪激动，导致心脏病突发，在莫斯科逝世。这以后，波兰党的工作就由奥哈布主持。奥哈布在会上宣布，现在苏联代表团已到华沙，问大家是否先开会再同苏方会谈，还是先同苏方会谈然后再开会。会上有人主张先同苏联代表团谈再开会，但多数人主张先选出新的政治局后再跟苏联代表团会谈。最后，按多数人的意见，先开会选出新的政治局的成员，其中包括哥穆尔卡。

在赫鲁晓夫 10 月 19 日率苏共代表团去波兰之前，苏联已下命令调动军队。首先调驻波兰境内的苏军包围华沙，同时调动驻民主德国的苏军向波兰西部边境靠拢，苏联西部白俄罗斯驻军也向波兰东部边境集中。苏联波罗的海舰队则向波兰港口格旦斯克方向集中。这是 10 月 17 日下命令的。命令下达后，苏联方面就通知我们，说苏已采取行动，并征求我们的意见。

所以，在 10 月 20 日的政治局会议上，毛主席说，赫鲁晓夫是准备动用武力的，但是还没有下最后的决心。

在这种情况下，我党政治局决定尽快向苏联提出警告，要尽力制止赫鲁晓夫动用军队干涉波兰内政。鉴于形势紧迫，政治局会议决定，由毛主席亲自出面，立即会见苏联驻华大使，明确向苏方宣布我党坚决反对苏联武装干涉波兰。

第二节　毛主席警告赫鲁晓夫

在会议结束后，毛主席马上通知约见苏联驻华大使尤金，将我党中央的决定告诉他。毛主席把胡乔木和我留下来，让我们俩人参加会见。

毛主席整个下午开政治局会议时就一直穿着睡衣，接见尤金时也没有换衣服，就在他的卧室中接见。尤金带着一个参赞来，到达时已是晚上 7 点多钟。尤金来后，毛主席对他说，我们收到苏共中央征求意见的通知，说你们要出兵干涉波兰。我们政治局今天下午开会讨论了此事，我们坚决反对你们这样做。请你马上把我们的意见打电话告诉赫鲁晓夫：如果苏联出兵，我们将支持波兰反对你们，并公开声明谴责你们武装干涉波兰。当时毛主席讲得很严厉，并且一再重复。毛主席说，现在时间不多，你们赶紧回去打电话告诉赫鲁晓夫同志。这样，会见很快就结束了。

尤金在整个会见过程中都非常紧张，他带来的苏联大使馆参赞苏达利科夫也非常紧张，他负责记录。尤金满头大汗，不停地用手帕擦脸，不断地说“да”“да”（意即“是”，“是”）。

最后，毛主席对胡乔木和我说，你们也没事了，不过你们新华社要24小时值班，有什么重要消息立刻通知我。这样，我们就离开了。

20日夜，我很晚才睡，一直守候在办公室等待着有什么新的消息，同时告诉新华社参考消息编辑部要注意所有西方通讯社的消息，有关于华沙方面、苏波关系等消息立刻通知我，一直到21日凌晨6时（那是华沙时间20日午夜）才回家睡觉，同时关照办公室值班秘书，如有重要消息马上叫醒我。

10月21日上午，我睡不到四个小时就来到办公室，很快就看到《参考消息》编辑部写的要闻提要，并马上把参编部选报的同志找来，请他告诉我刚刚收到的消息。据西方通讯社消息，苏联代表团已离开华沙返回莫斯科。后来才知道，苏共代表团19日上午到达华沙以后，一直等着波兰统一工人党中央全会选出新的政治局，然后举行两党会谈。据说，两党代表团在19日整个上午到下午一直进行激烈的争论。赫鲁晓夫首先指责波兰掀起反苏情绪，谴责波兰党对民族主义情绪不加制止，致使事态迅速恶化。赫鲁晓夫说话非常粗野，态度非常蛮横。会谈很快变成了激烈的互相指责。

在两党会谈过程中，赫鲁晓夫看出波兰方面不会同意苏方的意见(不让哥穆尔卡当第一书记),也不会采取措施制止所谓“反苏浪潮”,因为这本来就是苏联干涉波兰内政引起的。据波兰同志后来告诉我们,赫鲁晓夫在会谈过程中曾同华沙条约国军队总司令、苏联元帅科涅夫商量,并与原来苏籍波兰人、当时任波兰国防部长、波兰元帅罗科索夫斯基商量。赫鲁晓夫了解到:目前波兰反苏情绪激昂,华沙正在酝酿示威游行,局面难以控制。波兰军队的情绪也很不稳,很难依靠他们来平息群众示威。于是,他与政治局其他人商量后,在会谈过程中就要科涅夫下令驻波兰境内的苏军部队向华沙前进。苏联军队的这种行动,很快被波兰方面察觉。因为所有道路都控制在波兰公安部队手中。公安部队的司令就是原来与哥穆尔卡一起坐牢的科哈马将军。他与哥穆尔卡一起在七中全会上恢复名誉,从监狱中出来后被任命为公安部队司令。苏联军队的行动被发现以后,科哈马立即报告哥穆尔卡。哥穆尔卡在谈判中听到这个消息,非常激动地站起来,绕过会议桌,走到苏联代表团那边去,大声地对赫鲁晓夫说:你们的部队正在向华沙前进,我要求你马上下命令叫他们停止前进,返回驻地。赫鲁晓夫开始时抵赖,哥穆尔卡走出会议室,很快又返回来说,我证实这是确实的,我要求你马上下命令叫部队立刻返回营房,否则后果要你们负责。现在我要求休会,你们考虑一下答复我们。

这样,会议休会到晚上再开。

在两党会谈休会时,赫鲁晓夫得知华沙人民准备自卫,抵抗苏军入城,大工厂的工人已拿到枪支,成立工人自卫队,准备巷战。如果苏联军队坚持进城,就会发生战争。波兰国防部长罗科索夫斯基曾经表示,如果发生战争,他不能保证波兰部队支持苏联部队。这样,赫鲁晓夫的态度才软下来,只好同意波兰的意见,命令苏军停止进入市区。晚上会议的气氛与白天不同。赫鲁晓夫同意波兰党所做的决定,新选出的政治局由哥穆尔卡当第一书记。波兰方面欢迎苏联的态度。哥穆尔卡激动地说,波兰需要苏联的友谊胜过苏联需要波兰的友谊,并说波兰党中央委员会会议结束之后,他一定到莫斯科去讨论如何解决波苏关系问题。

这样,苏共代表团在 20 日早晨返回莫斯科。我们在 21 日收到外国通讯社的消息说,形势已经缓和,苏联军队没有入城,但华沙仍很紧张,工人自卫队和公安部队仍然在街上巡逻,波兰国防军在驻地备战。同时,外国通讯社还说,在格旦斯克港外的苏联船队已向列宁格勒方向返航。所有这些消息,我们都随时收到随时排印送给中央政治局常委以及中央办公厅、外交部和中联部。

第三节 苏波中三角会谈

22 日晚上,毛主席的秘书高智同志打来电话,要我马上到主席家中开会。我晚上 7 时半到达毛主席的卧室,知道是政治局常委开会。这是在中共八大以后我第一次参加新的政治局常委会。(按:政治局常委包括党的主席毛泽东、副主席刘少奇、周恩来、朱德、陈云和总书记邓小平。林彪因为不是中共八大选出的副主席和常委,没有参加。但即使是在 1958 年八大第二次会议补选他为副主席和常委以后,我每次列席常委会议也很少看见他参加。)这晚参加会议的除六位常委外,还有彭真、张闻天、王稼祥、胡乔木。他们几位虽然不是政治局常委,但是彭真通常在小平同志不在时主持书记处会议,实际上等于副总书记,政治局常委会议他都参加。张闻天同志是政治局候补委员,是外交部常务副部长(部长由周总理兼任)。王稼祥同志是书记处书记兼联络部部长,专管与兄弟党关系的。胡乔木是书记处候补书记,同时也是毛主席的政治秘书之一。一般有关国际问题的会议,张闻天和王稼祥都参加讨论。此外,我和田家英列席。

毛主席坐在床上,背靠着床头,大家都坐在床前围成半圆形的椅子上,随便闲谈。人到齐了以后,毛主席宣布"言归正传"。毛主席说,现在惹上麻烦了。我们对波兰问题表了态,反对苏联武装干涉,主张协商解决问题。现在他们要协商,要求我们参加。苏共中央打来电报,邀请我们派两位负责同志参加在莫斯科举行的苏波两党会谈。他们建议苏、波、中三党在一起协商解决苏波关系的问题。主席又问到今天又有什么新的情况,我将当天收到的外国通讯社报道的情况扼要汇报。主席说，赫鲁晓夫最后还是没有那么大的胆子动用军队干涉波兰。这主要是他在波兰遇到坚强的抵抗，他估计如果他用武力应付会爆发战争，而且不容易一下解决问题。当然我们党的表态对他也有一定影响。通知尤金是在20日晚上，北京与华沙时差有6个小时，等于在华沙的20日中午，而赫鲁晓夫软下来在19日晚上。他在20日回到莫斯科才得知我们的态度。所以决定的因素是波兰的抵抗，波兰党坚定拒绝苏共的无理要求。

少奇同志和周总理也讲，赫鲁晓夫在19日晚上软下来，主要是波兰的因素，但是我们坚决的表态，苏联代表团回到莫斯科就知道了，所以请我们参加他们的谈判。

毛主席提出，我们是参加还是不参加？少奇同志主张参加，周总理也主张参加。

后来大家又谈到，我们派代表团去，怎么跟他们谈呢？毛主席说，可以三方一起会谈，也可以不跟他们一起会谈。三方会谈是因为我们提出和平解决，但是我们不是直接有关方面，是间接有关方面。毛主席设想：我们可以派人去，以调解人的身份去，不是以当事人的身份去，不参加他们的会谈，而是从旁调解。我们不好当波兰同志的面批评苏联同志，也不好当苏联同志的面批评波兰同志。就是说，我们只能分别同苏方或波方谈，不搞三方一起谈，这样我们可以主动一些，回旋的余地大一些，说话也方便一些。毛主席的这个设想大家都赞同。

常委会最后确定:代表团的任务是劝和;方针是着重批评苏共的大国沙文主义,同时劝说波兰党顾全大局,总的是劝他们协商一致,达成协议,巩固波苏友谊。方式是分别与波兰或苏联代表团谈,不参加他们两方的会谈。会议还决定由少奇同志和小平同志率代表团到莫斯科去。苏方要求我党代表团要在23日上午乘苏联派来的专机去莫斯科。

这天晚上的政治局常委会时间比较短,以便少奇同志和小平同志准备第二天早晨启程。

从这以后,差不多每天晚上,政治局常委都在毛主席家里开会,研究我党代表团从莫斯科发来的电报,商量我党代表团分别与苏、波代表团会谈中出现的问题。代表团有些请示需要马上答复的,常委议论之后当场起草电报发出。

据少奇、小平同志发回的电报,莫斯科会谈进行得还好。我们首先严厉地批评苏联调动军队,指出战争虽然没有真正打起来,但也是一种非常严重的大国沙文主义的表现,是冒险的行动。少奇同志讲得非常尖锐。据代表团报告说,苏共中央主席团差不多全体都参加了,他们都硬着头皮听我们讲。同时他们也诉苦,说波兰民族主义情绪、反苏情绪强烈,不好办。苏联在波兰驻军完全是为了保障苏联在民主德国驻军运输线的畅通,也是为了整个欧洲社会主义阵营的利益和安全。但他们也说,他们到华沙后也有同我们提出的意见相同的想法,即通过谈判，和平解决苏波分歧。所以苏共中央已下令驻波兰和民主德国的苏军部队撤回原来的驻地。

我党代表团表示，我们努力做波兰同志的工作，希望波苏友谊不断地得到加强，我们愿意为此尽最大的努力。苏方对此也感到高兴。

我党代表团也跟哥穆尔卡为首的、包括奥哈布等人组成的波党代表团进行会谈。我党代表团在会谈中首先表示支持他们反对苏联干涉波兰党事务。少奇同志介绍了我党政治局曾严厉警告苏联不要武装干涉波兰的经过。同时，少奇和小平同志也劝波兰同志以大局为重，改善波苏关系，加强与苏联合作，度量要大一点，不要计较苏联过去对波兰的许多错误做法，要以和为贵，向前看。我们希望波兰与苏联的关系搞好，因为波兰是东欧最大的国家，与苏联关系的好坏对整个社会主义阵营关系甚大。我们对波兰寄予希望，也相信波兰同志会按照无产阶级国际主义的原则处理好苏波关系。

哥穆尔卡代表波兰党一再感谢中国党的支持，认为如果没有中国党的支持，不知事情现在发展到何种程度。他说，波兰党和波兰人民忘不了中国党的支持，并表示他要努力改善与苏联党的关系，加强波苏两党在无产阶级国际主义基础上的团结。这时哥穆尔卡是以波兰统一工人党第一书记的身份谈话的。苏共代表团在 20 日晨离开华沙后，波兰统一工人党八中全会继续开会。政治局一致推举哥穆尔卡为第一书记，代替奥哈布。哥穆尔卡在当选后发表著名演说——《波兰的社会主义道路》。

从10月23日起，苏、波、中三国党的代表团在莫斯科像走马灯似地轮流双边会谈。苏联代表团同波兰代表团谈过后和中国代表团谈，波兰代表团与苏联代表团谈过后也同中国代表团谈。中国代表团和苏联代表团谈后又与波兰代表团谈。最后，大家一致同意两点：第一，苏波两党尽快再举行一次正式会谈，协商解决分歧并达成协议（因为这次会谈是不公开的）；第二，苏联单独发表一个关于社会主义国家关系的宣言。这个宣言10月30日发表了，内容很特别，其中苏联承认过去在处理社会主义国家之间关系方面有错误，不符合社会主义国家之间平等的原则，声明要改正这些错误，表示要根据互不干涉内政、相互平等的原则解决社会主义国家之间的问题。这是我党代表团在莫斯科同苏联、波兰党商妥的。我代表团还答应，在苏联发表宣言后，中国政府发表声明加以支持。这就是让苏方自己先采取主动，我们然后表示支持。这是少奇同志和小平同志在莫斯科设想的方案。

中共代表团29日将这一计划报国内。毛主席在10月30日召开政治局会议，同意这个方案，并在11月1日专门召开最高国务会议，说明情况，征求各民主党派及无党派人士的意见，取得他们的赞成，然后以中国政府名义发表声明。

一度十分紧张的波苏关系，经过莫斯科苏、波、中三党的三角会谈告一段落。但是，在波苏关系紧张的过程中，又发生了匈牙利事件。

第四节 匈牙利反革命叛乱

1956年10月间，匈牙利反革命势力发动暴乱，匈牙利政府要求驻匈牙利的苏军支持他们平息反革命叛乱。可是反革命叛乱越来越凶，匈牙利人民政府岌岌可危。这时苏联当局动摇起来，准备把苏军撤出匈牙利。真是一波未平，一波又起。

毛主席在10月30日晚上召开中央政治局会议，一方面讨论了苏波中三党在莫斯科会谈的情况，同意由中国政府出面发表一个声明，支持苏联的宣言；同时，又讨论了匈牙利的局势，认为苏军不能坐视匈牙利反革命叛乱不管，撤出军队。

匈牙利事件也是苏共“20大”以后开始的。在苏共“20大”开过不久，1956年3月中旬，匈牙利一些知识分子（其中许多人是党员）组织了一个裴多菲俱乐部，进行一系列的活动，召开各种座谈会，要求所谓“民主”、“自由”。匈牙利当时许多人思想混乱，大学生也开始闹事。在这种形势下，7月间，苏共派米高扬去匈牙利，要求匈牙利党的领袖拉科西下台，认为他实行斯大林式的领导，把匈牙利局势搞糟了。匈牙利党改选格罗为党的第一书记，兼任部长会议主席。

从这时起，匈牙利开始平反冤狱、错案。其中最重要的是为拉伊克平反。他曾经是匈党领导人之一，后来被诬陷为反革命分子，判处死刑。在10月间，匈当局不仅为他平反，而且举行国葬。在匈牙利首都布达佩斯，送葬队伍浩浩荡荡，形同大规模的示威游行。差不多同时，纳吉也恢复了党籍，他也是匈牙利的著名人物，第二次世界大战中参加苏联红军，战后回国，当农业部长，1953年7月当了匈牙利部长会议主席；1956年4月下台。当时，匈牙利党中央指责纳吉搞资本主义复辟活动，并把他开除出党，10月间又恢复他的党籍。这时匈牙利的局势已经很混乱。

10月20日哥穆尔卡在波兰当选为波兰党的第一书记，并且发表了“波兰的社会主义道路”的演讲。此事也冲击了匈牙利。当时裴多菲俱乐部发动游行，布达佩斯的大学生上街，示威群众要求纳吉上台。匈牙利政府开始下令禁止示威游行，后来又撤销这个禁令。但公安部队已和示威群众发生冲突。一些反革命分子从中煽动，情况变得越来越复杂。10月23日，示威游行的规模更大，冲突更加严重。这时匈牙利党宣布撤换原来的总理格罗（他当时任党的第一书记，但有名无实），由纳吉当总理。政府宣布戒严，同时邀请苏联军队帮助恢复布达佩斯的秩序。根据苏联和东欧人民民主国家签订的华沙条约，苏联在匈牙利境内驻有军队，但在首都布达佩斯并无驻军。10月24日，苏联军队进驻布达佩斯。这时匈牙利的军队一批又一批参加示威群众行列。

10月24日,米高扬和苏斯洛夫又飞到布达佩斯,参加匈牙利工人党中央的会议。会议选举卡达尔来代替格罗当第一书记。但是群众的示威和骚动仍继续不断,反革命叛乱分子混在示威群众中,挑起同公安部队冲突,情况越来越严重,整个布达佩斯一片混乱。

10月25日,新任总理的纳吉发表广播讲话,要求苏军撤出匈牙利,并宣布实行戒严。即使这样,罢工还是在全国范围内不断发生。反革命分子的夺权活动非常猖獗,甚至在首都以外的一些省都宣布"解放"。布达佩斯到处听到枪声。

许多匈牙利流亡分子通过匈牙利与奥地利的边境涌入匈牙利,西方的记者也大批地涌进匈牙利。西方的电台鼓动匈牙利人举行反苏起义,匈军一些部队与叛乱分子站到一起。

10月27日,苏联军队基本上控制了布达佩斯,匈牙利群众与苏联军队的关系比较融洽,互相开玩笑,小孩爬到苏军坦克上玩。看来当时群众还是拥护苏联军队平息叛乱的。

这一天纳吉宣布成立新政府,免去了好几位共产党员部长的职务,而吸收一些非党员参加政府。

28日,匈牙利党中央又举行会议,成立六人小组代行中央职权,以纳吉为首,把卡达尔排挤出中央领导层。这次会议要求所有各方停火,并要求成立新的军队,要改变国徽、国庆日，要求苏军撤出布达佩斯。这时匈牙利各省都宣布“解放”，广播电台掌握在叛乱分子手中，要求苏军立即撤退。整个局势非常混乱，许多共产党员、公安人员和群众被叛乱分子抓住吊死，街头电线杆上、树上到处挂着许多尸体。显然，反革命暴乱越来越严重，而纳吉政府却采取节节退让的方针。

正是在这样的紧急关头，米高扬和苏斯洛夫于10月29日再次飞到布达佩斯。他们在同匈牙利当局会谈时说苏联党和政府准备从匈牙利撤兵。这是我党代表团在莫斯科调解苏波纠纷时，从苏联方面得到的通知。我们代表团认为此事很重要，立即报告中央，请求中央指示对此事应采取的方针。

第五节　抛弃还是支援匈牙利人民

10月30日，毛主席主持的政治局会议，在讨论准备发表支持苏联关于社会主义国家关系宣言的声明的同时，也讨论如何对待苏联准备从匈牙利撤兵问题。

毛主席指出，苏联在波兰问题上冒失决定派军队干涉波兰内政是错误的，而现在在匈牙利问题上又匆忙决定撤出驻匈的苏军，置匈牙利人民政权垮台于不顾，同样也是错误的。赫鲁晓夫一左一右的做法都不对头。

在讨论中大家一致认为，苏联在这时对匈牙利撒手不管，匈牙利的社会主义就完了。苏军应当继续留在匈牙利，帮助匈牙利党和政府平息反革命叛乱，保卫社会主义成果。当时大家觉得，苏联曾想在波兰动用军队，结果碰了钉子，只好放弃武力干涉内政；现在对匈牙利也想采取放弃武力支持的方针。其实，匈牙利的情况同波兰完全不同。苏联如出兵波兰，就会爆发波苏战争。在匈牙利的苏军既是根据华沙条约又是应匈牙利政府邀请帮助维持秩序的。显然，现在匈牙利党和政府无法控制局势，这时如果苏联不帮一把，撒手不管，匈牙利这个社会主义阵地就会丧失。这与苏联武装干涉波兰是性质完全不同的事情。在波兰采取武力干涉内政的方针，是完全违反无产阶级国际主义的原则的。在匈牙利动用苏联驻军帮助政府和人民平息反革命叛乱，则是完全符合无产阶级国际主义的原则的。相反，如果不采取这样的方针，撒手不管，听任匈牙利社会主义政权垮台，那就是背叛无产阶级国际主义原则。

会议很快得出一致的结论后，毛主席提出，要赶紧起草电报，告诉少奇和小平同志，要他们代表我党中央郑重向苏共中央提出，我们不赞成他们从匈牙利撤兵，建议苏军仍然留在匈牙利，帮助匈牙利党和人民。给代表团的电报当晚就起草好，经宣读通过，立即发出。这时已是10月30日深夜。

我党代表团在莫斯科接到中央的指示以后，于10月31日下午紧急约见苏共中央主席团，向他们转述我党中央的意见。少奇同志讲得很严厉。据少奇同志回北京后说,当时苏共中央主席团的所有成员都认为从匈牙利撤出苏军是不得已的事。目前的状况没有别的解决办法,只好撤军。少奇同志最后严肃地对他们说,如果你们真是现在撤兵,对匈牙利撤手不管,那么你们将要成为历史的罪人。苏共主席团听了这些话大为震动,但当时并没有表示苏军要留在匈牙利。

11 月 1 日,戏剧性的事情发生了。在我党代表团离莫斯科回国时,赫鲁晓夫特意到宾馆送行,并和少奇同志同车赴机场。在赴机场途中,赫鲁晓夫在汽车上对少奇同志说,昨天下午中苏两党代表团会谈之后,苏共中央主席团开了一夜会,决定苏军继续留在匈牙利,帮助匈牙利人民保卫社会主义成果。少奇同志对他说,你们一夜之间来了 180 度的大转弯,变得很快,但很正确,我们支持你们。赫鲁晓夫接着讲了一大通苏军不能撤出匈牙利的理由,差不多跟昨天我党代表团批评他们时讲的一样。少奇同志当然表示完全赞同。在飞机场贵宾室,苏共主席团全体成员到场热烈欢送我党代表团,逐个与代表团成员紧紧拥抱,并一再表示衷心感谢我党在波兰问题上帮助他们,在匈牙利问题上也帮助他们。

本来,赫鲁晓夫准备从匈牙利撤出苏军的决定,于 10 月 29 日飞到布达佩斯的米高扬和苏斯洛夫已正式通知纳吉政府,苏联军队也从布达佩斯和匈牙利开始撤出。纳吉 30 日在电台上宣布苏军开始从匈牙利撤退,并宣布匈牙利退出华沙条约组织，取消一党制，实行多党制。卡达尔不同意纳吉的决定，他离开布达佩斯，在匈牙利东部宣布成立工农革命政府。这样，在匈牙利出现了两个政权：一方面是卡达尔宣布成立的工农革命政府，它宣布匈牙利还留在华沙条约组织，而且要求苏联军队停止撤出，帮助工农革命政府平息叛乱；另一方面是纳吉改组的政府，吸收小农党、社会民主党等参加，取消共产党一党执政，同时实行大赦，释放全部政治犯。这样，纳吉政府显然抛弃社会主义旗帜了。

11 月 3 日，米高扬和苏斯洛夫又在布达佩斯同纳吉谈判，劝说纳吉放弃原来的决定，留在华沙条约组织，并表示苏联仍支持他。但是，纳吉拒绝接受这些意见并且宣布要求联合国出面干涉，要求苏军立即撤退。谈判于是中断。

11 月 4 日，苏军根据卡达尔工农革命政府的要求，重新进入匈牙利布达佩斯。卡达尔政府宣布解除纳吉的一切职务。纳吉跑到南斯拉夫驻匈牙利大使馆要求政治避难。布达佩斯的叛乱很快平息下来，匈牙利全国各地的叛乱也很快平定。匈牙利社会主义政权稳定下来了。

也正是在这时又发生了另一件震动世界的事情，英国和法国对埃及宣战，出兵埃及，占领苏伊士运河区。此事激起全世界的反对。在联合国大会议论纷纷，许多国家的代表要求对英、法实行制裁。

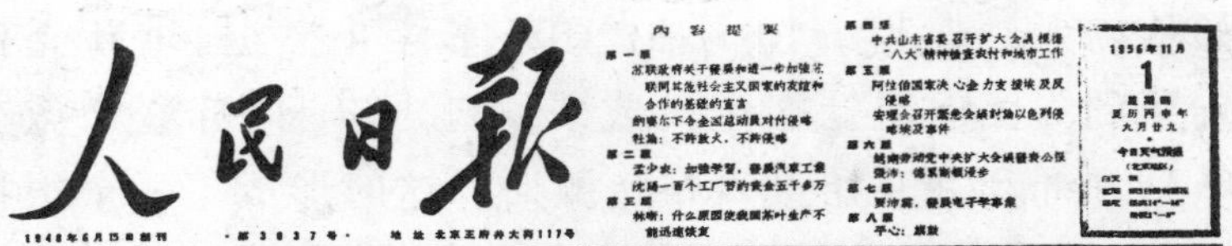

不許放火 不許侵略

苏联政府关于發展和进一步加强苏联同其他社会主义国家的友誼和合作的基础的宣言

中华人民共和国政府关于苏联政府一九五六年十月三十日宣言的声明

苏联政府在一九五六年十月三十日發表了关于發展和进一步加强苏联同其他社会主义国家的友誼和合作的基础的宣言。中华人民共和国政府認为：苏联政府的这个宣言是正确的。这个宣言对于改正社会主义国家相互关系方面的錯誤，对于增强社会主义国家之間的团結，具有重大的意义。

中华人民共和国一向認为，互相尊重主权和領土完整、互不侵犯、互不干涉內政、平等互利、和平共处五項原則，应該成为世界各国建立和發展相互关系的准則。社会主义国家都是独立的主权国家，同时又是以社会主义的共同理想和無产阶級国际主义精神团結在一起的。因此，社会主义国家的相互关系就更应該建立在五項原則的基础上。只有这样，社会主义国家才能够眞正实現兄弟般的友好和团結，并且通过互助合作实現共同的經济高漲的願望。

正如苏联政府的宣言所指出的，在社会主义国家的相互关系方面，并不是沒有錯誤的。这些錯誤造成了某些社会主义国家之間的隔閡和誤解，并且使一些社会主义国家不能更好地按照自己的历史情况和特点建設社会主义。由于这种隔閡和誤解，有时甚至造成不应有的紧張局势。一九四八——一九四九年对南斯拉夫的事件，最近在波蘭所發生的事件，都足以說明这种情况。苏联政府，繼一九五五年六月苏南共同宣言發表之后，再一次注意到这个問題，在苏联政府一九五六年十月三十日的宣言中表示願意根据完全平等、尊重領土完整、国家独立和主权、互不干涉內政等項原則，通过同其他社会主义国家的友好协商，来解决相互关系中的各种問題。这个重要的步驟，显然将有助于消除社会主义各国間的隔閡和誤解，并且可以加强社会主义各国的友好和合作。

中华人民共和国政府注意到，波蘭和匈牙利的人民，在最近的事件中，提出了加强民主、独立和平等以及在發展生产的基础上提高人民物質福利的要求。这些要求是完全正当的。正确地滿足这些要求，不但有利于这些国家人民民主制度的巩固，而且有利于社会主义各国相互之間的团結。我們高兴地看到，波蘭人民和他們的領袖人物已經注意到了那种企圖破坏人民民主制度和社会主义各国团結的反动分子的活动和危險。我們認为，注意到这一点，并且区別最广大人民群众的正当要求和極少数反动分子的陰謀活动，是完全必要的。团結最广大的人民群众，同極少数反动分子作斗爭的这个問題，不但是个別社会主义国家的問題，而且是許多社会主义国家包括我国在內都值得注意的問題。

在社会主义各国，由于思想基础和奋斗目标的一致，某些工作人員常常容易在相互关系中忽略各国平等的原則。这种錯誤，就其性質来說，是資产阶級沙文主义的錯誤。这种錯誤，特别是大国的沙文主义錯誤，对于社会主义各国的团結和共同事業，必然会帶来严重的損害。因此，我国政府的領导人員、工作人員和全国人民，必須时刻警惕，防止在同社会主义国家和其他国家的关系中犯大国沙文主义的錯誤。我們应該在我們的工作人員中和全国人民中，不断地进行堅决反对大国沙文主义的教育。如果犯了这种錯誤，就应該迅速改正。这是我們为了爭取同一切国家和平共处，为了推进世界和平事業，所应当充分注意到的責任。

一九五六年十一月一日

1956 年 11 月 1 日、2 日，《人民日报》发表的《苏联政府关于发展和进一步加强苏联同其他社会主义国家的友谊和合作的基础的宣言》和《中华人民共和国政府关于苏联政府 1956 年 10 月 30 日宣言的声明》。

英军是10月30日出兵埃及的，这一天也是苏军开始从匈牙利撤退。10月31日苏军停止撤退，重新支持匈牙利人民保卫社会主义成果。11月4日，苏联增派军队到匈牙利并开始进入布达佩斯。这时形成了一个很特别的现象，东西方两面锣鼓一起响起来：苏军进兵布达佩斯，英法军队侵略埃及的苏伊士区，两套锣鼓，性质完全不同。苏伊士的锣鼓分散了全世界的注意力，这对苏军支持匈牙利保卫社会主义成果很有利。也正因为这个缘故，帝国主义国家没有能够集中他们的力量来干涉匈牙利。这是匈牙利事件平息下来的有利的国际条件。

10月31日，毛主席又主持政治局会议继续讨论匈牙利的局势，表示坚决支持苏军留在匈牙利。

11月1日，毛主席召开最高国务会议，毛主席和周总理在会上把当前的国际形势，主要是波兰、匈牙利以及埃及的情况和我们的方针对民主人士讲了。最高国务会议通过了我国政府支持苏联政府对外关系宣言的声明。这个声明11月2日发表了。

第六节　两次事件的观感

11月2日下午，少奇同志和小平同志率领的代表团从莫斯科返回北京，下飞机后即到颐年堂，向毛主席召开的政治局会议汇报。整个会议洋溢着兴高采烈的气氛。

少奇同志除了谈到上面所讲的情况以外，还谈到我们代表团与苏共主席团会谈时，苏方一个接一个地讲波兰如何反苏、民族主义情绪高涨，尤其是具有犹太血统的波兰人如何反苏；苏方曾给波兰很大的援助，但现在波兰不买账。苏联同志激动地说波兰对苏联不公平，忘恩负义等等。我党代表团只好劝他们平心静气，理智地而不是感情地对待当前的严峻形势。少奇同志和小平同志都严肃地指出：苏联是最强大的社会主义国家，对其他社会主义国家进行帮助，是他们的义务，也是他们的功劳。希望他们能胸怀宽大些，搞好与波兰的关系。使用武力干涉波兰是极其错误的。

据少奇同志和小平同志说，与波兰代表团会谈时波兰同志讲的是另外一种情况。他们对苏联是一肚子气。他们说，苏联过去是欺负他们，把他们当作殖民地，剥削他们的资源、劳动力；苏联从德国拿到的战争赔偿，一分钱也不给波兰，等等。他们谈了许多过去闻所未闻的有关苏联欺负波兰的具体事实。他们一直追溯到历史上苏联党在30年代如何清洗波兰党。许多波兰共产党人无声无息地在苏联"失踪"，现在才知道是在苏联肃反中被处死了。波兰同志讲起来慷慨激昂。小平同志说，波兰同志谈到这些情况时，激动得有点像我国搞土地改革时贫雇农吐苦水。少奇同志说，看来哥穆尔卡还比较冷静，他没有讲这些话。他自己在1953年被撤销总书记职务，后来又坐牢。他在会谈中没有抱怨，没有发牢骚，反而强调改善苏波关系，加强苏波友谊。少奇同志说，我们在莫斯科在苏波两党之间进行调解，分别与两党代表团谈了几次，贯彻中央调解、劝和的方针，是取得成功的。后来双方谈得比较好。但这些问题不是一天能完全解决的，具体问题还要他们协商。从大的方面看起来，经过莫斯科会谈，苏波之间不至于发生大的冲突。

关于匈牙利问题，少奇同志和小平同志都讲到，开始苏联很坚决地要从匈牙利撤兵，表示毫无商量的余地。他们认为，匈牙利的社会主义已经完了，除撤退苏军没有别的办法，否则就要打仗。他们情绪非常低沉、悲观。据说，米高扬和苏斯洛夫在布达佩斯呆得不耐烦，觉得没事情做，要求赶紧撤兵回来。10月31日，我们根据中央指示与苏联主席团谈判时，他们几乎所有的人都说只有撤兵一条路可走。少奇同志说，11月1日，我们要离开苏联时，赫鲁晓夫在汽车上滔滔不绝地跟我讲他们主席团昨天一整夜讨论是否从匈牙利撤军的问题，最后决定不撤。他所讲不撤军的理由与我们前一天跟他们谈的理由一样。少奇同志讲，看来苏联同志看问题的方法不符合辩证法，片面性很严重，忽左忽右。一个时候主张非撤兵不可，隔了一天又讲无论如何不能撤兵。但这也有好处，就是思想不是那么僵化。我们向他们提出意见后，他们是能够考虑的，最终改变了原来撤兵的决定。

这次会议开得不长，少奇同志和小平同志刚从莫斯科返回，非常疲劳。毛主席说，这次会先开到这里，先回去休息。晚上不到九点会议就结束了。

11月4日，在苏军重新返回匈牙利，重新返回布达佩斯之后，毛主席又召集开政治局会议。毛主席估计苏军重新返回后，匈牙利的叛乱将会平息，但匈牙利政权的巩固要做耐心的、艰苦的工作。毛主席说，在匈牙利完全照过去一套是不行的，而新的一套还要靠匈牙利同志自己去摸索，我们也要支持他们。不但要支持赫鲁晓夫，还要支持卡达尔。对波兰也是这样。现在摆在世界各执政的共产党面前的问题是如何把十月革命的普遍真理与本国的具体实际相结合的问题，这是个大问题。波匈事件应使我们更好地考虑中国的问题。苏共"20大"有个好处是揭开盖子，解放思想，使人们不再认为苏联所做的一切都是绝对真理，不可改变，一定要照办。我们要自己开动脑筋，解决本国革命和建设的问题。

毛主席还说，我们4月间发表了一篇文章，评苏共"20大"，讲的道理现在看来还是对的，在国际上也是有影响的。但是经过半年时间，特别是经过波匈事件，原来文章所谈的已经不够了，需要再写一篇。这个时期各国党对这个问题新发表了许多意见，我们已经编了两本小册子。我们可以认真加以研究，看哪些是正确的，哪些是错误的。再根据最近一个月波匈事件的教训，好好总结一下社会主义究竟如何搞法。矛盾总是有的，如何处理这些矛盾是我们需要认真研究的问题。

这次政治局会议上，好几位中央领导同志提出要把当前的国际形势告诉高级干部，建议召开人大常委会，并让党政军各部门负责人也列席，听取周总理的国际形势报告。会议同时还决定召开八届二中全会，除了讨论1957年的计划草案外，主要也是讨论国际形势，让全党知道中央政治局这时期的重大国际活动。毛主席还提出，再过几天就是十月革命39周年，要热烈庆祝一下。苏联大使馆将举行庆祝会，我们可多一些负责同志参加，以表示对苏联的支持（后来毛主席本人和其他中央领导同志都参加了）。关于写文章，毛主席对胡乔木和我说，先酝酿一下，待开过二中全会之后中央再来讨论。

11月10日到15日党中央召开了八届二中全会。刘少奇同志在会上做了关于当前时局的报告，主要是讲我党对苏波纠纷和匈牙利事件所采取的方针以及苏波中三党分别会谈的经过，说明我党的方针是正确的，同时也谈到英法侵略埃及，说明我们在全国举行支援埃及的群众示威集会是完全必要的。

毛主席11月15日在会上讲话时讲到波苏纠纷和匈牙利事件，也讲到苏共“20大”。毛主席说，波兰、匈牙利出了乱子，我看是坏事也是好事。凡事有两重性，马克思主义者要坚持两点论。波兰也好，匈牙利也好，既然有火，总是要烧起来的，纸是包不住火的。现在烧起来了，烧起来就好了。匈牙利有那么多反革命分子，这一下暴露出来了。匈牙利事件教育了匈牙利人民，同时教育了苏联一些同志，也教育了我们中国的同志。

关于苏共“20大”，毛主席说，我看有两把刀子，一把是列宁，另一把是斯大林。现在斯大林这把刀子，赫鲁晓夫这些人丢掉了。于是铁托、匈牙利一些人就拿起这把刀子杀苏联，大反所谓斯大林主义。西欧好些国家的共产党也批评苏联，带头的是意大利的陶里亚蒂。帝国主义也拿这把刀子杀人，美国国务卿杜勒斯就拿起来耍了一阵。这把刀子我们中国没有丢掉。我们是：第一，保护斯大林；第二，批评斯大林。我们发表了《论无产阶级专政的历史经验》那篇文章。我们不像有些人那样丑化斯大林，毁灭斯大林，而是按实际情况办事，坚持两点论。

毛主席还说，列宁这把刀子现在是不是也被苏联一些领导人丢掉一些呢？我看也丢掉相当多了。赫鲁晓夫在苏共“20大”上的报告中说，可以通过议会道路去取得政权。这就是说，各国共产党可以不学十月革命道路了。这个门一开，列宁主义就基本上丢掉了。

毛主席说，我们中国是学习马克思列宁主义，学习十月革命的。我们依靠群众，走群众路线，是十月革命那里学来的。不依靠群众进行阶级斗争，不分清敌我，这很危险。东欧一些国家的基本问题就是阶级斗争没有搞好，那么多反革命分子没有肃清，没有在阶级斗争中训练无产阶级和其他劳动人民，分清敌我，分清是非，分清唯心论和唯物论。现在自食其果，火烧到自己头上来了。

第七节　在反苏反共浪潮面前

就在二中全会前后，全世界都议论苏军帮助匈牙利政府平息反革命叛乱。西方资产阶级大肆攻击。许多共产党表示支持，但是，也有些共产党发表谴责苏联的言论，其中最引人注意的是南斯拉夫共产主义联盟领导人铁托11月11日在普拉的演讲。在演讲中，他第一次提出要反对斯大林主义，反对斯大林主义分子，号召把各国的斯大林分子赶下台。

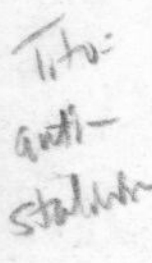

从11月25日开始，毛主席差不多每天都召集政治局常委会，加上别的有关负责同志约有10人参加。会议大多数在菊香书屋毛主席的卧室举行，有时也在颐年堂西头的小会议厅举行。

在卧室开会时，毛主席通常都是穿着睡衣，靠着床头，半躺在床上。床的左边放着新旧书籍、报纸、杂志。惯常中央常委在床前，座椅围成半圆形。靠床头右边坐的通常是小平同志，因他的耳朵有点背。从毛主席卧床的右边到左边挨次是彭真、少奇、周总理、王稼祥、张闻天、陈伯达、胡乔木。按习惯我是坐在最左边，靠着毛主席床脚的小办公桌。这些常委会议，陈云同志1958年以后参加较少，因为他身体有病，经常休养；朱总司令由于年纪大，开会又多在晚上，一般也不参加。

11月25、27、28、29日，这四天会议，除周总理因出访东南亚没有参加外，大家广泛议论，着重讨论对当前形势的估计，对铁托的讲话及其他共产党领导人的文章、声明的看法（这些讲话、声明和文章，新华社收到译出后即分送中央各同志，然后登在《参考资料》上，后来又汇编成册），然后议论如何再写一篇评论，表达我们的观点。

在这几天的政治局常委会议上，大家议论到，英法侵略埃及遭到世界人民的反对，苏联很快地平息匈牙利反革命事件，这都是好事情。但这两台锣鼓一起敲，国际上许多人把英法侵略埃及和苏军平息匈牙利叛乱混在一起，不分黑白地一起谴责。甚至我们队伍中有些人在这个问题上也分不清敌我，分不清是非。西方国家的共产党中，有些不坚定分子动摇起来，有些人甚至公开宣布脱党。这种情况从赫鲁晓夫在苏共"20大"的反斯大林报告泄露后就开始，越来越严重，到波苏纠纷和匈牙利事件，反苏反共达到高潮。

毛主席在会上针对这种情况说，共产党中有些人脱党，当然使党员数目上有损失，但是去掉脓包，包括一些叛变分子和动摇分子，党更加健康，更加坚强、巩固，也是好事。

大家着重议论到铁托提出的反斯大林主义和反斯大林主义分子问题。大家认为，铁托的提法完全搬用西方资产阶级对共产党的诬蔑。这是西方分裂共产党、分裂社会主义阵营的恶毒的做法。毛主席在会上说，所谓斯

大林主义，就是斯大林生前的思想和观点。所谓斯大林分子，顾名思义，指的是跟着斯大林走的人。那么斯大林这个人怎么样呢？依我看，斯大林基本上是正确的，是“三七开”。斯大林主义也基本上是正确的。因此，所谓斯大林主义分子，也应当是三七开，有缺点有错误，但还是共产党人。斯大林是好人犯错误。所以，铁托的观点是完全错误的。我们要彻底把他驳倒，否则共产主义队伍就要分裂，自家人打自家人。现在看来斯大林主义还是要的，非保持不可，因为它基本上是对的，错误的去掉了就是好东西，这把刀子不能丢掉。这是我们的资本，跟列宁主义一样。

政治局会议议论到：对待斯大林和犯错误的同志，同对待帝国主义和反动派的区别，是一个分清敌我的根本问题。大家一致认为，铁托要把犯错误的人赶下台，把他们当作敌人对待，是完全错误的。

这四次会议议论很多，慢慢就形成一些比较重要而又同当前国际上各种思潮有关的观点。毛主席在 29 日讲到要写一篇文章。他初步设想，文章的题目可以叫做“全世界工人阶级联合起来”，就是说要团结一切社会主义力量。毛主席说，当然，对铁托，对苏联，都要有批评，通过批评达到团结的目的。我们的批评要合乎实际，要有分析。这里用得上中国古人作文章的方法，一个叫“欲抑先扬”，一个叫“欲扬先抑”。就是说，你要批评他时，先肯定他的好的方面，然后再批评他的错误的方面。因为

批评的目的还是要他变好，达到团结的目的。对铁托适宜采用这个方法。对斯大林则要采取另一个方法，你要表扬他时，先要批评他的错误的方面，然后再讲他基本上是正确的，这样别人看了就比较容易接受。

毛主席还说，我一生写过三篇歌颂斯大林的文章。头两篇都是祝寿的。第一篇是在延安，1939年斯大林60寿辰时写的。第二篇是在莫斯科，1949年他70大寿时的祝词。第三篇是在苏联《真理报》发表的，在斯大林去世之后写的，是悼念文章。这三篇文章老实说我都不愿意写。从感情上来说我不愿意写，但从理智上来说又不能不写，而且不能不那样写。我这个人向来不愿意人家向我祝寿，也不愿意给别人祝寿。但是，第一篇是祝斯大林60大寿的，我抛开了个人感情，把斯大林当作第一个社会主义国家的领袖来写。如果讲个人感情，我想起第一次王明"左"倾路线和第二次王明右倾路线都是斯大林制定和支持的，想起来就有气，但我还是以大局为重。因为那时欧战已经爆发，苏联因同希特勒德国签订互不侵犯协定而受到西方舆论责难，很需要我们支持。因此那篇文章写得比较有生气。其他两篇也不是出于心愿，而是出于需要。国民党在抗日战争结束后向我们发动内战，斯大林不赞成我们自卫反击。我们建立新中国时，斯大林还怀疑我们是不是第二个铁托，对我们不那么信任。但是，1949年底，我到莫斯科向他祝寿，不歌颂他还能骂他吗？我写了祝寿文章，他还是对我们很冷淡。后来我

生气了，大发了一顿脾气，他才同意签订中苏友好同盟互助条约。他去世以后，苏联需要我们支持，我们也需要苏联支持，于是就写了一篇歌功颂德的悼念文章。这不单是对斯大林个人，而是对苏联党和人民的问题，所以，从理智上讲还是那样写了。我们现在要写的这篇文章，还是要肯定斯大林的主要的正确方面，但要批评他次要的错误方面。对苏联也要肯定它的正确，也要批评它的错误。

第八节　毛主席的基本论点

经过四天的会议，毛主席 11 月 30 日归纳大家的意见形成文章的初步轮廓。毛主席说，文章的题目可以用马克思在《共产党宣言》中提出的口号，叫做："全世界无产者联合起来"。基本论点是：

一、十月革命是各国革命的共同道路，它不是个别民族现象，而是具有时代特征的国际现象，是无产阶级革命的基本规律。否定十月革命的道路，就是否定马克思列宁主义。

二、各国有不同的具体情况，因此各国要用不同的办法解决各自的问题。正如每个人的面目不同一样，每棵树长得也是不一样。要讲个性，不讲个性此路不通。各国革命都有具体的民族特点，十月革命本身也带有一些民族特点，没有民族特点的道路是走不通的。但是，所有道路都有它们的共性，条条道路通莫斯科。这就是十月革命的基本经验。各国革命党人的任务是把体现在十月革命道路中的马列主义的基本原理同本国革命的具体实际结合起来，制定本国革命的路线、方针、政策。

三、苏联建设时期，斯大林的基本路线、方针是正确的，应明确加以肯定。有缺点，是难以避免的，可以理解的。斯大林过分强调专政，破坏了一部分法制，但他没有破坏全部法制；破坏了一部分宪法，但民法、刑事诉讼法只破坏了一部分，没有完全破坏。他过分强调专政，但苏联的专政基本上还是对的。民主不够，但也有苏维埃民主。有缺点，有官僚主义，但他终究把苏联建设成为一个工业化的国家，打败了希特勒。如果都是官僚主义，都是官僚机构，怎么能做到这些呢？说苏联是由官僚主义者统治不能说服人。

四、区别敌我矛盾和人民内部矛盾。先要分清敌我，不能用对待敌人的办法对待自己的同志。斯大林过去在南斯拉夫问题上犯了错误，用对待敌人的办法来对待铁托同志。后来苏联同志改正了这个错误，用对待同志的方法对待铁托同志，改善了苏南关系。铁托现在却用对待敌人的办法对待斯大林和其他与他观点不同的同志，是错误的。他把这些同志称之为斯大林分子加以攻击，是分裂共产主义队伍，亲痛仇快的。在共产党人内部，在人民内部，存在着种种矛盾，属于人民内部矛盾，不能采用对待敌人的办法处理，只能采用对待人民内部的民主的说理的办法处理。

到了12月2日晚上的中央政治局常委会议上，毛主席进一步阐述他的设想。他说，前几天试想这篇文章可以用“全世界无产者联合起来”这个口号做题目，现在考虑也可以用“再论无产阶级专政的历史经验”做题目，表示我们在苏共“20大”后写的文章的连续性，而且用这个题目理论性更强一点。这要看文章写起来如何再定。这篇文章形式上面向国内，实际上面向世界。我们不能说我们自己要怎样影响国际。要晓得，苏联自己开香肠铺，但不愿意中国也开香肠铺，他要推销他的香肠。

毛主席接着就提出这篇文章的要点：

一、要讲世界革命的基本规律、共同的道路。一定要遵循十月革命的基本规律，然后讲各国革命的具体道路，马列主义的基本原理要和各国具体实际相结合。

二、讲清什么是斯大林主义，为什么把共产党分为斯大林分子和非斯大林分子是错误的。应明确地讲，如果说斯大林主义，斯大林主义就是马克思主义，确切地说，是有缺点的马克思主义。所谓非斯大林主义化就是非马克思主义化，就是搞修正主义。

三、讲清沙文主义。大国有沙文主义，小国也有沙文主义。大国有大国主义，小国对比自己小的国家也有大国主义。要提倡国际主义，反对民族主义。

四、先要分清敌我，然后在自己内部分清是非。我们整篇文章可以从国际形势讲起，讲波苏关系、匈牙利事件，也讲英法侵略埃及事件，要分清两类事件性质根本不同，说明当前的反苏反共风潮就是一种阶级斗争，是国际范围的阶级斗争。要指出敌我矛盾和人民内部矛盾是两种性质根本不同的矛盾，要采取不同的方针、不同的办法，解决不同性质的矛盾。

五、既要反对教条主义，也要反对修正主义。要着重指出，斯大林的著作还是要学，苏联的先进经验还要学，马列主义的书还要学，但是不能用教条主义的方法学，可以讲中国党吃过教条主义的亏。别人的情况我们不讲，让人家自己讲。我们一贯反对教条主义，也反对修正主义。苏共"20大"提出的一些观点，特别是批判斯大林时的一些论点和采取的方法，否定一切的做法，助长了各国共产党内部的社会民主主义的倾向，助长了修正主义思潮的泛滥。要明确提出既反对教条主义，也反对修正主义。

六、文章从团结讲起，最后也落脚到团结。没有理由不团结，没有理由不克服有害团结的思想混乱。

在文章的要点这样确定之后，毛主席就叫胡乔木和我起草这篇文章，田家英也参加。我们三人先商议一下分工，然后分头各写一部分，最后由胡乔木一人把全部稿子通改一遍。在12月12日拿出了初稿。当时用的题目还是"全世界无产者联合起来"。

12月13日下午，毛主席主持政治局全体会议讨论初稿。大家对初稿的主要意见是：辩解比较多，而正面阐述意见还不够。正面阐述中对什么是共同道路没有说清楚,没有给人以深刻的印象。哪几条是社会主义道路的共同规律要明确地概括出来。对铁托讲得多了一点,初稿有几处引用他的话再来反驳,给人印象似乎我们主要是同铁托辩论。其实,铁托的普拉讲话只是我们做这篇文章的由头。当然,对他的所谓斯大林主义和斯大林主义分子,是要彻底批判的,但是不适宜引用他的许多论点逐条批驳。对斯大林的评价应比4月间的文章讲得深一点,要讲出他犯错误的原因。过去我们只讲他的思想原因,现在要做进一步的分析。初稿中对反对教条主义和修正主义问题,讲得还不够。现在教条主义还不少,这一部分应当多费些笔墨。对修正主义要集中分析它的主要论点,主要是反对无产阶级专政,要实行资产阶级民主,也就是资产阶级专政。少奇同志着重指出,修正主义者说的民主问题可能是要害。他们打的口号是要"社会主义民主",实际是要资产阶级专政。要把这个问题说透。大家还认为,在加强团结方面,应充分利用苏共10月30日对外关系宣言中讲到社会主义国家兄弟党之间应遵守的原则。比如独立平等,互不干涉内政,要展开讲一讲。因为大国的大国主义是严重的,同样也有小国的大国主义,比如南斯拉夫对匈牙利就指手画脚,甚至对波兰也指手画脚。这些问题都要讲清楚,这样才能真正地在无产阶级国际主义原则的基础上加强团结。这天会议上大家提的意见比较原则,也比较重要。会议决定:文章要作较大的修改，然后提交政治局讨论。

第九节 从分析世界基本矛盾入手

经过胡乔木、田家英和我连续四五天的修改之后，毛主席在12月19日、12月20日下午和晚上连续召开政治局扩大会议来讨论文章的修改稿。大多数政治局委员和书记处成员以及有关同志出席。这次政治局会议也提了许多修改意见，主要的有以下几个问题：

第一，对匈牙利事件不宜写得太细，不必提匈牙利事件是否可以避免的问题。文稿中说，假如党不犯错误，10月23日的闹事是可以避免的。这样说太简单化了。因为有些因素，如国内外反动势力，不是共产党能决定的。阶级斗争是不以人们意志为转移的客观存在。论述中要把闹事的工人、学生和一般市民同反革命分子区别开来，可以说群众是无罪的。但匈牙利确实存在反革命势力策划叛乱。事件的性质是反革命性质。至于苏联第一次把军队开入布达佩斯，我们不说他不对，也不必为此事辩护。如果匈牙利党是坚强的，始终不动摇，牢牢掌握军权，那苏联军队也可以不开到布达佩斯去。虽然华沙条约有规定可以派兵援助，但也不是什么情况下都要派兵，要看具体情况。后来，叛乱扩大了，社会主义的匈牙利岌岌可危了，这时苏联军队应邀支援匈牙利工农政府则应明确肯定是正确的,因为情况变了,苏军不支援就等于抛弃匈牙利人民政权。总之,对匈牙利事件要对它的总的性质作估价,不要细说每一件事情,更不要斤斤计较地为每一件事情辩护,不必逐一回答各种议论。

第二,关于苏共"20大",应说这次大会有积极意义。纠正斯大林的错误是对的,但是赫鲁晓夫否定斯大林的一切是不对的。没有肯定斯大林正确的东西,造成右倾的危险,结果修正主义思潮果然泛滥起来了。对苏共"20大"要有分析,既要肯定其正确方面,又要指出其错误。当前的问题是教条主义还没有肃清,又来了修正主义思潮,而且很凶猛。毛主席说,文章的主要锋芒是反对修正主义,捍卫马列主义的基本原则,也就是十月革命的共同道路。

第三,要从当前世界两大基本矛盾,即帝国主义与社会主义的矛盾讲起。毛主席反复谈到:上篇文章中我们讲在社会主义社会中还存在着矛盾,这篇文章中要分清两种性质的矛盾,一种是敌我性质的矛盾,另一种是人民内部的矛盾。上篇文章我们主要讲人民内部矛盾。现在在讲人民内部矛盾的同时还要讲敌我矛盾。当前世界上帝国主义力量与社会主义力量之间的敌对矛盾是基本矛盾。从此出发,站在社会主义立场上反对帝国主义。这个基本立场在文章开头就要讲清楚,这样才能够贯通全局,既解决敌我矛盾,又解决人民内部矛盾。我们解决人民内部矛盾时要从存在帝国主义与社会主义这样一个基本矛盾的大背景来考虑问题。要指出各社会主义国家间和各国共产党间的矛盾，是人民内部的矛盾，要用解决人民内部矛盾的方法解决，以便协同一致地反对帝国主义。

第四，要肯定苏联革命和建设的基本经验是各国革命建设的共同道路。要理直气壮地讲苏联的基本经验，然后指出苏联在历史发展中也有曲折，基本是正确的，但也有错误。我们在指出缺点和曲折时，决不能忽视它社会主义建设的成就，不能忽视它的主要的基本的方面是正确的。教条主义不承认错误，不接受教训，不改正错误。修正主义是强调错误的，否定正确的成功的，否定一切，从右的观点看待苏联基本经验。

关于斯大林的评价是政治局会议讨论的集中点。因为当时国际上议论纷纷。对波兰和匈牙利事件的议论，铁托的普拉演讲，焦点都是对斯大林的评价。对苏联的评价也是从对斯大林的评价引申出来的。大家认为，我们的文章应该毫不含糊地肯定斯大林的伟大功绩，因为这是历史事实。当然也要指出他的唯心主义、形而上学的思想方法和个人专断的工作方法造成的错误。现在世界上议论最多的最集中的，一是肃反问题上的扩大化，一是对外关系上的大国沙文主义。但无论是肃反还是对外关系，都有他正确的一面。杀人杀多了，但对真正的反革命分子是杀对了，问题是扩大化。在对外关系方面，多数情况下，斯大林还是坚持无产阶级国际主义，援助兄弟党，援助社会主义国家。错误是有大国沙文主义。这一点无须掩饰，因苏联政府10月30日对外关系宣言自己也承认了。特别要讲清楚，斯大林的错误不是社会主义制度造成的，社会主义制度还年轻，因为年轻所以还不完善，在某些环节上还有缺点。即使没有缺点，也有一个怎样运用制度的问题。制度不是万能的，要靠人来运用。运用的人的主观认识是否正确，关系甚大。斯大林脱离客观实际，脱离群众，脱离集体，个人专断，在认识上犯了主观主义的错误。讲错误的原因首先要从思想上讲清楚，再从社会历史根源上讲清楚。这样才便于人们理解和接受教训。

毛主席特别指出，对斯大林这个人要作认真的分析，先说他正确的一面，不能抹杀；然后说他的错误，强调必须纠正；然后强调实事求是，不能否定一切。这叫做"三娘教子"，三段论法。对斯大林犯错误进行分析时，可以讲建设社会主义是没有先例的，国内外情况是复杂的。但也不能强调过分，因为列宁在世时也是没有先例的，情况也是复杂的。在同样的条件下，有人可能多犯错误，有人也可能少犯错误。个人的因素，个人主观对客观的认识正确与否，在这里起着重大的作用。斯大林不同意对立统一规律，认为矛盾转化的观点是错误的。要批评斯大林的错误，又要防止修正主义的倾向。赫鲁晓夫一棍子把斯大林打死，丢掉斯大林这把刀子，结果别人捡起来打他，帝国主义打他一棍子，无产阶级又打他一棍子，还有铁托和陶里亚蒂又打他两棍子。这样在全世界刮起了否定一切、一棍子把斯大林打死的风潮。所谓“斯大林主义”、“斯大林分子”，是一种诽谤，颠倒了大是大非。我们对犯了错误的同志，不能采取对待敌人的办法，否定一切。在这个问题上，铁托的讲话是不公平的。他有什么权利攻击各国共产党人，说他们是斯大林主义分子？他有什么权利对别国共产党指手画脚？南斯拉夫的同志在这些问题上做得过分了。

这两天政治局会议讨论得非常详细。讨论完之后要我们再去修改，然后提交政治局常委。

我们按原来分工的办法，两天把稿子修改好，然后送政治局常委。

毛主席 12 月 22 日晚上召集常委讨论我们的修改稿，提出了一些修改意见，并认为可以拿到政治局会议上讨论。

第十节　反对教条主义和修正主义

12 月 23 日和 24 日，毛主席主持召开政治局扩大会议，讨论修改过的稿子。会上采取读一段讨论一段的方法。文字的意见，原则性的意见，都在逐段讨论中提出来了。意见比较多的，归纳起来有这样几条：

第一，关于反对教条主义和修正主义的问题。大家强调教条主义一定要反。各国革命基本点相同，但形式各有不同,不能照抄照搬。苏联的经验也是与它的民族特点相结合的,别的国家不能照搬。大家主张在文章中可以讲一讲我党历史上犯过严重的教条主义的错误,给革命造成严重的损失。别人怎样我们不去讲,只讲我们自己。但是反对教条主义不等于允许修正主义泛滥。现在修正主义思潮集中在一个问题上,这就是不要无产阶级专政,要资产阶级民主,也就是资产阶级专政。在文章中一定要进一步讲透。大家认为,斯大林的错误恰恰在于没有贯彻实行民主集中制,个人专断。不是民主集中制本身错了。匈牙利事件也恰恰是无产阶级专政没有搞好,没有把反革命势力肃清,反革命势力起来叛乱时没把他们镇压下去。这说明无产阶级专政对人民内部实行民主、对敌人实行专政这两个方面都没有运用好。文章要把这个问题讲清。

第二,关于国际主义。大家一致认为,国际团结要加以强调。现在苏联犯了错误,犯了大国沙文主义的错误。但是,过去一直提出的"以苏联为首"还是对的,现在仍然要这样提。我们的文章应针对当前国际共产主义运动中流行的所谓"多中心论",明确地提出以苏联为中心,因为这是历史形成的,不是人为的。苏联是第一个社会主义国家,现在还是最强大的社会主义国家。这是历史事实,不是哪个人想出来的。以苏联为中心应明确提出。但应同时指出,以苏联为中心不等于苏共与其他党的关系是父子党的关系。兄弟党之间应当独立平等、互相尊重、互不干涉内政、互相帮助和支援。要讲国际主义与爱国主义相结合。还可以点一下,苏联虽然犯错误,但大家对苏联要公平。对苏联援助各社会主义国家、各国工人运动和被压迫民族的功绩,应作充分的肯定,不能加以抹煞。要说明苏联10月30日声明的积极意义,同时要强调不仅社会主义国家要团结,整个国际共产主义运动要团结,还要团结殖民地半殖民地人民反对帝国主义、殖民主义的民族独立运动。把三种力量团结起来,就可以制止帝国主义发动侵略战争,推进世界和平和进步事业。

第三,我们在上一篇文章中曾经提到国际共运的历史比较短,前途是光明的。在这次文章中应再次引申这个观点。要指出国际共运只有92年,社会主义第一次在一个国家取得胜利只有39年。而资产阶级革命也曾历尽艰辛,几起几落,经过多次反复才取得成功。无产阶级革命,因它更伟大,也就更艰巨,有曲折、反复也是正常的。要有经受更严酷考验的思想准备,也要有充分的信心。现在我们的条件比十月革命以前不知好了多少倍,我们的力量不知强大了多少倍。我们取得了革命的胜利,现在我们也一定能取得建设的胜利。要使人看了文章之后,更加有信心。

毛主席在会上着重讲了两个问题。一个是上层建筑与经济基础的矛盾,生产关系与生产力的矛盾。他说,在上篇文章中我们讲存在这种矛盾。现在要讲这个矛盾不仅存在,如果处理不好,还可能由非对抗性矛盾发展成为对抗性的矛盾。苏波关系和匈牙利事件都说明了这一点。生产力要革命,发展成新的生产力。当原有的生产关系不能容纳它时,它就要造反,发展成对抗性的矛盾。上层建筑要保护经济基础的发展。当上层建筑不适应时,经济基础也要造反,那时就要发生革命。这时的矛盾也成了对抗性的矛盾。这种看法可以考虑在文章中讲。当然在无阶级的社会中,对抗性矛盾的解决方法同阶级社会中的解决方法是不同的,将来的革命与阶级社会中的革命也不一样。我们现在还不能设想将来如何。但是,按照辩证法,量变会发展到质变,非对抗性矛盾会转变为对抗性矛盾,渐变会过渡到突变。这种意见可先写起来看。是否现在讲早了一点,同当前的情况是否适应,发表前再斟酌。按辩证法应该是这样。

毛主席讲的第二个意见是:现在我们要为苏联两个阶段辩护,既为它的革命阶段辩护,又为它的建设阶段辩护。苏联的革命不仅仅是一个民族的现象,而是一种国际现象,是带有时代特点的国际现象。所以无论它的成就和挫折,都是整个国际共产主义运动的财富。如果苏联的革命和建设是所谓"斯大林主义",这种所谓"斯大林主义"就是好的主义,所谓斯大林主义分子就是好的共产党人。如果苏联的这种革命和建设是所谓"官僚主义",那么这种所谓"官僚主义"也是好的,因为它取得这么伟大的成就和胜利,可见它不是百分之百的官僚主义。百分之百的官僚主义是绝不会取得这么伟大成就的。所以我们要为苏联的两个阶段辩护。这是我们的义务。现在也只有中国能够理直气壮地作这样的辩护。中国有些新的做法,如三大改造等,是鉴于苏联过去的缺点提出来的。我们的群众路线也是根据苏联十月革命初期轰轰烈烈的群众运动的经验,学习苏联,学习列宁的。看来列宁的新经济政策是正确的,可惜这一政策结束得太早了,再搞若干年可能会更好一些。苏联的革命和建设反映了社会主义革命和建设的基本规律,我们要懂得这个规律。掌握这个规律,运用到我们的工作中去。当然,运用中也会有错误,这也是难免的。问题是我们怎样从必然到自由。认识客观规律性,获得自由,是一个艰苦的过程。中间遇到各种失败、挫折都是题中应有之义。我们懂得这个道理,就不会哭鼻子,就不会遇到一时的挫折便唉声叹气,就能保持旺盛的革命乐观主义。斯大林的著作反映苏联建设社会主义的规律,当然也反映他的错误。毛主席说,我不大喜欢他的文风,非常生硬,盛气凌人,老是摆出教训人的样子,不是与读者平等交换意见,同鲁迅的著作不同。他的文章不大好读,我不大喜欢读,但我还是读,也劝同志们还是要读。因为只有这么一个人总结苏联社会主义革命和社会主义建设的经验,总结苏共成长的经验。没有别的权威的著作。但要采取马克思主义的分析的态度读。不要因为斯大林犯错误,他的书就不读,那是不对的。

提交会议讨论的这个修改稿中,原来有一段专讲关于和平过渡的。这个问题是赫鲁晓夫在苏共“20大”报告中提出来的,是中苏两党当时主要分歧之一。前几次会议中提到这个问题,所以修改稿中作了回答,正面提出要准备两手。从战略上讲,要准备通过暴力革命夺取政权,但为了争取群众,从策略上讲可以提出愿意和平过渡。毛主席反复考虑在这篇文章中讲不讲这个问题,最后还是决定暂时不讲。政治局会议也同意了,于是删去了这段文字。

经过政治局12月23、24日两天会议的讨论,这篇文章原则通过了。会议最后一天确定文章的题目用“再论无产阶级专政的历史经验”,并要我们修改后提交中央政治局常委审定。

会议之后,我们就抓紧时间修改。因为毛主席吩咐:不迟于12月30日发表这篇文章,把1956年的事情在年底之前了结。

27日下午,毛主席召集常委开会,讨论经过修改的稿子。会上又提了一些意见,并要我们马上修改。我们开完会就在中南海吃晚饭,饭后就在中南海修改。毛主席说他等着看。我们修改完一段,他看一段。胡乔木、田家英和我三个人就在毛主席住所后面的居仁堂(八大后中央书记处办公的地方)修改。我们修改完一部分就由田家英给毛主席送去一部分。毛主席也看一部分改一部分。这样流水作业,一直工作到第二天12月28日清早。我们把最后一部分修改完,三个人一起到毛主席卧室去。

大林的全部思想和活动的时候，必須同时看到他的正面和反面，他的功績和錯誤。只要我們是全面地观察問題，那么，如果硬要說什么“斯大林主义”，就只能說，首先，它是共產主义，是馬克思列寧主义，这是主要的一面；其次，它包含一些極为嚴重的、必須徹底糾正的、反馬克思列寧主义的錯誤。尽管在某些时候糾正这些錯誤是最迫切的任务，但是为了作整个的估价，这些錯誤究竟是次要的一面。

只有採取客观的分析的态度，我們才能够正确地对待斯大林以及一切所謂“斯大林分子”，我們才能够正确地对待斯大林的錯誤以及一切所謂“斯大林分子”的錯誤。他們的錯誤既然是共產主义者在工作中的錯誤，既然是根源於思想認識上的錯誤，我們就必須承認这是共產主义隊伍內部的是非問題，而不是階級斗爭中的敌我問題，我們就必須用同志的态度而不是用敌人的态度來对待他們的錯誤，就必須有保护有批評，而不是否定他們的一切。他們的錯誤有社会歷史的根源，也有思想認識的根源，因此，这种錯誤既可以在

—10—

1956年12月毛泽东修改《再论无产阶级专政的历史经验》一文的手迹。

主席看完后决定当天晚上(28 日晚)广播,29 日在《人民日报》见报。同上一篇文章一样,还是用《人民日报》编辑部文章的名义发表,并写明是根据中共中央政治局扩大会议讨论的结果写成。题目已改成为《再论无产阶级专政的历史经验》。

《再论无产阶级专政的历史经验》在《人民日报》发表的第三天,苏联《真理报》差不多全文加以转载,只删除了他们认为对他们不利的几小段。其实,整篇文章对苏联是一个有力的支持,而且文章中有些话还是有保留的,没有彻底讲。比如对抗性矛盾的问题,最后毛主席考虑还是保留一下,只提出命题,没有展开讲。对铁托作了批评,而且很严肃,但还是留有余地,采取同志之间商量问题的态度,肯定他正确的,批评他错误的,说得比较委婉,但原则性的意见都提出来了。

这篇文章的国际影响,超过了 4 月间发表的第一篇《论无产阶级专政的历史经验》。它是第一篇的续篇和深化。它回答了当时国际共产主义运动中争论最尖锐的问题,包括了对苏联、苏共和斯大林的评价问题,也包括对匈牙利事件、苏波关系以至社会主义国家关系和共产党、工人党之间的关系等问题,而且它还回答了美、英、法等国垄断资产阶级代表人物及其舆论工具对社会主义的诬蔑和攻击。因此,它不可避免地受到全世界各种不同政治倾向的人物和舆论的重视,留下了广泛而深远的影响。

第十一节　文章的要点

《再论无产阶级专政的历史经验》全文两万字，分四个部分，外加前面一个引言，末尾一个结束语。

引言从当前国际上对匈牙利事件的议论说起，指出：当前存在着两种性质不同的矛盾：第一种是敌我矛盾（在帝国主义阵营同社会主义阵营之间，帝国主义同世界人民和被压迫民族之间，帝国主义国家的资产阶级同无产阶级之间，等等）。这是根本的矛盾，它的基础是敌对阶级之间的利害冲突。第二种是人民内部的矛盾（在这一部分人民和那一部分人民之间，共产党内这一部分同志和那一部分同志之间，社会主义国家的政府和人民之间，社会主义国家相互之间，共产党相互之间，等等）。这是非根本的矛盾，它的发生不是由于阶级利害的根本冲突，而是由于正确意见和错误意见的矛盾，或者由于局部性质的利害矛盾。它的解决首先必须服从于对敌斗争的总的利益。这就是本文的根本立场。

文章的第一部分，从苏联历史的发展的分析，归纳苏联革命和建设的基本经验有六条：（一）无产阶级的先进分子组织成为共产主义的政党。这个政党，以马克思列宁主义为自己的行动指南，按照民主集中制建立起来，密切地联系群众，力求成为劳动群众的核心，并且用马列主义教育自己的党员和人民群众。(二)无产阶级在共产党领导之下,联合劳动人民,经过革命斗争从资产阶级手里取得政权。(三)在革命胜利以后,无产阶级在共产党领导之下,以工农联盟为基础,联合广大人民群众,建立无产阶级对地主、资产阶级的专政,镇压反革命分子的反抗,实现工业的国有化,逐步实现农业的集体化,从而消灭剥削制度和对生产资料的私有制度,消灭阶级。(四)无产阶级和共产党领导的国家,领导人民群众有计划地发展社会主义经济和社会主义文化,在这个基础上逐步提高人民的生活水平,并且积极准备条件,为过渡到共产主义社会而奋斗。(五)无产阶级和共产党领导的国家,坚持反对帝国主义侵略,承认各民族平等,维护世界和平,坚持无产阶级国际主义的原则,努力取得各国劳动人民的援助,并且努力援助各国劳动人民和被压迫民族。文章指出,这些就是十月革命道路的基本内容。每个国家都有它的具体的发展道路,但从基本原理上说,都离不开并且都必须遵循十月革命道路的普遍规律。捍卫十月革命道路在当前具有特别重大的意义,因为几十年来一切修正主义者所提出的修正意见,正是要否定这些基本经验、普遍规律和共同道路。

文章的第二部分论述如何正确地认识和对待斯大林的错误。文章肯定斯大林的伟大功绩,同时又指出他的错误。文章强调:斯大林错误的产生并不是由于社会主义制度已经过时。但是社会发展过程中,在社会主义基本制度适合需要的总的情况下，生产关系与生产力之间、上层建筑与经济基础之间，也仍然产生一定的矛盾并表现为经济制度和政治制度的某些环节上的缺陷。党和国家的任务，就在于依靠群众和集体的力量，及时地调整这些环节，及时地发现和纠正工作中的缺点和错误。党和国家的领导人在处理这些问题时，从主观认识到工作方法，总难于百分之百地符合实际，因而难免发生个别的、局部的、暂时的错误。但是，只要严格地遵循并且努力发展马克思列宁主义的科学，彻底遵守党和国家的民主集中制，认真地依靠群众，那就可以避免全国性的、长时期的、严重的错误。斯大林晚年的严重错误，正在于他没有做到这些。

文章着重指出，斯大林尽管在他一生的后期犯了一些严重错误，他的一生仍是马克思列宁主义革命家的一生，他毕竟是一个坚定的共产主义者。只要我们全面地观察他的正确方面和错误方面，如果一定要说什么“斯大林主义”的话，就只能说，首先，它是共产主义，是马克思列宁主义，这是主要的一面；其次，它包含一些极为严重的、必须彻底纠正的违反马列主义的错误。斯大林的错误同他的成绩比较起来，只居于第二位的地位。

文章在这里指出，铁托和南斯拉夫其他领导人对斯大林所采取的态度，不能认为是全面的和客观的。文章在肯定铁托等人讲话中正确的一面之后，又批评他们对兄弟党采取敌对态度的立论，特别是把所谓“斯大林主义"、"斯大林主义分子"等等作为攻击的对象。文章说,为了国际共产主义队伍的团结,为了不给敌人在我们的队伍中制造分裂的条件,我们不能不向南斯拉夫的同志们提出兄弟般的劝告。

文章的第三部分是论述反对教条主义和修正主义。文章指出,在批判斯大林的错误的同时,展开反对教条主义的斗争是完全必要的。一部分共产主义者对斯大林采取否定一切的态度,提出反对"斯大林主义"等错误口号,助长了修正主义思潮的泛滥。

文章指出,人类社会的发展有着共同的基本规律,但是在不同的国家和民族中间又存在着千差万别的特点。每个民族都经历阶级斗争,并且最后都将沿着在一些基本点相同、而在具体形式上各有不同的道路,走向共产主义。教条主义者的错误在于,他们不了解马列主义的普遍真理只有通过一定的民族特点,才能在现实生活中具体地表现出来和发生作用。他们不肯认真地研究本国本民族的社会历史特点,不能根据这些特点具体运用马列主义的普遍真理,因此也就不可能指导无产阶级的事业达到胜利,反而会带来重大损失和失败。

文章指出,教条主义不懂得学习苏联经验必须有正确的方法。苏联的一切经验,包括基本经验,都是同一定的民族特点结合在一起的,都是别的国家不应该原样照抄的,成功的经验如此,失败的经验更不待说。文章列举中国党历史上因犯教条主义错误致使革命力量遭到严重失败的教训，并指出中国革命的胜利是克服教条主义路线的结果。

文章强调指出，教条主义的错误在任何时候任何地方都是必须纠正的，但是，反对教条主义同容忍修正主义毫无共同之处。目前有人借口反对照抄苏联经验而否认苏联的基本经验，借口创造性地发展马克思列宁主义而否认马克思列宁主义的普遍真理。文章着重批判了借口发展社会主义民主而否定无产阶级专政，否定社会主义国家的民主集中制，否定共产党的领导作用。文章指出，不允许把社会主义民主同无产阶级专政对立起来。无产阶级专政包含着无产阶级和劳动人民的最广泛的民主和对地主、资产阶级和其他反革命势力的专政。如果因为看到斯大林晚年所犯错误就否认马克思列宁主义关于无产阶级专政的基本原理，把这个基本原理污蔑为什么"斯大林主义"或"教条主义"，那就会走上背叛马克思列宁主义和离开无产阶级革命事业的道路。

文章指出，有些人借口反对教条主义不但否认无产阶级民主根本不同于资产阶级民主，也否认无产阶级专政同资产阶级专政的根本区别，认为资本主义国家中的国家资本主义已经是社会主义，甚至全人类社会都已经"长入"社会主义。但是帝国主义的种种行径，同这些人的宣传相反，证明了修正主义的破产。

文章的第四部分论述加强无产阶级的国际团结。文章指出，共产主义运动一开始就是国际性的运动。只有各国无产阶级的共同努力，才能战胜各国资产阶级的共同压迫，推动各国无产阶级革命事业的发展。苏联由于它是历史上第一个、又是最强大的社会主义国家，一直是国际共产主义运动的中心。当前面对帝国主义的进攻，特别需要加强以苏联为中心的国际无产阶级的团结。

文章指出，各国共产党之间的国际团结，是人类历史上完全新型的关系。这种团结，是建立在完全平等的、协商一致的、互不干涉内部事务的原则的基础上，是坚持国际主义和爱国主义相结合的。各国共产党人必须是本国人民的正当的民族利益和民族感情的代表者，同时又用国际主义的精神教育人民，协调各国人民的民族利益和民族感情。

文章指出，斯大林在对待兄弟党和兄弟国家的关系上，曾经有过某些大国主义的倾向，忽视国际联合中的独立平等的原则。这是历史上旧时代大国对待小国的积习留下的影响，而革命胜利后所取得的一系列成就也难免使人产生一种优越感。大国主义不是某一国家特有的现象。乙国与甲国相比，显得小和落后，但比丙国大和先进，这就可能使乙国尽管对甲国的大国主义不满，却往往对丙国摆出大国的架子。文章提醒中国人特别要记住，中国在汉、唐、明、清四代也是大帝国，要注意反对大国主义的倾向。

文章进一步指出，斯大林的错误曾经引起了东欧某些国家人民的严重不满。但是，这些国家中某些人对于苏联的态度也不是公正的。资产阶级民族主义分子竭力夸大苏联的缺点，抹煞苏联的贡献。我们高兴地看到，波兰和匈牙利的共产主义政党已认真制止那些造反苏谣言、煽动民族对立的坏分子的活动，并着手消除在一部分党员和群众中的民族主义偏见。这是巩固社会主义阵营团结所迫切需要的。斯大林所犯的一些错误，决不能使伟大的苏联人民的历史功绩减色。

文章指出，为了加强无产阶级的国际团结，首先要在较大的国家中克服大国沙文主义倾向，同时还必须在较小国家中克服民族主义倾向。无论大国或小国，共产党人绝不能把本国民族利益同国际无产阶级运动的总利益对立起来，必须认真维护无产阶级国际团结，反对任何损害这种团结的行为。

文章呼吁加强以苏联为中心的无产阶级国际团结，呼吁社会主义国家、帝国主义国家中的无产阶级和争取民族独立的国家这三种力量，在反对帝国主义的侵略政策和战争政策的联合斗争中，相互支援，共同努力。

文章的结束语回顾国际共产主义运动的近一百年的历史时指出，共产主义运动还年轻，社会主义国家还年轻。对于社会主义国家犯过一些这样那样的错误，无论是敌人的高兴、同志和朋友的动摇，都是没有充足理由的。无产阶级初次管理国家，迟的只有几年，早的也只有几十年，要求他们不犯错误是不可能的。短时间的局部的失败，不但过去有，现在有，将来也还会有。资产阶级

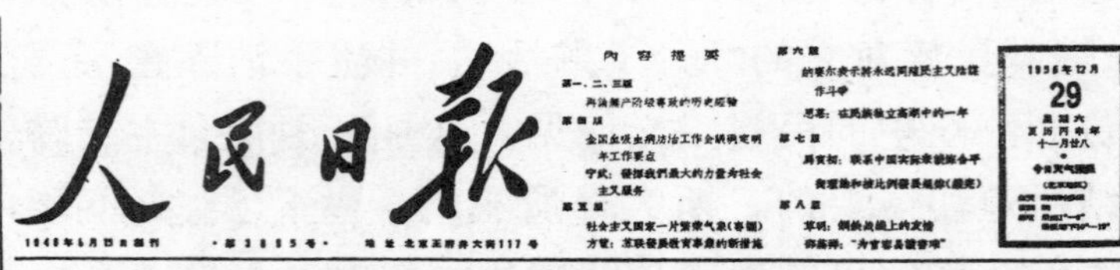

人民日報

内容提要

第一、二、三版
再論無产阶級專政的历史經驗

第四版
全国血吸虫病防治工作会议确定明年工作要点
宁武：發揮我們最大的力量为社会主义服务

第五版
社会主义国家一片繁荣气象（专栏）
方管：苏联發展教育事業的新措施

第六版
的黎尔表示將永远同殖民主义陰謀作斗爭
思慕：在民族独立高潮中的一年

第七版
馬寅初：联系中国实际來談綜合平衡理論和按比例發展規律（續完）

第八版
草明：鋼鐵战線上的友情
郭振鐸："寿宣將是鐵管哩"

1956年12月 29 星期六 夏历丙申年 十一月廿八

地址 北京王府井大街117号

再論無产阶級專政的历史經驗

（这篇文章是根据中国共产党中央政治局扩大会議的討論，由人民日报編輯部写成的）

在一九五六年四月間，我們曾經就斯大林問題討論过無产阶級專政的历史經驗。从那个时候以来，在国际共产主义運動中，繼續發生了一系列引起我国人民关切的事件。鉄托同志在十一月十一日的演說和各国共产党对于这篇演說的評論，在我国報紙發表以后，再一次使人們提出了許多需要加以答复的問題。我們現在这篇文章將着重地討論以下一些問題，就是：第一，关于苏联的革命和建設的基本道路的估計；第二，关于斯大林的功过的估計；第三，关于反对教条主义和修正主义；第四，关于各国無产阶級的国际团結。

在观察現代国际問題的时候，我們必須首先从这样一个最基本的事實出發，就是帝国主义侵略集团同全世界人民力量之間的对立。飽受帝国主义侵略痛苦的中国人民永远也不会忘記：帝国主义从來就反对各国人民的解放和一切被压迫民族的独立，从來就把最坚决地代表人民利益的共产主义運動看作眼中釘。从第一个社会主义国家苏联出世以來，帝国主义就用尽一切手段來危害苏联。在一系列的社会主义国家成立以后，帝国主义陣营同社会主义陣营的对立，它对于社会主义陣营所进行的明目張胆的破坏活动，更成为世界政治中异常显著的现象。帝国主义陣营的首腦美国，在干涉社会主义国家的内政方面，作得特別凶惡無耻。它多年來阻撓着我国解放自己的領土台湾，多年來公开地把顛复东欧各国作为政府的政策。

帝国主义在一九五六年十月的匈牙利事件中的活动，是帝国主义在朝鮮战爭以后对于社会主义陣营一次最严重的进攻。正如匈牙利社会主义工人党临时中央委員会会議的决議所說，匈牙利事件是由內部和外部的几方面原因造成的，任何片面的解釋都是不正确的，而在这些原因中，国际帝国主义"起了主要的决定性的作用"。在匈牙利的反革命复辟陰謀被击退以后，以美国为首的帝国主义者，一方面操縱联合国通过反对苏联和干涉匈牙利内政的决議，一方面在整个西方世界煽起瘋狂的反对共产主义的浪潮。美帝国主义尽管利用英法侵埃战爭的失敗，極力企圖奪取英法在中东北非的利益，但是还是声明保証同英法消除"誤会"，取得"更密切、更有效的諒解"，以便重新糾集共同反对共产主义、反对亚非人民和反对全世界爱好和平人民的統一战綫。为了反共、反人民、反和平的目的，

……認識有关。因此，正确地估計苏联的革命和建設的基本道路，是馬克思列宁主义者所必須回答的重要問題之一。

馬克思主义关于無产阶級革命和無产阶級專政的学說，是工人运动經驗的科学总結。但是，除了只存在了七十二天的巴黎公社以外，馬克思和恩格斯沒有亲自看到过他們所畢生努力爭取的無产阶級革命和無产阶級專政的实現。俄国無产阶級在列宁和苏联共产党的領导之下，在一九一七年胜利地实現了無产阶級革命和無产阶級專政，接着又胜利地建成了社会主义社会。科学的社会主义从此由理論和理想变为活生生的現实。这样，一九一七年的俄国十月革命，就不但在共产主义运动历史上开辟了一个新时代，而且在整个人类历史上开辟了一个新时代。

苏联在革命以后的三十九年中获得了巨大的成就。随着剝削制度的消灭，苏联消灭了經济生活中的無政府状态、危机和失業。苏联的經济和文化，以資本主义国家所不能比拟的速度向前發展着。它的工業总产量，在一九五六年已經达到革命以前最高年份一九一三年的三十倍。革命以前工業落后、文盲众多的国家，現在已經成为世界上第二个工業强国，拥有世界上先进的科学技术力量和高度發展的社会主义文化。苏联劳动人民由革命前的被压迫者变成为国家和社会的主人翁，他們在革命斗爭和建設劳动中發揮了巨大的积極性和創造性，他們的物質生活和文化生活的狀况得到了根本的改变。十月革命以前的俄国本來是国内各民族的牢獄，而在十月革命以后，这些民族却得到了平等的地位，迅速地發展成为社会主义的先进民族。

苏联的發展并不是一帆風順的。苏联在一九一八年到一九二零年，受到了十四个資本主义国家的进攻。早期的苏联，經历过內战、飢荒、經济困难、党內宗派分裂活动的严重的折磨。在第二次世界大战的决定性的时間內，在西方国家开辟第二战場以前，苏联曾經独力承受了并且击敗了希特勒和他的伙伴們的几百万軍队的进攻。这些严酷的考驗没有压倒苏联，沒有阻止它的前进。

苏联的存在，从根本上动搖了帝国主义的統治，而給予一切革命的工人运动和被压迫民族解放运动以無限的希望、信心和勇气。各国劳动人民援助了苏联，苏联也援助了各国劳动人民。苏联执行了維护世界和平、承认各民族一律平等和反对帝国主义侵略的外交政策。苏联是在世界范圍內战胜法西斯侵略的主力。英勇的苏联軍队同有关各国的人民力量合作，解放了东欧各国和中欧的一部、中国的东北部和朝鮮的北部，

……而普遍的馬克思列宁主义的普遍真理。

每个国家的革命和建設的过程，除了有共同的方面，还有不同的方面。在这个意义上說，每一个国家都有它自己的具体的發展道路。关于这个問題，我們將在后面去討論。但是从基本原理上說來，十月革命的道路却反映了人类社会發展長途中的一个特定阶段內关于革命和建設工作的普遍規律。这不但是苏联無产阶級的康庄大道，而且是各国無产阶級为了取得胜利都必須走的共同的康庄大道。正是因为这个緣故，中国共产党中央委員会向党的第八次全国代表大会的政治报告中說："尽管我国的革命有自己的許多特点，可是中国共产党人把自己所干的事業看成是偉大的十月革命的繼續。"

保衛十月革命所开辟的这一条馬克思列宁主义的道路，在目前的国际形势下具有特別重大的意义。帝国主义者声言要"改变共产党世界的性質"，他們所要改变的正是这条革命道路。几十年來，一切修正主义者对于馬克思列宁主义所提出的修正意見，所傳播的右傾机会主义思想，也正是想要离开無产阶級解放的这一条必由之路。一切共产主义者的任务，就是团結無产阶級，团結人民群众，坚决地击退帝国主义者对于社会主义世界的瘋狂进攻，坚决地沿着十月革命所开辟的道路前进。

二

人們問道：既然苏联革命和建設的基本道路是正确的，为什么又發生斯大林的錯誤呢？

关于这个問題，我們在四月間的文章中已經討論过了。但是由于最近时期东欧形势以及其他有关情况的發展，正确地認識和正确地对待斯大林錯誤的問題，已經成为影响許多国家共产党的內部發展和各国共产党相互团結的重大問題，已經成为影响全世界共产主义队伍反对帝国主义的共同斗爭的重大問題。因此，需要把我們对于这个問題的观点作一些进一步的申述。

斯大林对于苏联的發展和国际共产主义运动的發展是有偉大功績的。我們在"关于無产阶級專政的历史經驗"一文中說过："在列宁逝世之后，作为党和国家的主要領导人物的斯大林，創造性地运用和發展了馬克思列宁主义；在保衛列宁主义遺产、反对列宁主义的敌人——托洛茨基分子、季諾維也夫分子和其他資产阶級代理人的斗爭中，他表达了人民的意願，不愧为杰出的馬克思列宁主义的战士。

1956 年 12 月 29 日，《人民日报》发表的《再论无产阶级专政的历史经验》一文。

成为统治阶级，例如在英国和法国，也曾经经过多少次反复，其间交织着进步与反动、共和与帝制，革命的恐怖与反革命的恐怖，内战与外战，征服外国与投降外国，尤其动荡不宁。世界上哪有一种新生事物没有困难和弱点呢？新生的无产阶级专政的世界体系，目前在许多方面还有许多困难和弱点。但比之以前苏联孤军奋斗的情况，现在我们好得多了。我们前面无论还有多少曲折，人类最后总是要走到光明的目的地——共产主义，这是没有任何力量可以阻止的。

第三章
1957 年莫斯科会议

第一节　毛主席提前赴苏

1957 年 11 月 2 日清晨，我坐车从新华社直奔南苑机场，欢送以毛主席为首的中国党政代表团赴莫斯科。代表团是去参加十月革命 40 周年庆祝大典，同时参加在莫斯科举行的各国共产党和工人党代表会议。

我一到机场，看到中央党、政、军各部门的负责同志已陆续到来，都在贵宾室里休息。一架巨型的苏联飞机停在南苑机场的停机坪上。南苑机场在当时是北京最大的机场。苏联大型客机图 104 当时在别的机场还降不下来，只能在像南苑机场这么长的跑道才能比较平稳地升降。

少奇同志、周总理和中央其他领导同

志先后来到贵宾室，作为代表团副团长的孙夫人宋庆龄也到了。

毛主席到得比较晚，他是八点半左右到飞机场的，很快就与大家话别登上飞机。

这次毛主席率领的代表团称为中国党政代表团，毛主席是团长，副团长是孙夫人宋庆龄，成员有邓小平、彭德怀、李先念、乌兰夫、郭沫若、茅盾（沈雁冰）、陆定一、陈伯达、杨尚昆、胡乔木和其他工作人员。后来彭德怀同志参加中国军事代表团，由他任团长，叶剑英元帅任副团长。叶剑英是11月5日到莫斯科的，比彭老总晚到三天。另外，同机去的还有郭沫若同志率领的中苏友好代表团。苏联驻华大使尤金也陪同毛主席去莫斯科。

这次毛主席访问苏联，与1949年访问苏联时的情况大不相同。那时是建国之初，斯大林还在世。现在我们人民共和国成立已经八年，我国的第一个五年计划预计到1957年底将提前和超额完成。由于我们完成第一个五年计划，也完成了社会主义改造，我国经济欣欣向荣。同时，我们党1956年召开八大，1957年整风反右，我国政治上是稳定的。在过去的三年里，我国参加了1954年的日内瓦会议，接着又参加了1955年的万隆亚非会议，中国在国际舞台上崭露头角，威望正迅速上升。特别是因为1956年苏共“20大”时赫鲁晓夫大反斯大林，结果引起全世界的反苏反共浪潮，接着又爆发了苏波纠纷和匈牙利事件。在这浪潮中，中国党俨然中流砥柱，从发表《论无产阶级专政的历史经验》到《再论无产阶级专政的历史经验》两篇文章，在全世界引起了巨大的影响。中国党在国际上越来越引人注目。毛主席正是在这种情况下访问苏联的。

那个时候的苏联，经过1956年西方掀起反苏反共高潮，经过苏波关系的调整和匈牙利反革命叛乱平息之后，特别是在波、匈事件中，感到中国党虽然在内部严肃地批评了他们的错误，但是在各种公开场合还是竭力维护苏联共产党的威信，支持赫鲁晓夫的。

在1957年莫斯科会议前几个月，苏联党内发生了所谓"反党集团"事件。"反党集团"成员有莫洛托夫、马林科夫、卡冈诺维奇和谢皮洛夫。在苏联反对所谓"反党集团"中间，中国党虽然认为他们的处理办法并不得当，但是在公开场合还是表示支持以赫鲁晓夫为首的苏共中央的。我们党对苏方说这是苏联内部的事情，既然你们党中央这么决定，我们没有理由反对。毛主席后来常提到，我们在那个时候总的想法是在斯大林逝世后苏联以稳定为好。多次支持赫鲁晓夫正是出于这种照顾大局的考虑。

在这些事件过程中间，赫鲁晓夫感觉到，中国党对他还是不错的。所以，他主动提出增加对中国建设的援助项目，同时也答应了帮助中国建立一个试验性的核反应堆，还答应给中国一个小型的原子弹样品。

以赫鲁晓夫为首的苏联共产党中央处在困难的时

期，很需要中国帮助的情况下，我们给了他帮助。这是为什么赫鲁晓夫后来曾经多次说过："在那个时候，我们很需要中国的声音。"毛主席就是在这种情况下，率领代表团到苏联去的。

毛主席率领代表团到苏联去祝贺十月革命40周年，这当然是一个重大的政治行动。但是，更重要的是参加后来举行的12个社会主义国家共产党和工人党代表会议和有60多个兄弟党参加的各共产党和工人党代表会议。在庆祝十月革命40周年纪念活动的时候，召开兄弟党国际会议，是苏共首先提出来，并邀请毛主席访苏。

毛主席访问苏联是本来早就答应过的。在1956年和1957年初，苏联方面催了好几次。毛主席一再对苏联大使说，我1949—1950年已经访问过苏联，我是作为中华人民共和国的国家元首访问你们国家的。虽然访问过一次，我还是要作第二次访问，但最好是在你们国家元首回访中国之后我再去。就是说，希望伏罗希洛夫能够先访问中国，作为毛主席1949年访苏的回报。毛主席说，这以后，我就可以去苏联了。这样我们就可以向中国人民交待得过去，不是老是我们的国家元首往苏联跑，而苏联国家元首不来，那样对中国老百姓就不好说。后来，伏罗希洛夫在1957年5月间访问了中国。这之后苏联再次邀请的时候，毛主席答应再去访问。

在答应再访苏联并参加兄弟党的国际会议时，毛主席对苏方表示，既然要开这样的会就要开好，首先要做充分的准备，大家预先交换意见，取得一致，然后发表一个共同文件，他希望苏联在这方面多做准备工作。

在十月革命节快到的时候，10 月 28 日，我们党中央收到苏共中央起草的兄弟党国际会议共同宣言的草稿。

毛主席原来是准备在十月革命节前夕，即 11 月 5 日或 6 日才动身去莫斯科的。

收到苏联起草的共同宣言的稿子以后，中央政治局 10 月 30 日开会讨论这个问题。大家觉得苏联的草稿问题很多，我们和他们的观点有不小距离。于是政治局会议决定毛主席提前去莫斯科，到那里起草一个稿子，提交苏联讨论，并争取中苏两党在提交其他兄弟党之前有一个共同的、意见一致的草稿。于是毛主席提前在 11 月 2 日动身去莫斯科。

在政治局会上，毛主席说，我们去这么早是不是要发新闻，是不是到了莫斯科以后再发新闻，免得人家会问为什么去这么早。后来考虑推迟发表新闻也不好，有人会说这里有什么不可告人的事情，所以决定新闻还是当天发，第二天见报。

在这次政治局会上，大家一致赞成毛主席的意见，一定要把这次莫斯科兄弟党国际会议开成一个团结的大会，向帝国主义示威的大会。代表团的方针是：对苏共以保为主，以批为副，尽可能去掉他们起草的宣言草案中有害的东西。采取的方法是从团结的愿望出发，经过批评，达到新的团结，以斗争求团结，协商一致，求同存异。

这个方针是在这次政治局全体会议之前，在10月29日晚上毛主席主持的政治局常委会议上议定，然后提交30日召开的由少奇同志主持的政治局全体会议上批准的。

少奇同志在这次政治局全体会议上说，方针就这么定了。这次去是去谈判，不仅跟苏共谈判，还要跟其他许多兄弟党谈判。因此我们政治局批准这个方针之后，在谈判过程中，具体问题由代表团相机处理。会上大家都同意授权以毛主席为首的我党代表团相机行事。

代表团到了莫斯科以后，把每天的情况综合用电报发回来，让北京的中央领导同志了解会议进行的情况。

我没有跟着代表团去参加莫斯科会议，我是从代表团发回来的电报中，在政治局、书记处开会讨论的时候了解到代表团在莫斯科活动的情况的。

据代表团从莫斯科电发回来的汇报，代表团到莫斯科几天后，赫鲁晓夫正式拜会毛主席的时候，就谈到召开兄弟党莫斯科会议的问题。因为十月革命40周年庆祝会上的讲话大家都准备好稿子了，在大会上念就是了。毛主席在庆祝大会上讲了一番热情洋溢的话，得到很好的反应。但是毛主席到莫斯科去，主要是要准备一个好的各国共产党共同宣言。毛主席为首的代表团到达莫斯科的当天，就收到苏共方面起草的宣言的第二稿。小平同志他们看了以后，觉得这个稿子跟第一次的稿子差不多。赫鲁晓夫在苏共“20大”政治报告的有片面性的观点还保留着，照这些观点做出的共同宣言是有害的。所以毛主席对前来拜会的赫鲁晓夫说，我提早来就是为了宣言的草稿。我们要搞一个好的草稿。我们党也准备起草一个稿子，供你们考虑。

代表团从 11 月 3 日晚上起，开足马力起草，由陆定一、胡乔木和陈伯达分头执笔，小平同志主持讨论修改，毛主席最后审定。到 11 月 5 日搞出一个初稿。初稿搞出来后就交给苏共中央。

从 11 月 6 日起，中苏两党代表团各出几个人（我方由小平同志领头，苏方由苏斯洛夫领头）开始讨论苏联的第二稿和我们的初稿。我们为我们提出的稿子说明理由。双方讨论的结果，一致同意以中共代表团起草的稿子为基础，进行修改、补充。讨论的时间很长，一直到 11 日才完成中苏两党共同提出的宣言草案。随后交给各兄弟党。

开始，苏共的意见是，这个草案只交给 12 个社会主义国家执政党。我们建议同时也交给西方国家和亚非拉国家的兄弟党，让他们也先看到。因为毛主席在跟英共领导人谈话的时候，问他们对苏共起草的宣言草案有什么意见。他们说没有看到。当然，英国党是一个小党，但是英国是一个比较重要的国家。我们在同苏共讨论宣言的过程中发现，好像苏共对西方国家兄弟党中看得起的只有两个，一个是法国党，一个是意大利党，其他党在他们看起来是无关重要的。所以我们建议把中苏两党起草的宣言草案也交给所有参加会议的兄弟党,苏共后来也同意了。

从 12 日起各兄弟党开始协商。在协商过程中间各种各样的意见都有。还没有协商好,苏共提出要开会。我们建议:一边开大会,依次发言,各自念预先准备好的稿子;一边开小会即起草委员会,讨论宣言草案,以取得一致意见。

从 14 日开始,先开 12 个社会主义国家执政党的会议,一直开到 16 日,才基本上达成一致的意见,但是还有不少分歧,文字上也还需要修改。这时全世界 60 多个兄弟党的代表团都等着开会。我党代表团感到拖得太晚也不好。于是我们同苏共商量,从 16 日起开 60 多个党的大会,同时起草委员会继续工作。

60 多个党的大会从 16 日开始,也是由各兄弟党的代表一个接一个在会上讲话,一直到 11 月 19 日才结束。大会宣言也是到 11 月 19 日大会结束的时候才最后定稿。也就是说,从 11 月 6 日开始讨论宣言的草案,一直讨论到 19 日晚上。参加这个大会的实际上有 68 个党,因为有些党处在秘密状态,或者由于国内条件比较特殊,不好在宣言上签字,也不好公开说参加了这个大会,比如美国党,所以在宣言公开发表时只列举了 64 个党的名称。

第二节 同兄弟党领导人会谈

毛主席到达莫斯科以后，首先同苏共中央、同赫鲁晓夫会谈，商量怎样开好莫斯科兄弟党会议。毛主席和赫鲁晓夫商定，中国党出三个人，苏联党出三个人。负责起草一个共同宣言草案。

从最初起草中苏两党提出的共同宣言草案，一直到19日晚上宣言最后定稿，开始是由中苏两党各三人参加的六人小组负责的，后来其他兄弟党也参加讨论，实际上成了起草委员会。

在这过程中，毛主席多次跟赫鲁晓夫接触，在开庆祝会的时候，在十月革命节游行的时候，在招待会上，在12党大会和60多个党大会期间，毛主席都跟赫鲁晓夫交换了对宣言草案的意见。这些意见也就是中苏两党起草小组在讨论过程中碰到的具体问题。

在宣言草案基本达成协议以后，毛主席跟赫鲁晓夫曾经有过一次谈话，当时在场的还有布尔加宁、米高扬、库西宁、苏斯洛夫。毛主席跟赫鲁晓夫说，这次你们能够平等相待，把会议的宣言搞好，我很高兴。过去说是兄弟党，不过是口头说说而已，实际上是父子党，是猫鼠党。当时赫鲁晓夫也承认，苏共同各兄弟党之间的关系不够正常。毛主席说，这种父子关系不是欧洲式的，而是亚洲式的，带封建性的。这次莫斯科会议，你们改变过去对兄弟党那种不平等的态度，以平等相待，共同商量问题，这是好的，希望以后能够保持这种关系。

毛主席和赫鲁晓夫还谈到会不会发生战争的问题。毛主席说，估计不会。从目前的情况来看，美国不敢发动世界大战。因为社会主义阵营的力量很强大，特别是你们发射两颗人造地球卫星以后，美国有些恐慌，更不敢。毛主席说，我们对战争的态度，第一是反对，第二是不怕。反对是没有问题的。不怕呢，因为你怕也没有用，你越怕危险就越大，你不怕不见得战争就打起来。与其天天提心吊胆，不如索性不怕。我们还是应该争取延长和平时期。第一次世界大战到第二次世界大战之间有 20 年。第二次大战结束到现在，已经过去 12 年，还有 8 年就够 20 年，我们应该争取这 8 年里面不打仗。你们是用 10 年的时间超过美国，应该争取 10 年和平，然后再争取 15 年，然后再争取更长的时间，总之是力争不打仗。但是，也要准备美国人发动战争，这个警惕性不能放松，不过我们的战略还是防御战略，不是进攻战略。毛主席问赫鲁晓夫，你看是不是这样？赫鲁晓夫说，是这样，赞成你的意见。

接着，毛主席又谈到，朱可夫元帅发表过一个声明，说如果帝国主义要发动战争，我们要采取先发制人的战略。朱可夫元帅还谈到，如果美国进攻社会主义国家，那么苏联就援助社会主义国家。进攻任何一个社会主义国家，也就是进攻苏联，苏联要反击。毛主席说，如果是进攻社会主义国家，你们苏联要准备反击，这是对的，但是还得看那个社会主义国家是不是请你们去。战略问题很值得认真考虑。我看还是不要先发制人为好，还是采取防御战略为好。我们不首先打，不首先打原子弹，如果他要打，我们就反击。这就是防御战略，不是先发制人战略。

当时赫鲁晓夫表示赞成，并且说，朱可夫的讲话没有说我们采取进攻战略，是说要准备对付敌人。你这么一提，这个问题更清楚了，不要采取进攻的战略，而要采取防御的战略。我们整个战略是防御的，敌人是侵略者，我们是保卫者。

毛主席提出这个问题，赫鲁晓夫表示同意，可以说是达成了协议。后来毛主席谈到此事时说，他当时担心赫鲁晓夫毛毛躁躁闯出乱子，所以和赫鲁晓夫讲了这么一段话。

毛主席除了同赫鲁晓夫交换意见以外，还和其他兄弟党的领导同志交换意见。最早交换意见的是同波兰共产党第一书记哥穆尔卡。

毛主席第一次同哥穆尔卡交换意见，是在列宁山体育馆召开十月革命40周年庆祝大会的时候，在开会前和开会后都同哥穆尔卡谈话。后来，毛主席又专程到波兰代表团驻地同哥穆尔卡交换意见。

在交谈中，哥穆尔卡提出，宣言草案他已经看到了，其中一些措词太尖锐。他所说的措词,实际上是指宣言草案中的一些观点 。哥穆尔卡说,一些措词中国可以接受,在中国可以谈。苏联也可以接受,在苏联人民中间也可以谈。可是在波兰,波兰人民不能接受。他提出波兰党希望宣言草案的整个措词温和一些,不要过于刺激。

哥穆尔卡这么提出问题,主要涉及两个观点。一个就是宣言草案中多处点名谴责美帝国主义。他说,这样的措词波兰人民接受不了。因为在美国有很多波兰人,有些是波兰侨民,更多的是有美国国籍的波兰人后裔。这样的措词会增加接受我们合理意见的障碍。再一个就是不宜提社会主义阵营以苏联为首。

毛主席跟哥穆尔卡说,以苏联为首是我们中国党先提的,苏联人没有提。毛主席说,第一个社会主义国家是苏联。现在最强大的共产党是苏共,最强大的社会主义国家也是苏联。我们社会主义阵营总得有个头。哥穆尔卡说,我本人同意,但是在波兰人民面前这么提,他们很难接受。哥穆尔卡的意思是波兰人对苏联有一种民族反感。他说,第三国际对波兰党的处理影响不好。他不赞成提以苏联为首的社会主义阵营,更不赞成搞国际机构,像第三国际那样。他对这些反感极了,连共同出一个刊物他也不赞成。哥穆尔卡说,波兰吃这样的苦头太多了。毛主席说,我们也吃了第三国际的苦头,但是我们也不会忘记第三国际对我们的帮助。

毛主席说,第一,我们不赞成成立国际机构,像情报局那样的机构也不赞成。历史证明搞国际机构是没有好处的。第二,我们赞成以苏联为首并不是苏联说了算,而是在兄弟党之间要协商一致,所有党意见一致了才能做决议,不能采取少数服从多数的办法。哥穆尔卡说,这不是太民主了?主席说,就是要民主。第三,虽然有共同宣言,但是怎样来实现宣言所确定的原则,各国党完全独立自主,可以根据自己民族的特点,各国的不同情况,采取不同的政策。

哥穆尔卡谈得很坦率,从谈话里面反映出他对苏共的戒备,警惕性很高。毛主席没有同意他的基本观点,但是也考虑到他的意见,对宣言草案做了一些适当的非原则性的修改。

后来,11月15日晚上,毛主席到莫斯科郊区别墅区波兰代表团住地拜访哥穆尔卡。在交换意见过程中,哥穆尔卡觉得宣言草案修改以后,对美国还是太强烈,如说美国要独霸世界,这就放松了法国和英国,也放松了西德复仇主义,而且美国也独霸不了。他不赞成"美国独霸世界"的提法。他说,宣言草案里说美国"要在社会主义搞资本主义复辟"这个也不好,在社会主义国家不可能复辟资本主义。说"美国是世界反动中心",还说什么"掘墓人"这些词,都会引起人家反感,波兰人就不接受。他说,你们虽然接受了我的一些意见,做了一些妥协,但是我还是觉得波兰人接受不了。

哥穆尔卡说,他有这样的感觉,这次会上,在起草委员会中,是大家攻波兰一家。毛主席就开玩笑地跟他说,你说大家攻你一家,也可以说是波兰一家攻大家。接着,毛主席又说,现在我们跟苏共可以商量问题了,比起斯大林时期应该说是好多了。这次会上大家可以互相提意见了。我们跟苏联同志就争论了五天才拿出一个共同草案来,但这个共同草案里面还有分歧,一直争论到现在还没有取得完全一致。可见是可以商量的,空气比较好,比较民主。

哥穆尔卡说,他总有这样感觉,感到压抑。他甚至说到这个程度:如果一定要少数服从多数的话,波兰党就不能在宣言上签字。毛主席说,不同的意见还是可以商量,彼此做些让步,你让一步,我让一步,取得一致。我们还是协商一致解决问题,不是少数服从多数,兄弟党之间绝不能采取少数服从多数的办法。

哥穆尔卡又提出,草案里面讲到兄弟党双边会谈或者多边会谈必要性的时候,说兄弟党国际会议由苏共来召集。他说,这个不行。最多只能下一次会议由苏共召集,不能以后总是由它召集。他甚至说,如果下次由它召集,也不能在这个宣言上讲。应该另搞一个内部决议,说下次由苏共召集,但是也还要强调协商一致,不是少数服从多数。在这个问题上他很不放心。毛主席请他放心,并且说,我们党历来提倡兄弟党之间应该平等、独立自主、互不干涉内部事务,每个党的事情由每个党自己负责。毛主席说,这次会议还是可以商量问题的。这就是彼此交换意见,互相妥协,互相让步,采取求同存异的方法。

据参加会谈的同志说,对于毛主席说的话,哥穆尔卡好像还听得进去。最后他表示,跟毛主席谈话心情还是比较愉快的。

后来毛主席多次谈到,跟哥穆尔卡会谈给他深刻的印象:苏共在兄弟党的关系上,习惯采取老子对儿子的恶劣态度所造成的后果是很严重的。哥穆尔卡这样警惕、戒备是可以理解的,不能过分责备。但是哥穆尔卡有些观点不见得对,这倒是要注意的。兄弟党的关系怎么处理好很值得我们深思。过去苏联对同兄弟党的关系处理得不好。在这次莫斯科会议上,波兰党这样步步为营、高度警惕、反应强烈的情况,是很有代表性的,它生怕又重复过去那种以势压人,借所谓多数来压少数的做法。

11 月 8 日,毛主席和英共波立特、高兰谈话。在这次谈话中间,毛主席主要是讲了国际形势现在发展到一个转折点,他列举了十件大事,也就是后来毛主席在莫斯科兄弟党会议上发言中讲的十件大事。

毛主席跟波立特、高兰谈话主要是征求他们对和平过渡的意见。当时中共代表团和苏共代表团联合起草的宣言草案已经提出来了,但苏共没有发给英共,波立特和高兰都说没有看到文件。毛主席建议他们对这个问题有什么意见可以找苏联谈。毛主席谈了我们对和平过渡问题的观点,讲要准备两手。波立特和高兰都表示赞成,不过他们强调,英国还是有和平过渡的可能性,下一届政府可能是英国工党上台,工党上台对和平过渡更有利。

当天,毛主席又和法国共产党多列士谈话。多列士说他也没有看到中苏两党共同起草的稿子,但是他们看到苏共的第二稿。多列士表示赞成苏共的第二稿。他认为,提和平过渡两种可能性是可以的,但是他觉得通过选举来夺取政权的可能性很小,应该准备用暴力,如果不是这样的话,就解除了自己的思想武装。

在同英国党谈到宣言的时候,他们说虽然没看到宣言,但准备签字。而多列士则表示,他不赞成英国党的意见。他说,这个宣言(莫斯科宣言)最好还是执政党签字,只是社会主义国家的共产党签字,其他国家共产党不签,连法国、意大利共产党也不签。苏联本来是想要法共和意共也签字的。

毛主席问多列士:如果要你们签字怎么样?多列士说,我们不准备签字,但是我们可以提意见。对宣言中间有关资本主义国家共产党的方针政策、战略路线这些问题我们要提意见,但是我们还是不签字为好。党的威信不是依靠在宣言上签字来提高的,而是依靠工作来提高的。

第二天,11月9日,毛主席又和英共波立特和高兰谈话,主要是请他们介绍英国的情况。他们介绍了英国保守党、工党的情况。当谈到他们自己党的时候,波立特非常不满意赫鲁晓夫在苏共"20大"上大反斯大林。他说，赫鲁晓夫那个秘密报告泄露出来以后，助长了英共党内修正主义抬头，英共党员减少了好几千。毛主席说，全盘否定斯大林当然不对，但你们党减少一点党员也不坏，这样你们党更结实、更坚强了。那些动摇分子本来就是修正主义，这一下暴露出来了，隐藏在党内反而不好。

因为毛主席已跟法共多列士交换过意见，所以这次再跟英共谈的时候，毛主席就对他们说，法国党不准备签字，意大利党也不准备签字。英国党不一定非在宣言上签字不可。中国党代表团准备建议所有资本主义国家的党都不在这个宣言上签字。只有社会主义国家的 12 个党签字。他还说，现在波兰党还需要说服以后才能签，如果他实在不签，11 个党签也可以。南斯拉夫党过去就讲过不签。在这个问题上，我们的态度是不能勉强。

从这里可以看出，这个时候毛主席确定的方针是，准备说服波兰党签字，万一说不服，也采取谅解的态度。对南斯拉夫党不签更应如此。

12 日和 16 日毛主席会见印度共产党代表团，主要是听他们介绍印度的情况、尼赫鲁的情况和中印关系。毛主席说，在亚洲，中国党和印度党负有特殊的责任，因为两个国家都是大国。我们应该经常交换意见。我们两个国家经济上落后一些，但是两国人民要求革命的情绪比较强烈，有弱点也有优点。谈到对形势的估计时，毛主席说，不要认为一定是欧洲先革命成功，然后亚洲革命成功。历史已经表明，不是欧洲发达国家先革命成功，而是欧洲不发达的国家先革命成功。苏联当时也不算是发达的国家，比起西欧来讲是落后很多，东欧也比较落后，但是这些国家先革命成功了。中国在亚洲是比较落后的国家，更不用说跟西欧、北美比了。但是中国革命也是先成功了。不要以为自己落后就自灭志气，我们中国人是不甘落后的。

毛主席8日同法共多列士谈过话以后，在17日又和杜克洛谈话。这次谈话跟同英共第二次谈话一样，主要是听杜克洛介绍法国和整个西欧的情况，问到社会党、社会民主党的情况，法属非洲的情况，荷兰、比利时、共同市场、西德军国主义等情况。毛主席很愿意直接从这些党的领导人那里听到他们介绍情况。

毛主席跟杜克洛说，你过去批评过美共。原则上讲，你的批评是对的，但是不晓得效果怎么样。如果是美国共产党自己来批评自己的缺点可能会更好一点。一个党公开来批评另一个党，一般是不适宜的。法国党和意大利党之间有些矛盾，希望你们内部谈，不要公开争论。

毛主席还向杜克洛介绍了我们跟苏共的关系，介绍了历史和现在的状况。他强调过去我们也吃过共产国际的亏，斯大林也对中国做了一些错事，但是我们都肯定他们对中国党的帮助，缺点错误我们自己负责，由我们自己检讨，自己总结经验教训。毛主席说，现在赫鲁晓夫对兄弟党的关系比过去好一些，相互之间可以讨论问题。现在苏共处在不稳定的时期，我们希望他们稳定，对他们还是要采取帮助和支持的态度。我们对苏共的缺点也还是批评的,并不是赫鲁晓夫说的一切都是对的,但是只在内部批评。

在会议过程中,毛主席没有直接跟意大利党谈过,只是小平同志和陶里亚蒂交换过意见,主要是交换对宣言草案的意见。这些意见意大利党都在起草工作小组里面谈过,谈的也比较充分。

到会议快要结束的时候,毛主席在 18 日晚上才同陶里亚蒂做了一次长谈,从晚上 10 点钟一直谈到第二天早上两点钟,谈了四个钟头。

毛主席同陶里亚蒂谈话,主要是了解意大利党内的情况,意大利农村的情况,城市小资产阶级的情况,以及社会党、社会民主党、天主教民主党、保皇党、法西斯党等的情况,还了解了罗马教廷的情况。毛主席还同他交换了对西方国家政治家心理状态、精神状态的看法,比如他们是不是非常自信,是不是觉得万事如意,对社会主义国家、对殖民地有什么看法。谈这些情况的时候,差不多都是毛主席不断地提问题,请陶里亚蒂逐一介绍,毛主席非常用心听。

在谈到意大利革命前景的时候,陶里亚蒂说,现在意大利封建势力还不小,现在意大利的革命是无产阶级革命,搞社会主义革命时还有一个资产阶级民主革命的任务需要附带完成。现在意大利的农业比重还不小,但比较落后,农村里的农民是我们无产阶级和资产阶级争夺的对象，两方面都要争取这个同盟军。意大利党正在努力加强农村的工作。在城市也是一样，也需要争取城市小资产阶级作为自己的同盟军。至于将来的前景怎么样，陶里亚蒂估计，现在看起来，在没有世界震动，比方说战争的震动，要在意大利实现革命是比较困难的。

他还说，至于无产阶级专政采取什么形式，现在也很难估计。现在我们利用议会，共产党在意大利议会里面占很多席位，但是，将来世界震动到来的时候，议会是不是存在还很难估计，到那时是利用议会形式还是用别的形式来实行无产阶级专政现在很难说。但是不管怎么样，革命一定要由共产党领导，社会党不行，社会民主党也不行，更不用说其他政党了。陶里亚蒂对意大利革命的前景的这些看法，毛主席十分重视。

毛主席提出，第二次世界大战以前有人民阵线，意大利将来可不可以有一个过渡，先成立人民阵线的政府，联合小资产阶级的左派，就是社会党的左派，然后转变到无产阶级专政。陶里亚蒂说，这也有可能。他说，意大利资产阶级比较弱，特别是第二次世界大战后初期，意大利如果没有美国驻军，那时意大利可能很快就成了共产党的天下。因为战时意大利的游击队、地下斗争组织大多数都在共产党手里。后来因为有美国驻军、英国驻军，救了意大利资产阶级的命。现在意大利资产阶级也还是很弱。但是他们也不满意受美国的统治。所以将来意大利有可能先经过一个过渡阶段，第一阶段不是无产阶级专政，到第二阶段才是无产阶级专政。

毛主席在会议期间不可能跟每一个党都接触，他只能为了在共同宣言上取得一致意见，对意见比较多的党的领导人多接触、多协商。同时主要想了解意大利党、法国党和欧洲的情况，乘这个机会亲自听他们的介绍。其他一些兄弟党就由代表团的小平同志、尚昆同志和其他一些同志跟他们接触，但是代表团的同志们主要的工作还是在起草工作小组里。

第三节 纵论兄弟党关系与世界大势

在莫斯科会议期间，毛主席除了跟兄弟党会谈，还在12党全体大会和60多个党的全体大会上作了三次发言。

第一次是毛主席和哥穆尔卡、英共、法共、印度共产党接触之后，在11月14日12个社会主义国家执政党大会开始时做了一次即席发言。在这个发言里，主席主要是根据他同兄弟党领导人接触的情况，着重谈了一个问题，就是以苏联为首的问题。

毛主席着重讲了为什么中国党要提出以苏联为首的道理。他说，苏联为首是中国党先提出来的，苏联同志开始没有提这个问题。中国党提出来的时候，苏共开始也不赞成。苏联同志提出过以中国、苏联为首，或者为中心。我们党不赞成，认为应该以苏联为首，并且应该写在宣言里面。毛主席申述这样做的三点理由。

毛主席说，第一个理由是，我们有这么多人，这么多党，总要有一个头。一个党支部，一个党小组还有一个头，我们这么多人，这么多党，在一起总得有一个领先的、为首的。第二个理由是，就我们社会主义阵营内部的事务讲，需要互相协商、互相调节，也要互相合作，要协调行动就需要召集会议，也需要有一个头。第三个理由是，我们社会主义阵营外部还存在帝国主义阵营，他们是有头的，是以美帝国主义为首的。如果我们没有头，就组织不起来，就没有力量。在世界范围内谁胜谁负的问题还没有解决，还有严重的斗争。所以从社会主义阵营外部的情况，世界范围的情况来讲，需要有一个头。

毛主席说，所谓为首，就是他可以提议召集国际会议，以苏联为首的提法，同由苏联负责召集会议的提法差不多是一个意思。既然要有头，是不是随便找一个头就行了呢？恐怕也不行。如果按国家名称的第一个字母来排，那就是阿尔巴尼亚，是不是可以为首呢？恐怕也不能按字母来排。其他国家恐怕也很难当这个头。毛主席说，我们中国是当不了这个头的，我们没有这个资格。因为我们经验少，虽然人口上是一个大国，但是经济上是个小国。苏联发射了卫星，我们半个卫星都没有，只有山药蛋，为首就很困难了。而苏联共产党有 40 多年的经验，是经验最丰富的，也是最完全的。所谓最完全，就是说它有正确的经验,也有错误的经验,总的来讲基本的都是正确的,有一部分是错误的。正确的经验和错误的经验,这两方面的经验对我们大家都有益处。

毛主席说,现在有一些同志觉得斯大林犯过一些错误,特别是在对兄弟党的关系上犯过一些错误,对苏联同志印象不好。我看这个问题不妥当,因为错误已经犯过了,而且现在已经改正了,从前有害处,现在已经变了,已成为我们的鉴戒了。当然,在兄弟党关系中,苏联党犯过一些错误,有过一些不愉快的事情。别的兄弟党有这样的经验,我们中国党也有这样的经验。中国党过去对苏共是很有意见的,因为我们党最严重一次"左"倾路线错误同苏联共产党有关,但这不应该成为苏联不能够为首的理由。现在我们的敌人是全副武装的,而我们现在拥有全副武装的也只有苏联,它是第一个社会主义国家,也是最强大的社会主义国家,现在全世界也只有一个苏联能够发射人造地球卫星。如果一旦有事,我们大家还是要靠苏联,这是大局。希望大家认识这个大局。其他一些小的别扭是一个小局。小道理要服从大道理。

毛主席说,讲起对苏联有气,特别是对斯大林,我也有一肚子气。过去我没讲过,今天也不准备讲,只是说有气就是了。这些都是过去的事了。从大局来看,还是应该承认苏联基本上还是对的,对国际共产主义运动贡献是大的。我两次到莫斯科来,头一次是不愉快的,那个时候斯大林还在,说兄弟党只是说说而已,实际上兄弟党关系是不平等的。这次到莫斯科来，我感到有点平等的空气，不知道在座的兄弟党的领导同志感觉怎么样？我们现在可以互相提不同的意见，你批评我，我批评你。如果第一次意见没采纳，还可以提第二次、第三次。最后大多数同志认为不能采纳，自己还可以保留，在实践中看谁对。所以中国党认为，还是有必要承认以苏联为首，承认苏联共产党作为会议的召集人，现在这样做没有坏处。

毛主席这个讲话是针对当时许多兄弟党（有些党已讲出来，有些党没有讲出来）对苏联党有戒备，怕它再以势压人，怕再出现像过去共产国际或情报局那种不好的情况。

毛主席的第二次讲话，是11月16日在12个社会主义国家执政党会议快结束的时候，当时各兄弟党对宣言经过反复讨论，虽然没有最后定稿，但基本上取得了一致。

毛主席在讲话中说，我认为我们的宣言是好的，将来我们回过头来看这个宣言的时候，就会觉得它很有意义。这个宣言没有修正主义，也没有机会主义。将来我们去见马克思的时候，马克思和恩格斯会怎么样评价我们这个工作呢？这个宣言怎么样呢？当然有两种可能，一种可能是马克思大发脾气，说你们搞坏了，这个宣言不好，是一个机会主义的；第二种可能是他说不坏，没有机会主义，没有违背我的学说。也许列宁也会出来评价，他会说，现在这些新的共产党领导人工作得不错，他们会工作了、成熟了。他们起草委员会经过辛勤的努力，搞出了一个这么好的宣言，既没有机会主义，也没有冒险主义。

毛主席说，我看我们这个宣言是个马克思列宁主义的宣言。我们力求和平，力求团结，没有冒险主义，也没有机会主义。这个宣言总结了几十年的经验，尤其是近几年的经验。这些经验是从痛苦中间得来的，我们要感谢这些痛苦，它使我们开动脑筋，努力去避免再发生这样的痛苦。我们这个宣言所以搞得这么好，还因为我们采取了一个正确的方法，这就是协商的方法，在讨论过程中间，我们既坚持了原则，又有灵活性，是原则性和灵活性的统一。

毛主席说，我们这次开会，形成了一种协商的气氛，这是过去不可能有的。这次会议没有强加于人。在同志之间采取强加于人的办法是不好的。我们用说服的办法来代替过去那种压服的办法。虽然费的时间比较多，宣言到现在还没有最后定稿，但我们基本上达到一致了。花点时间是需要的。我们采取协商的办法不是无政府主义。我们不是一个清谈俱乐部，我们有中心也有大家，是中心和大家的统一，是民主和集中的统一。如果没有苏联共产党，那就成无政府主义了，但是如果没有大家提意见，只有一家的意见那总是不完全的。由于我们这次会议充分发扬了民主，所以搞出了一个比较好的宣言。

16日以后，就召开68党大会。68党大会是从16日开到19日。毛主席在会议结束之前，18日发表了一次讲话。

毛主席在 11 月 18 日的讲话中,讲了两个问题,一个是形势问题,一个是团结问题。形势问题主要是讲了国际形势已经发展到了一个新的转折点,他用中国的一句成语,叫做"不是东风压倒西风,就是西风压倒东风"来形容形势。毛主席认为,目前形势的特点是东风压倒西风,也就是说社会主义的力量对帝国主义的力量占了优势。当时赫鲁晓夫是赞成毛主席这个东风压倒西风的观点的,后来在布加勒斯特会议上他又反对了。他说,什么东风,东风从哪里来?东风是不是从你们中国来,是不是中国的风压倒我苏联的风。他把这句成语说成这样子,令人啼笑皆非。毛主席在解释东风压倒西风的时候是讲社会主义力量压倒帝国主义力量。

毛主席在讲话中说,40 年前的十月革命是整个人类历史的转折点,那么现在又到了一个新的转折点。当然在这之前,在第二次世界大战的时候,反法西斯战争有一个转折点,这个转折点就是斯大林格勒战役。从此希特勒走下坡路,苏联红军势如破竹,一直打到柏林。斯大林格勒这一仗是整个第二次世界大战的转折点。第二次世界大战之后,现在又遇到一个新的转折点。

毛主席讲到,现在的形势同第二次世界大战初期西方帝国主义那么猖狂、那么神气,不大一样了,也同去年反苏浪潮中间西方给我们脸上抹黑,大反共产主义很不一样了。他说,今年的形势是,我们的天下是一片光明,西方的天下是一片乌云。接着毛主席就列举十件事来论证国际形势到了一个转折点。

第一件事就是第二次世界大战胜利。在第二次大战胜利在望的时候,英美苏首脑1945年初在雅尔塔开会,同意将德国易北河以东作为苏联红军的进攻区,这样就使得东欧国家有可能变成为社会主义国家。

第二件大事是中国革命的胜利。我们把蒋介石几百万大军都消灭了,美国也帮不了忙,蒋介石只好跑到台湾去了。

第三件事是朝鲜战争。我们警告美国不要打过三八线,否则中国是不会坐视的。美国不听,硬是要突破三八线,结果中国人民志愿军抗美援朝,把美国打回到三八线。最后,1953年我们在三八线上突破21公里,美国只好在停战协定上签字。

第四件事是越南战争。以胡志明同志为首的越南党领导人民把法国人打败了。于是开了一个日内瓦会议,法国人同意把大半个越南划给越南民主共和国,美国人想阻挠也没阻挠得了。

第五件事是苏伊士运河事件。英法两个帝国主义侵略埃及,占领苏伊士运河区,引起了全世界人民反对,苏联提出了严重的警告。英法军队被迫撤退。

第六件事是叙利亚事件。美国计划好要打的,它的军队在黎巴嫩登陆,又遭到各国人民反对,苏联又讲了话,美国人就不敢打了。这件事情还没有完,可能将来还会出乱子。

第七件事是苏联发射两颗人造地球卫星上天。美国说它自己很厉害,但是它一个人造卫星也没有发射上去。苏联做了先锋。

毛主席说,从这七件事就可以得出这么一个概念,西方世界被抛在我们后面了,我们做得好的话,就可以一直把它抛在后面。赫鲁晓夫同志说他们在15年内可以超过美国。我们想,中国也可以订个计划,用15年或更多一点时间赶上和超过英国,因为英国现在年产2000万吨钢。据波立特和高兰同志说,再过15年英国钢产可能达到3000万吨。那么中国再过15年也可能达到3000万吨。这样,就钢产量讲,不是讲别的,可以赶上或者超过英国。

另外,第八件事是英国退出亚洲、非洲一大片殖民地、半殖民地。第九件事是荷兰退出印度尼西亚。第十件事是法国退出叙利亚、黎巴嫩、摩洛哥、突尼斯,看起来也很可能还要退出阿尔及利亚。

毛主席说,从上面这些事情看,是原来落后的国家强一些,还是西方的发达国家强一些?是印度强一些,还是英国强一些?是印尼强一些,还是荷兰强一些?是阿尔及利亚强一些,还是法国强一些?据我看,所有帝国主义都是下午6点钟的太阳,而我们是早上6点钟的太阳。这就形成一个转折点,把西方国家抛到后面,我们占了上风,不是西风压倒东风,而是东风压倒西风。根本的问题是，决定历史的不是由钢铁数量的多少来决定，而首先是由人心向背来决定。历史上从来就是这样，从来就是弱者战胜强者，没有枪的人战胜全副武装的人。布尔什维克曾经一支枪也没有，但是终于打倒了沙皇政府，那时候苏联共产党只有 4 万人，十月革命的时候也只有 24 万人。

在讲到形势的时候，毛主席也谈到了纸老虎的问题、原子弹的问题。毛主席说，纸老虎是我 1946 年对美国记者安娜·路易斯·斯特朗谈话的时候说的。我说的意思是，希特勒是纸老虎，他被打倒了；沙皇也是纸老虎，中国皇帝也是纸老虎，日本帝国主义也是纸老虎，都被人民打倒了。现在美帝国主义还没有倒，还有原子弹，但我看也是纸老虎。蒋介石也是个纸老虎。他说，我为什么这样说呢？因为中国共产党同敌人进行了长期的残酷斗争，在这长期的斗争中间，我们慢慢形成了一个概念。这个概念就是，我们在战略上要藐视一切敌人，在战术上要重视一切敌人。也就是我们在整体上要藐视它，要打倒它。马克思和恩格斯写《共产党宣言》的时候，就讲要打倒全世界资本主义。根据历史发展的规律，我们有根据藐视它。但是并不是轻视敌人，在战术上我们一定要重视一切敌人，就是说，在一些具体问题上要重视它，要认真地、具体地研究如何同它斗争。这样我们一方面不至于犯右倾机会主义，在敌人面前惊慌失措，丧失斗志，没有信心；另一方面又是认真地同敌人进行具体的斗争，一仗一仗地同它打，一部分一部分地消灭敌人，直到最后的完全消灭敌人，这样就不会犯“左”倾机会主义。毛主席形象地说，这好比吃饭一样，我们战略上要藐视吃饭，这顿饭我们一定能够吃下去。但具体来讲，只能一口一口地吃，不能把一桌子酒席一口吞下去，这就要逐个解决，军事上叫做各个击破。

毛主席又说，我们说原子弹也是纸老虎，就是不要怕原子弹。帝国主义手里有原子弹，苏联也有，要设想一下，如果爆发战争要死多少人？这个问题最初是我同尼赫鲁会谈时提出来的。尼赫鲁说，原子弹不得了，美国人讲了，原子弹一打世界就要毁灭。毛主席说，不是我们要打原子弹，是美国人要打原子弹，拿原子弹来吓唬我们，拿氢弹来吓唬我们。我们怎么办呢？是不是一打原子弹全世界的人就死光了呢？我当时回答尼赫鲁说，极而言之，如果打原子弹的话，美国一定要打，我们也没有办法。它要打，极而言之打死世界人口的一半，可是还有一半人口，他们还要革命，还要造反。如果帝国主义要打原子弹，最后的结果是帝国主义灭亡，全世界社会主义发展。现在有 27 亿人口，死掉一半，还有 13.5 亿，再过若干年，人口又会增加到 27 亿，而且一定还会更多。

毛主席说，我觉得我们要有这么一个思想准备，不要怕原子弹，不要怕帝国主义拿原子弹来吓唬我们。我们中国人曾经这样说过，如果帝国主义硬要打仗，我们也只好横下一条心，打完仗再建设。如果我们天天都怕战争，战争来了怎么办？我们不是帝国主义的参谋长，又不能决定什么时候打，在什么地方打。我们怕也不管用。与其天天怕不如索性不怕。对这个问题，既要藐视它，又要认真对待它。从藐视这点讲，原子弹也是纸老虎，跟帝国主义是纸老虎一样，我们战略上藐视它，战术上重视它。这没有机会主义，也没有冒险主义。

毛主席对这个问题的讲话，也是根据同兄弟党的谈话有所感而发的。哥穆尔卡就很直率地说过，他不同意说帝国主义是纸老虎，原子弹是纸老虎。所以毛主席在这里详细解释为什么说帝国主义和原子弹是纸老虎。

毛主席在 18 日讲话的第三个问题是团结问题。他认为，我们这次会开得很团结，反映了全世界无产阶级和人民上升的朝气。当然，我们还有很多缺点、错误，但是我们的工作，成绩是主要的，是年年见成效的。

毛主席说，这次会开得很团结，反映在我们 60 多个党的大会上有一股朝气，而且这次会有一个头，一致承认有一个头，这个头就是苏联，就是苏共中央。中国有句俗话，叫做“蛇无头而不能行”。你看我们每个人都有一个头，每个国家、每个党也有一个头，有集体的头，有个人的头。中央委员会，政治局是集体，第一书记是个人，两者都要，不然就闹成无政府主义了。

毛主席说，听了哥穆尔卡的讲话很高兴（哥穆尔卡 17 日在大会上讲话时说，应该以苏联为首，这是一个真理，不是人为的，是历史自然形成的），不过像波兰这样的国家，有些人在感情上还接受不了，暂时还想不通，可以换一种形式讲，比方说第一个社会主义国家，最强大的社会主义国家。相信波兰同志、哥穆尔卡同志都是好人，是能够解决这些问题的，能够使先进分子同意，广大人民群众也同意。

毛主席说，南斯拉夫同志说他们在12党宣言上签字不方便，他们党中央讨论过这个问题，决定不在12党宣言上签字。因为斯大林组织的情报局整了南斯拉夫党，包括铁托同志，所以他们搞国内建设需要向西方世界贷款，要美援。西方的经济援助、军事援助在南斯拉夫占相当大的比重，他们党不能在骂美帝国主义的宣言上签字。但是我很高兴南斯拉夫同志准备在第二个宣言上签字（按：第一个宣言是指由12个社会主义国家执政党签字、征求了60多个党的意见的《社会主义国家共产党和工人党宣言》；第二个宣言是指有64个党签字的和平呼吁书，也叫《和平宣言》）。这就表示团结。他们没有在12党的宣言上签字，使本来13个社会主义国家缺了一个，从13个变成12个。南斯拉夫同志说他们有困难，我们想不签也可以，不要强加于人。南斯拉夫同志不愿意签字就不签好了。我想，若干年后他们可能会在像第一个宣言那样宣言上签字的。

毛主席讲话后，在大会休息时间，卡德尔文走到毛主席跟前说，他对中国同志谅解他们很满意，他很感谢毛主席这番话。后来在苏共举行的告别宴会上，卡德尔文又对毛主席说，铁托同志很希望能够见到毛主席，希望中南两党加强联系。

毛主席在18日讲话里讲到团结问题的时候还说，我只想讲团结的方法问题。他说，对同志，不管他是什么人，只要不是敌对分子、破坏分子，就要采取团结的态度。对这些人要采取辩证的方法，不要采取形而上学的方法。所谓辩证的方法，就是一切事物是可以分析的。要承认人总是会犯错误的，不要因为一个人犯了一些错误就否定他的一切。列宁就讲过不犯错误的人是没有的。我自己也曾经犯过许多错误，这些错误对我很有益处，教育了我。所以任何人都需要别人来支持。中国有句成语叫做："一个好汉要三个帮，一个篱笆也要三个桩。"中国还有一句成语叫做："荷花虽好，也要绿叶扶持。"你赫鲁晓夫这朵荷花很好，但是也要绿叶扶持。我毛泽东这朵荷花不好，更需要绿叶扶持。中国还有一句成语："三个臭皮匠，合成一个诸葛亮。"这就是集体领导，单独一个诸葛亮是不完全的，有缺陷的。

毛主席说，我们这次12党的宣言不是经过好几稿吗？到现在文字上的修改还没有完结。把一个人看作全智全能，像上帝一样，那种看法是不对的。所以对犯错误的同志要采取一个适当的态度，就是分析的态度，辩证的态度，不要采取形而上学的态度。就是说，对犯错误的同志，第一要斗争，就是批判他的错误思想，肃清他的错误思想；第二要帮助，帮他改正错误。在中国，这叫做"一斗二帮”，就是从善意出发，来帮助他改正错误，斗是为着帮他改正错误，使他有一条出路。

毛主席说，对另一种人就不同了，像托洛茨基，像陈独秀、张国焘，那只能打倒。对希特勒、蒋介石、沙皇，也只能打倒。那是敌对分子，是敌人。对帝国主义制度、资本主义制度，最后也只能打倒。这是从整个战略上说的，但在策略上有时候就需要妥协。我们在朝鲜三八线不是跟美国人妥协了吗？在越南不是同法国在 17 度线妥协了吗？所以在各个策略阶段上，要善于斗争，也要善于妥协。

毛主席说，对敌人是这样，那么对同志中间的关系呢？我们之间有不同的意见就需要谈判，不要以为加入共产党的个个都是圣人，没有错误，互相之间没有分歧、没有误会了，都铁板一块、整齐划一了，不需要谈判，不需要交换意见，不需要协商了。这些还是需要的。因为加入共产党的人，有 100% 的马克思主义者，也有 90% 的、80% 的、70% 的、60% 的，甚至有 50% 的、40% 的，所以还是要谈判，还要帮助改正错误，用帮助的精神来谈判，从团结的愿望出发。这就不同于跟帝国主义的谈判，这是共产主义内部的谈判。我们这次召开 12 党会议不就是谈判吗？60 多党的会议不也是谈判吗？实际上都是谈判，互相妥协，在不损害原则的基础上接受别人的可以接受的意见，放弃一些自己的可以放弃的意见，这样就能够使大家逐渐取得一致。

毛主席说，我们对犯错误的同志，一方面跟他斗争，另一方面跟他团结，斗争的目的坚持马克思主义原则，这是原则性，团结就是给他一条出路，跟他妥协，这是灵活性，两方面加在一起，叫做原则性和灵活性的统一。我们的大会之所以取得圆满的成功，就是因为用了这种方法，团结的、协商的、谈判的方法，互相交换意见的方法，互相妥协的方法。

毛主席还说，在会议过程中，我想到一些问题，就是我们要讲辩证法，要讲哲学。哲学要走出哲学家的小圈子，到广大人民群众中间去。我有一个建议，希望各兄弟党的政治局会议上、中央委员会的会议上，能够谈谈怎么运用辩证法的问题。

毛主席在这个讲话中间讲到哲学问题，辩证法的问题。这个问题在中苏两党共同起草宣言草案的时候，毛主席曾建议在宣言里面加上要讲辩证唯物主义，要使哲学成为人民群众的哲学，所以毛主席在 18 日的讲话里，又一次把这个问题提出来。

毛主席这三次讲话都是即席发言。第三次发言长一点，有一个简单的提纲，前两次都是即席讲话。三次讲话都是讲的比较重要的问题，都是当时大家关心的、有不同意见的一些问题，对会议的成功，圆满达成协议，起了很好的作用，反映很好。

第四节 争论和协商一致

前面谈到了兄弟党之间存在的一些分歧。这些分歧在起草宣言过程中间就反映在由各兄弟党代表参加的起草委员会里面。

起草委员会开始是由中苏两党的代表组成。从11月6日以后,12个社会主义国家党加上南斯拉夫党的代表都参加了。根据苏联同志的意见,也吸收法国党和意大利党的代表参加。这样,一共有15个党的代表参加起草委员会,后来,又再扩大为60多个党都有代表参加。虽然说是有60多个党的代表参加,但是实际上有些党的代表经常不参加,他们觉得没有很大必要,也提不出很多意见,所以经常参加的也就是10多个、20多个党的代表。

南斯拉夫党的代表声明,他们参加会议是听听大家的意见,不准备在宣言上签字,后来南共主席团决定:不在这个宣言上签字。他们还说他们党早就收到苏共的宣言草案了。这个时候我们才知道,苏共在把他们的宣言草案(第一稿)送给我们之前,已经预先同南共联盟交换过意见。南共是反对这个宣言草案的,后来南共主席团决定:不在这个宣言上签字,但也不声明反对这个宣言。这之后,苏共才向我们发出宣言草稿,就是我们在10月

28日收到的苏共起草的宣言草案第一稿。

在起草宣言过程中,有几个问题发生意见分歧。为了在这些问题上使不同的意见求得一致,并具体落实到文字上,起草委员会经过反复讨论、修改,最后经过充分协商,才取得一致意见。

意见分歧主要有以下几个问题:

第一,关于美帝国主义的问题。在中苏两党共同提出的宣言草案(主要是我党代表团起草的,后来苏共中央经讨论修改后接受的)中,不少地方讲到美帝国主义,比如有"美帝国主义是世界反动势力的中心"、"无产阶级是帝国主义的掘墓人"、"美帝国主义要称霸世界是不能得逞的"这样一些提法。

这些提法首先遭到波兰党的反对。波兰党的代表认为,这样说太过分,整个宣言调子太高,不仅波兰人民接受不了,而且波兰党内也会有许多人接受不了,他希望修改,不要提"美帝国主义",不要提"掘墓人",不要讲它"称霸世界",不要讲它是"反动中心",尽量避免这种太刺眼、太刺耳的提法。

南斯拉夫的代表虽然声明不参加签字,他也附和波兰党的意见,认为这种讲法太强烈。

意大利党也觉得太尖锐了不好。

至于美国党,他开始就声明不准备在宣言上签字,也不能公开宣布参加这个会议。因为根据美国麦卡锡法案,这种行为在法庭上就可能被控告犯叛国罪,如果他参加了莫斯科会议的宣言,很容易被反动派抓住作为一个借口,宣判他们党为非法。他们虽然不赞成这种提法,但也不是太坚持,因为他们不签字,连参加会议都不愿意宣布。

根据这种情况,经过再三斟酌、反复磋商,双方作了妥协。最后把"美帝国主义"改成"美国的帝国主义侵略集团"或者"美国某些侵略集团",把"美帝国主义是世界反动势力的中心"改为"美国某些侵略集团是世界反动势力的中心",把"美帝国主义要称霸世界"改成"美国的帝国主义侵略集团力图依靠所谓实力地位政策统治世界上的大多数国家"。对"掘墓人",把主语改换了一下,改成"这些反人民的帝国主义的侵略势力所实行的政策使它们自取灭亡,自己造成埋葬自己的掘墓人"。

这样,虽然文字上做了一些修改,做了一些妥协,但是这方面的原则我们还是坚持了。结果连波兰同志也觉得可以接受。当然在我们自己的文章上,比如关于莫斯科会议的社论,我们还是讲美帝国主义。

第二,关于战争与和平的问题,主要是关于爆发世界战争的可能性问题。中苏共同草案原来强调:只要帝国主义存在就有发生侵略战争的危险,同时也讲到现在力量对比有利于和平势力,存在着制止帝国主义战争阴谋、使它不能得逞的机会。

这种提法,意大利党、法国党,甚至波兰党都表示不满意。他们认为现在应该是突出可以消灭战争。在讨论、协商过程中间,他们一方面批评我们对帝国主义估计不足。按照他们说我们对帝国主义估计不足这个逻辑，那就应该说战争的危险性增加了，帝国主义很强大了，可以指使一切了。但是，他们的结论又不是这样，他们说他们讲帝国主义很强大，对它要有足够的估计，是为着动员和平力量。另一方面，他们又认为应该强调战争可以避免，否则争取和平就没有信心了，动员不了人民。他们的逻辑是这样前后矛盾。

我党代表再三说明，我们从来也没有说战争一定是不可避免的，今年、明年，或者后年，大后年就可能爆发，我们没有这个观点。但是我们认为，战争问题上存在两种可能性，一种可能性是可能爆发，另外一种可能性是可能制止，可能推迟。

争论的结果，双方都做了妥协。首先是强调只要帝国主义还存在就有发生侵略战争的土壤。把“有发生侵略战争的危险”改成“有发生侵略战争的土壤”，这个意见他们接受了。经过反复协商，大家才同意：一方面讲帝国主义侵略势力所实行的破坏和平的侵略政策造成新战争的危险，另一方面也讲和平力量已经大大增长，已经有实际可能来防止战争。就是说，两种可能性都讲到了，而且还强调如果帝国主义战争狂人硬要不顾一切地发动战争，那么帝国主义就注定灭亡。

这样的修改对我们来讲，是可以接受的。因为原则坚持了，没有把战争可以避免问题讲死，没有只讲可以避免这一种可能性。当然，在60多个党通过的另一个文件即《和平宣言》中，就只强调防止战争的可能性，这个宣言提出，战争不是不可避免的，战争是可以防止的，和平是可以保卫住的和巩固起来的。这个提法当然和12党的宣言不一样。因为它要照顾到大多数党特别是资本主义国家的党的需要，它们要抓和平旗帜，要加强和平运动，要动员更多的人来为和平而斗争，为防止战争而斗争，作为一个策略口号提出来也是可以的。我们也就没有坚持一定要修改这个提法。

第三，以苏联为首的问题。以苏联为首是我党代表团到莫斯科以后，起草一个提交中苏两党讨论的宣言草案里首先提出来的。苏共开始不同意。苏共在兄弟党的关系上，相当大的程度上继承了斯大林的坏作风，一切都得听他的，现在虽然稍有改进，也可以听听别人的意见，但是实际上他们仍然想充当头头，由他来一锤定音。说来也很怪，这次我们提出以苏联为首以后，他觉得太刺眼，不愿意提。个中心理是怕其他兄弟党反对，下不了台。

后来，毛主席拜会赫鲁晓夫的时候向他解释说，我们所以坚持以苏联为首，是因为只有你们才能够领头，你们是第一个社会主义国家，又是最强大的社会主义国家，搞了40年社会主义。我们中国当不了头的。赫鲁晓夫接着提出，是不是提以中苏为首，毛主席说，兄弟党之间的关系是平等的，但在为首这个问题上，我们不能跟你们平起平坐，我们还差得远。如果以我们两个为首，我们是负担不起这个责任的。后来赫鲁晓夫也就同意了。但是有些兄弟党就反对，波兰反对，南斯拉夫反对，意大利也反对，还有其他党虽然没有提出反对，但心里也是不赞成，对我们的提法不表示态度。

后来我们根据毛主席在 14 日 12 党会议上发言的观点，在起草委员会中反复解释。苏共代表也再三表示：要尊重兄弟党的独立自主、平等协商、不干涉内政的原则。

在这以后，兄弟党才觉得以苏联为首也还可以。但是波兰党代表仍很担心，他特别声明说，要说清楚苏联召集会议是以协商为前提，而且只是召集会议。召集会议本身也要协商，什么时候开会要协商，讨论什么问题也要协商，会议做出的决议更要协商。波兰党明确表示这一点以后，还特别提出不能成立国际组织。苏共代表公开表示，不再成立共产国际那样的组织，像情报局那样的组织也不成立。这样大家才接受了以苏联为首的提法，同时在宣言里加上了社会主义各国间的关系建立在"完全平等、尊重领土完整、尊重国家独立和主权、互不干涉内政的原则上"。并且规定在经济和文化合作上互助互利的内容。这样，以苏联为首的问题才得到解决。

第四，关于共同规律、共同道路的问题。这个问题，我们在《再论无产阶级专政的历史经验》里就提出来了。我党代表团出发前，中央政治局认为有必要在莫斯科会议的宣言中加上这个内容，并要代表团考虑怎么样写比较科学。所以我党代表团在向苏共提出的宣言草案里，就写了几条共同规律。后来经过苏共和其他兄弟党的补充修改，才在宣言的第三部分确定了具有普遍意义的共同规律。当然这只是文字上的规定，但大家能在无产阶级革命和无产阶级专政共同规律上求得统一认识，这本身就是很大的成功。

过去我们在《再论无产阶级专政的历史经验》里强调社会主义国家有共同性，也有民族特点，不要因为强调民族特点而忽视共同性，也不要因为强调共同性而忽视民族特点。共同性是一般规律，怎么样把马克思列宁主义的普遍真理和各国社会主义革命和建设实际相结合，千万不能忽视民族特点和民族形式。虽然两方面都讲了，但是那个时候，我们更强调共同规律，没有更多地强调民族特点。

在这次莫斯科会议上，好些党都说自己的党是马克思主义，要建设自己党的牌号的社会主义。波兰党认为自己有自己的社会主义道路。南斯拉夫党也认为他们也有自己的社会主义。意大利党更是这样。他们主张多中心，认为各有各的社会主义，不能强求一律。这就没有什么共同规律了。针对这种情况，我们在会上强调共同规律，但是也提到民族特点。怎么样实现这些共同规律，就要根据各个国家的具体情况，采取具体的方针政策来建设社会主义，这两方面都讲到。

在讨论过程中间，波兰、南斯拉夫、意大利的党的代表更多的是强调民族特点。特别是意共代表，他认为欧洲各国不一定以十月革命为榜样，而应强调可以采取和平过渡的形式，通过议会取得政权。因为这件事情，多列士和陶里亚蒂两个人还吵了起来。多列士认为还是要按照十月革命的道路，反对陶里亚蒂的意见。这两个党长时间以来在这个问题上总是争论不休。

在起草委员会中，我们对两方面都照顾到了。关于民族特点方面，我们强调，如果认为要根据共同规律就是抄袭其他共产党的政策、策略，这是错误的。忽视自己民族的特点就一定会使革命事业遭到失败。同时我们也说到，不能借口民族特点来背离马克思主义关于社会主义革命和社会主义建设的普遍真理，背离共同规律。我们同时反对这两种倾向，强调各国共产党人坚持用马克思列宁主义的普遍真理同各国革命和建设的具体实践相结合。这是我们党的一贯提法，得到了大家的赞成。

第五，反对修正主义和反对教条主义的问题。在我们起草的宣言草案里，对两者都反对，既反对修正主义，也反对教条主义。

在会议过程中间，波兰党代表提出，在波兰党来讲，当前主要危险是修正主义。这就引起了各种不同的意见。首先意共代表反对，南斯拉夫党代表也不赞成。意大利党认为，当前主要危险是教条主义，不是修正主义。结果他的意见又引起法国党的反对。法国党认为，主要的危险不是教条主义，而是修正主义。这两个党在过去长时期争论里面，意大利党一些同志认为法国党是教条主义,法国党一些同志认为意大利党是修正主义。

在1956年起草《再论无产阶级专政的历史经验》过程中,毛主席认为,现在要注意修正主义思潮在泛滥,这是当前主要危险。但是我党代表团觉得波兰党所讲的主要反对修正主义,有他们自己的理解,虽然没有详细阐述,但从他们的发言中感到,他们好像认为苏联那一套就是修正主义。起草委员会经过多次折衷,在宣言草案里两方面都讲到了,讲到修正主义和教条主义都"必须坚决克服",又讲要"在目前条件下,主要危险是修正主义或者说右倾机会主义",并且对两者都作了介绍。但意大利党还不那么满意。我们再和苏共商量,补充了"对于每一个共产党说来,哪一种危险在某一时期是主要危险,由各个党自己判断"这么一句。这样意大利党也认可了。这个问题就达成协议。

第六,关于和平过渡的问题。这就是从资本主义到社会主义,有没有可能不经过暴力革命,和平地取得政权的问题。最早提出这个问题的是英国共产党,他们认为,在资本主义比较发达、资产阶级民主比较发达的国家,特别是英国,有可能通过议会斗争取得政权,进入社会主义社会。后来这个观点在欧洲各国党内比较流行。特别是意大利党,他们认为完全可以和平过渡。这个观点后来也为苏共所接受。赫鲁晓夫在苏共"20大"的报告里一个很重大的原则问题,就是认为和平过渡的可能性越来越增加,无产阶级完全有可能通过议会斗争来取得政权。

我们是不同意赫鲁晓夫的观点的，但是当时我们并没有就这个问题同他争论。因为当时国际共产主义运动正面临着全世界的反苏反共浪潮，怎么样来维护共产主义、维护苏联的威望是当时更重要的问题。那个时候我们虽然没有公开评论和平过渡的问题，实际上对这个问题我们一直是有意见的。

所以在这次莫斯科会议上，在我们起草的宣言草案里，就强调资产阶级不会自动让出政权，它总是要千方百计地想办法来保持它的政权，一直到使用武力。这不是我们要不要使用武力的问题，而是在面临资产阶级使用武力的情况下，无产阶级要不要进行武装自卫并夺取政权的问题。我们在宣言草案里强调这个观点。这个观点苏共是不同意的，认为这是关系到苏共"20大"路线的问题。

这个问题首先在中苏两党讨论共同起草宣言草案时发生了争论，后来各兄弟党参加讨论时也发生了争论。英共、法共、意共和波兰党都赞成赫鲁晓夫在苏共"20大"上讲的和平过渡的观点。

当参加起草委员会的我党代表把这一情况向毛主席汇报时，毛主席认为，既然起草委员会发生这么大争论，苏联又这么紧张，可以更多地听听西方国家兄弟党的意见。于是他亲自同英国党、意大利党、法国党交换意见。毛主席分别问他们，现在的革命形势怎么样？他们普遍认为，现在没有革命形势，如果没有大的震动，比方说世界大战,要爆发革命是不可能的。现在处于资本主义的和平发展时期,所以要充分利用议会。毛主席说,有没有可能在最后大震动到来的时候,可以通过议会夺取政权?英国党说,这个事情没有把握。法国党也说没有把握。意大利党说,到大震动来的时候,议会是否存在还是个问题。

经过一系列交换意见之后,毛主席认为,应当提出两种可能性。从理论上、原则上讲,不通过暴力革命是不能夺取政权的,因为资产阶级不会自动让出政权,一定会使用暴力镇压无产阶级的,这是历史已经证明的理论原则问题。这是战略问题。但是,在和平时期,为着争取群众、动员群众,可以提出一个策略口号,就是我们希望能够通过议会斗争和平过渡到社会主义。这是我们的愿望。我们并不是拒绝、反对和平过渡,也是希望能够和平过渡。同时应当强调,究竟是和平过渡还是非和平过渡,与其说决定于无产阶级,不如说决定于资产阶级,因为资产阶级是不会自动放弃政权的。当然,如果它们使用武力的话,我们只能也使用武力进行自卫,进而夺取政权。

后来我们代表团跟这些国家的党商量的时候,问他们这个观点怎么样,他们说这样可以,但是形成文字的时候,就表达得不那么明确,比较含糊,把两种可能性平列了。我党代表团主张把这个问题搞得更明确一些,但是苏联党竭力反对,要求我们照顾苏共"20大"通过的决议,说那是他们党的路线,不能变动。

最后，毛主席认为再讨论下去只能拖延时间，可以作适当的妥协。他在同赫鲁晓夫一起吃饭时明白告诉赫鲁晓夫说，关于和平过渡问题，我们的意见都说了，你们坚持不能接受。现在宣言中关于这个问题的写法不必再修改，但是我们保留意见，我们写一个备忘录给你们，把我们的意见说清楚，这样在会上就可以通过宣言。赫鲁晓夫很高兴表示同意。后来我们把意见写成一个《关于和平过渡问题的意见提纲》交给苏共，没有在会上宣布。一直到后来公开论战的时候，我们才公布了这个关于和平过渡的备忘录。

第七，关于辩证唯物论的问题。毛主席在会议期间，同赫鲁晓夫和其他兄弟党的领导人进行了广泛的接触。在交换意见过程中感到有些同志的思想方法有形而上学的毛病，辩证法比较少，认为辩证唯物论问题值得各兄弟党重视。所以毛主席在一次跟赫鲁晓夫谈话时，就讲到辩证唯物论的重要，而且建议各兄弟党的中央委员会、政治局在开会的时候，讨论一下辩证唯物论问题，要使干部首先是高级干部，然后到一般干部，一直到人民群众，能够自觉地掌握这个思想武器。毛主席这么讲了以后，就要代表团起草一段文字，加到宣言草案里去。

在起草委员会里讨论这个问题的时候，有不同的看法。首先是苏共的苏斯洛夫，他以理论家自居，说这是课堂里讲课的问题，放在政治宣言中恐怕不合适。后来我们再三指出，这个问题应该引起普遍注意，因为现在讲唯心论、形而上学多了，讲辩证法、唯物论的少了，这是马克思列宁主义的理论基础，有必要强调大家重视这个问题。苏共也只好同意了。因为没有什么理由反对增加这一段。这就是后来在宣言第三章讲到共同规律和民族特点之后，专门加了一段，即“在实际工作中运用辩证唯物论，用马克思列宁主义教育干部和广大群众，是共产党和工人党的迫切任务之一”。

后来毛主席在 18 日全体会议上又专门讲到辩证唯物论的问题，强调辩证唯物论的重要意义，而且还讲到希望各兄弟党中央能经常讨论讨论辩证法。

第八，关于宣言里是否肯定苏共“20 大”，肯定中国党、法国党、意大利党和其他党最近召开的代表大会的问题。这个问题在我党代表团最初起草的宣言草案里是没有的，后来苏共一定要加进肯定苏共“20 大”，而且还要把中国党、法国党、意大利党也加进去。我们表示，中国党的代表大会不需要在宣言上讲，可以不加。我们认为各个党的代表大会是各个党自己的事情，不需要国际会议来批准。要不然以后开国际会议都要来审查各个党代表大会的路线，那怎么得了，不又是搞共产国际了吗？所以我们不赞成。

这个问题苏共一直坚持，说要提苏共“20 大”，也要提中国党、法国党、意大利党和其他党的代表大会。苏共这么提的意图，实际上是要兄弟党国际会议肯定苏共“20 大”的路线，确认苏共“20 大”的国际意义，说它开辟了共产主义运动的新阶段。后来，他们在起草委员会上又再三把这个问题提出来，我们一直不同意，理由是中国党、法国党、意大利党及其他兄弟党的决议大家都没有研究，也无需在国际会议上加以肯定。

这个问题一直扯到最后。毛主席在会议快要结束的时候，在跟赫鲁晓夫会谈时说，既然你们一直坚持要写，感到确实需要，那么我们可以照顾你们。现在大家在许多重大问题上都已经达成一致意见，我们愿意在这个问题上妥协，照顾照顾你们。赫鲁晓夫听后非常高兴，他说，既然写了我们苏共，也要写中共，也要写法共、意共。毛主席只同意写苏共。后来在起草委员会上我们代表团表示，中国党对这一段文字是有不同意见的，既然许多同志都表示同意，我们就不坚持了。

中国代表团在会议过程中，按照中央政治局通过的既要坚持原则，也要做必要的妥协，具体问题由代表团相机处理的方针，在起草委员会里进行了必要的斗争，也做了一些让步，采取比较灵活的方法。

由于代表团贯彻了中央的正确方针，最后 12 个社会主义国家执政党签订了一个宣言，即《社会主义国家共产党和工人党代表会议宣言》，也叫《莫斯科宣言》。

这次会议还签订了另外一个文件，就是《和平宣言》，是由 64 个党签字的。对这个宣言，我党代表团没有花很大气力，因为这个宣言主要是由法共、意共领头起草的。由于它要尽可能地包含各方面的意见，尽可能使资本主义世界各国党不感到困难，所以好些地方是无头公案。比如，只讲帝国主义，哪个帝国主义也不言明。宣言中有些话是和平运动的语言，是说给那些主张维护和平但并不赞成革命的各种不同阶层人士听的，主要是为了团结他们。全篇没有一个地方提美帝国主义，只有"美国垄断资本集团"；强调战争不是不可以避免的，战争是可以防止的，和平是可以保卫住和巩固起来的等等。对这个宣言，我们没有提多少意见。

总的来说，整个莫斯科兄弟党国际会议是成功的。大家就整个国际形势，对战争与和平的问题，对资本主义国家工人运动的战略和策略，对保卫和平问题，特别重要的是对社会主义革命和社会主义建设的共同规律取得了一致意见，以及对兄弟党相互关系中应该遵守的原则，都取得了一致意见。这些都是非常非常重要的。

这次会议能在这么大范围内，就这么多重大问题达成这样广泛的一致意见，是历史上从来没有的。而且这些一致意见，是根据兄弟党完全平等、民主协商的原则，采取在兄弟党之间充分协商、不强加于人、互相尊重、互相谅解、互相让步、求同存异的方法取得的，这也是国际共产主义运动中少有的好现象。这就使得国际共产主义的团结达到一个新的高度。所以毛主席在总结这次会议的时候，认为这次会议的成功，是原则性和灵活性相结合的成功，是集中和民主相结合的成功。

第五节　同志式的话别

对这次莫斯科的兄弟党国际会议,各兄弟党普遍感到满意。不但社会主义国家的党感到满意,而且资本主义国家的党也感到满意,特别是对经过充分协商达成一致协议这一点感到非常满意。在协商中各种意见都可以提,凡是好的意见都吸收了,不能吸收的也说明了理由。这一点大家反映很好。

苏联共产党是感到满意的,因为他们的一些观点,虽然被删改不少,但大部分都包括在宣言里面了。特别是在宣言的最后,肯定了苏共"20大"的意义。对这一点赫鲁晓夫喜形于色,认为是对他们的帮助。这是赫鲁晓夫在11月19日晚上举行告别宴会的时候跟中国代表团讲的。他在告别宴会上也做了一个热情洋溢的讲话。在宴会过程中,赫鲁晓夫跟毛主席说,这次会议开得很成功,在这种时候很需要听到中国党的声音,很需要中国党的支持。

特别有代表性的是哥穆尔卡。他在会议上发表了一篇热情洋溢的讲话。他离开莫斯科之前,率领波兰代表团全体成员,专门到中国代表团住地——克里姆林宫(所有兄弟党领导人中,只有毛主席住在克里姆林宫,其他都住在莫斯科郊外的别墅区)向毛主席辞行(别的代表团都没有专门来辞行),毛主席又一次同他长谈。开始的时候,哥穆尔卡对几个问题还不大放心,一个是召集会议的问题。哥穆尔卡问下次会议什么时候开,毛主席说,一般情况是两年开一次,三年开一次也可以,如果有要紧的事一年开几次也可以。哥穆尔卡说,会议不能开得太长,而且开会要有准备。毛主席说,开会不开会首先要通过协商。开什么会,多大范围的会,也要通过协商。有事就开,没有事就不开。开会的时候事先要有个题目,要有一个文件,预先准备好,发给参加会议的各个党。文件要尽早同各国党商量,而不是像这次会议这样,到10月28日我们才收到文件,可是南斯拉夫党在10月18日就收到文件了。苏共不和我们商量,先跟南斯拉夫党商量,这就耽误了时间,而且南斯拉夫党早就否定了这个文件,声明不签字,可见还是要大家商量好。我们这次会议取得成功,就是因为大家一起来搞文件,大家一起商量,创立了协商一致的原则。

哥穆尔卡担心的第二个问题是共同刊物问题。哥穆尔卡认为,看来赫鲁晓夫还是坚持要办一个国际刊物,不过他说谁愿意参加就参加,不愿参加就不参加。毛主席说,刊物不容易办好,既然要办就要把它办好。谁参加谁不参加由各个党自己决定。不要搞联络局,也不要搞联络局刊物,更不要成立像第三国际、情报局那样的固定组织。毛主席问哥穆尔卡,你感到这次会议苏联共产党是不是有一些进步?哥穆尔卡回答说,是有些进步,我跟波兰的留苏学生也这样讲了，讲各社会主义国家的关系有改进。毛主席表示很赞成哥穆尔卡这个态度。

最后，毛主席语重心长地跟哥穆尔卡讲了一大段话。毛主席说，我还想提点意见供波兰同志们参考。毛主席先从中国党怎样经历种种曲折的斗争才慢慢地比较正确讲起。他说，我们中国党犯过“左”倾机会主义错误，也犯过右倾机会主义错误，这样才教会我们党怎么样来正确对待战略、策略问题，怎么样才能实事求是，把马克思主义基本原理和自己国家的实际结合起来。他说，只有成功的经验还不行，还要有失败的经验。没有失败的经验就不能比较，而且最好既犯过右倾机会主义错误，也犯过“左”倾机会主义错误，这样才可以比较，才会在人们的脑子里引起震动，才能够找到既不“左”又不右的正确路线。毛主席问哥穆尔卡：你对这个问题有什么看法？哥穆尔卡说，完全赞成。我们党本身也有这个感觉。

接着毛主席又谈到，对犯错误的人，应该采取正确的态度，不要一棍子把他打死，使他感觉到没有出路，把事情做绝。一方面应该在政治上、思想上严格批判，肃清他的错误影响，这一点绝不能妥协。但是另一方面，在做组织处理的时候，可以采取宽大的方针，这个宽大并不是要他做总书记，而是给他政治上出路。因为这些错误，特别是路线错误，它的影响是有相当范围和相当长时期的，要改正过来并不容易。所以对犯错误的人，只要他表示服从中央的路线，拥护党中央，那么我们不仅要把他当做同志,而且要当做兄弟,这样他就会感觉到有出路。哥穆尔卡说,他也赞成这个意见。

毛主席还谈到,我们中国党的领导核心,从 1935 年的遵义会议到现在(1957 年),是经过很艰难的过程才建立起来的,又是经过这么长的时间才巩固的。毛主席诚恳地对哥穆尔卡说,我是不是可以坦率地跟你们说,劝你们要看到你们领导中央只有一年,现在还不稳固。你哥穆尔卡,你们中央这个朝廷,要经过至少 10 年,才能够建立起比较稳固的基础。我劝你在这一点要自觉,切不可以认为已经是稳固了。根据中国的经验,领导核心是要经过长时期才能稳固的。毛主席说,今年米高扬到中国来谈苏共"反党集团"的时候,我就跟米高扬说过,我说你们要谨慎小心,就是说不要粗心大意,以为一切都好了。有很多事情是料想不到的,无论是在国内还是在国际上,总会有一些预料不到的事情会出现的。如果不意识到这一点,就等于把自己摆在一个危险的地位。

毛主席跟哥穆尔卡说,我向你讲这些话可能不对,不礼貌,搬了中国的经验。但是我是由衷地想把这些当作礼物送给你们的。也可能你会有这样的想法,说毛泽东真是岂有此理。

哥穆尔卡说,首先我感到你的经验很丰富。我们现在采取的政策在很大程度上和你说的是一样的。

毛主席说,我是希望你们的朝廷一年比一年巩固,不希望你们朝廷毁灭。我是真心诚意说这些话的。哥穆尔卡表示,我们对你这一切好意都完全接受。他说,要真正判断我们政策是否正确,还得有一个长的时间。毛主席说,是的,是这样的。看一个人也好,看一个党也好,是好是坏需要一个长时间的观察。自己要观察自己,人家也要观察你,党内有人要观察,党外也有人要观察。一个党也是很容易被人误会的。

接着,毛主席就讲到他 1949 年到莫斯科给斯大林祝寿时的情况。他说,我第一次到莫斯科来,斯大林是不高兴的。本来我们到莫斯科来,并不完全是为了祝寿,还希望中苏两国订个条约。但是祝寿完了以后,斯大林就把这个事搁起来,不想跟我们订条约。有一次我生气了,就直接给斯大林挂电话,在电话里我说,我到这里来不完全是给你祝寿的,也希望我们订一个条约。现在我没事情做,你看怎么办?这时斯大林火了,他把电话挂了。

毛主席说,后来我又一次去电话,那边说斯大林不在家,你有事情可以找米高扬。这个时候我也火了,我就抓住苏共联络部派来跟我联络的同志(其中有一位过去在中国当过总顾问,现在是苏联铁道部长)大发脾气,狠狠骂了他一顿。他问我去不去参观,我说没兴趣。我这次不是专门来替斯大林祝寿的,还得做点工作。既然现在没有工作可做,那么我的任务就有三个:第一个任务是吃饭,第二个任务是拉屎,第三个任务是睡觉。我拍着桌子狠狠批评了他们一顿,目的就是要他告诉斯大林。

毛主席接着说,后来斯大林也大发脾气,把我们代表团和他们的中央政治局委员召集在一起开了一次会，狠狠批评我们一顿。会上有三个人放炮，一个是莫洛托夫，一个是贝利亚，一个是斯大林。总的意思是说，中国有民族共产主义，毛泽东如果不是一个铁托的话，至少是半个铁托。那个时候他们就是这么批评我们的。我当时就在鼻子里发笑，一点也不申辩。什么中共是民族共产主义，什么半个铁托，等等，我都不申辩。我只说一句话。我说：同志们，你们说的不符合事实。他们也无可奈何，也不能把我关起来。后来他们想一想，还是签个条约好，因为不签条约我就不走。他们知道我是下了这个决心的。

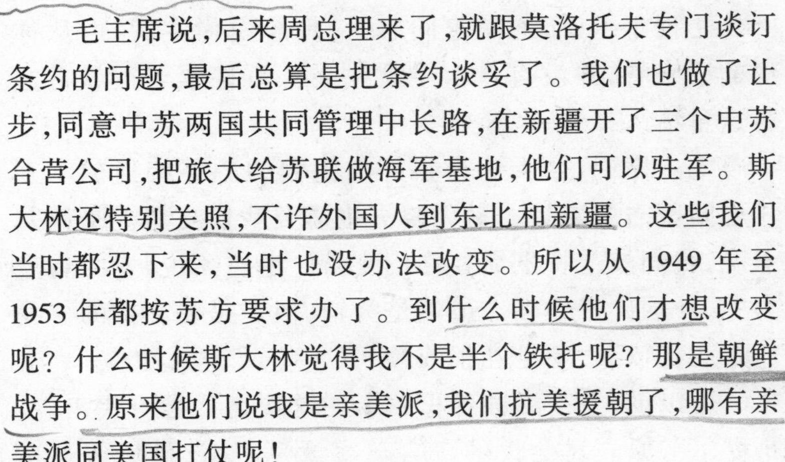

毛主席说，后来周总理来了，就跟莫洛托夫专门谈订条约的问题，最后总算是把条约谈妥了。我们也做了让步，同意中苏两国共同管理中长路，在新疆开了三个中苏合营公司，把旅大给苏联做海军基地，他们可以驻军。斯大林还特别关照，不许外国人到东北和新疆。这些我们当时都忍下来，当时也没办法改变。所以从1949年至1953年都按苏方要求办了。到什么时候他们才想改变呢？什么时候斯大林觉得我不是半个铁托呢？那是朝鲜战争。原来他们说我是亲美派，我们抗美援朝了，哪有亲美派同美国打仗呢！

毛主席说，1950年初在莫斯科签订中苏友好同盟互助条约后，我们举行了一个招待会，答谢苏联的招待。当时我们请了斯大林，别人以为他不会来的。结果他还是来了。他说他那天夜里没睡好觉。在招待会上我先致词感谢苏联，斯大林也起来祝酒，说的都是好话，说中国如何如何好。因为我们是按照他的意思签订了一个同盟条约。他也按照我们的意思签订了一个同盟条约。

毛主席说，跟斯大林这样的人要斗，你不斗他就要把你整下去。斗的结果，经过几个礼拜，他想了一想，先是不赞成订条约，后来觉得还可以。当然也要讲公道话，斯大林还有好的一面。抗美援朝一来，他就说我们是真正共产主义者了，不是民族共产主义了，不是半个铁托了。所以对于国与国之间的一些分歧，兄弟党之间的一些分歧，需要时间，需要等待，要准备挨骂。

哥穆尔卡说，毛泽东同志呀，你总说你主观，但从你说的话来看，并没有什么主观主义。哥穆尔卡很欣赏主席这番话。

毛主席说，今天谈得很好。我们的心是相通的。互相之间都需要支持。赫鲁晓夫也需要我们支持。哥穆尔卡说，我们波兰特别需要你们支持。毛主席说，自力更生为主，外国支持为辅。虽然是为辅，但还是要支持的。我们是互相依靠，不是互相依赖。

可以说，毛主席和哥穆尔卡的这次谈话很有代表性。哥穆尔卡原先对会议的宣言草案意见很多，最后还是达成了协议，也感到满意。他虽然对苏联有意见，但是觉得苏联还是有进步。当然他的疑虑也不是完全去掉了，他还是有点怕，怕苏联搞大国沙文主义。但是，总的来看，他是比较满意的。毛主席讲的这番话，他都听进去了，感到中国党对他们的确是真心诚意的。像这样一个党，特别是哥穆尔卡本人态度的转变，的确反映了这次莫斯科会议开得很成功。毛主席跟他谈话开诚布公，是真正同志式的谈话。最后告别的时候，双方都非常激动。两个代表团同志们都逐个热烈拥抱，场面非常感人。这件事情十分典型地说明这次莫斯科会议的成功。

11月20日晚，毛主席启程回国。苏联政治局全体成员都到飞机场送行。在去机场途中，毛主席跟赫鲁晓夫同坐一辆车，在车上毛主席跟赫鲁晓夫说，这次会议开得好，开会的方法也好。你们愿意跟大家商量，这一点我们很高兴。我们两家达成一致的意见，中国代表团是满意的，相信你们也是满意的。赫鲁晓夫表示非常高兴。

毛主席最后说，现在宣言是达成协议了。以后是执行的问题。各个党根据宣言中肯定的原则，结合自己国家的实际去执行，可以有这种政策或那种政策，这种方针或那种方针。在执行中会有不同的意见，如果发现有不同意见，我们希望还是内部谈清楚，不要采取公开批评的办法。毛主席告诉赫鲁晓夫，他在昨天跟哥穆尔卡谈话时讲到，不要在共同办的刊物上展开兄弟党之间的争论，不要一个党发表文章批评另一个党。在各个党自己办的刊物上，也不要公开批评别的党。两个党之间有不同意见，可以通过内部协商，内部解决问题。

毛主席说，历史证明，一个党公开批评另外一个党效果都不好。他说，这个问题跟多列士谈过，跟杜克洛也谈过，跟意大利党也谈过，跟英国党也谈过。他们都觉得，公开批评别的党的办法不好，即使意见正确，别的党也不容易接受。所以希望我们对这个问题能够达成协议，不要公开我们内部的分歧，不要在刊物上公开批评另外一个党。赫鲁晓夫当时也表示同意。毛主席说，这个问题我是答应了哥穆尔卡的。在最后临别之前，给你提这么一个建议，刊物办起来以后，不要成为互相争论的刊物。赫鲁晓夫说，完全赞成，完全赞成。

毛主席率领的中国党政代表团在 11 月 21 日早上回到北京，也是在南苑机场降落的。前去迎接的中央同志都非常高兴。

休息了一天以后，第二天晚上，在毛主席家里开政治局常委会。主席在会上谈了这次代表团到莫斯科开会的总的感受。毛主席说，总的来讲，这次会议是成功的，12 党宣言是好的，大家都比较满意。我们在莫斯科实际上工作了 18 天，连头带尾一共 20 天，工作相当紧张。这次会议是原则性和灵活性的结合，是民主和集中的结合。采取的方法是协商一致的方法。这个方法证明是成功的。看来苏联同志、赫鲁晓夫是比较满意的，这次态度也比较好，愿意听大家的意见。波兰党最后也满意。南斯拉夫党虽然没有参加 12 党的宣言，他参加了 68 党的《和平宣言》，公开发表时是 64 个党。卡德尔文说他将来也一定会参加 12 党宣言。我说可以等 15 年。他说用不着等15年。总之,莫斯科宣言是马克思列宁主义的宣言,一不是机会主义,二不是冒险主义。我们是对得起马克思、恩格斯、列宁的,他们不会开除我们党籍的,会说这是一件好事情。

毛主席还说,宣言中间有关哲学一段是我们有意加进去的。因为我们跟他们接触、谈话,包括苏联党在内,包括赫鲁晓夫在内,感到他们的思想方法有点不那么对头,里面有不少唯心主义和形而上学的东西,所以我就讲辩证法。宣言上加了一段,我在会上也讲了。但是,别人是不是听进去了还得看,是不是认识到这个问题的重要性也还得看。我们大部分意见都讲了,但是有些意见也没有完全讲,我们还留一手,不要一次把所有问题统统讲完。

毛主席说,本来关于苏共"20大"我们跟苏共的意见分歧,除了斯大林问题、和平过渡问题外,还有一些别的问题。关于斯大林问题,我们在1956年两篇文章里全面讲了;后来苏共中央做了一个决议,也基本上纠正赫鲁晓夫的片面性。而且赫鲁晓夫自己也讲,如果讲斯大林主义分子,他就是斯大林主义分子。他在个别场合、个别谈话中间也讲过这个话。和平过渡问题过去没有讲,这次讲了,而且把我们的意见系统地讲了,写了个备忘录。宣言也根据我们的意见做了一些文字上的修改,虽然文字上的表达跟我们还有差距,但是可以接受。对苏共目前也只能要求他们达到这么一个地步。还有一个问题,就是战争与和平问题，这次也基本上是两面都讲，战争一手、和平一手，战争的可能性、和平的可能性也讲了。这次讲的基本上他们也接受了。

毛主席说，但是还有两个问题这次会上我们没有讲，一个是和平共处的问题。赫鲁晓夫在“20大”报告里面，认为和平共处是外交政策的总路线。和平共处五项原则当然是对的。我们的外交政策和处理国与国的关系，当然是根据五项原则办事，这是不错的。这是中国和印度首先提倡的，后来万隆会议也肯定了，并发展为十项原则。现在国际上一般都公认和平共处五项原则，但是否做得到那是另外一个问题。美国首先就做不到，尼赫鲁是不是完全照这样做也还要看。我们是坚决照这么做的。从外交政策和国与国的关系方面来讲，应该建立在和平共处五项原则的基础上，这是正确的。但是，作为国际共产主义运动，一个共产党的对外关系的总路线，就不能只限于和平共处。因为这里还有社会主义国家之间相互支持、相互帮助的问题；还有执政的共产党，也就是社会主义国家共产党支持世界革命的问题，声援资本主义国家没有执政的共产党的问题；还有支持殖民地、半殖民地独立运动的问题；还有支持整个国际工人运动的问题。总之，还有一个无产阶级国际主义的问题。所以不能把和平共处作为一个党的对外关系总路线。这个问题在莫斯科会议上没有和苏联展开来争论，只是在宣言的文字修改上我们提了一些意见，经过一些修改，觉得还可以，就没有再展开来争论。

毛主席说，再一个问题是对社会党的问题。我们对赫鲁晓夫在苏共“20 大”的报告中对这个问题的说法很有意见。我们觉得他们对欧洲的社会党、社会民主党的分析，离开了阶级分析，是不合乎马克思主义的。但是，因为时间不够，我们来不及跟其他兄弟党就这个问题交换意见，所以没有展开来讨论。不过这也好，问题不可以一次讲完，还可以留一些，以后再慢慢讲。我们在适当的时候还可以再讲。

小平同志比较详细地讲了会议上对一些具体问题的争论和主要斗争情况。小平同志讲到，我们对苏共“20 大”还是采取照顾的办法，还是写到 12 党宣言里。我们照顾他们这一点，就取得赫鲁晓夫在其他问题上的让步。比如在战争与和平、和平过渡等问题上，他们做了一些让步，只是还没有完全表达我们的意见，但现在也只能争取到这个程度。我们争取到赫鲁晓夫支持我们党原来起草的宣言草案的意见，说服其他兄弟党。虽然我们做了让步，对苏共“20 大”做了肯定的提法，但是在具体问题上加以改正，尽量争取措词比较符合马克思主义的表述。最后争取到这样好的结果。总的来讲，这样做法是对的。我们所以采取这样态度，是因为原来在北京的政治局会议上，原则同意对赫鲁晓夫还是表示支持，所以在宣言上才对苏共“20 大”做了那样的表述。

小平同志说，在宣言上写到“苏联共产党第二十次代表大会的历史性决议”，也就是说我们不是讲赫鲁晓夫的那个秘密报告，而是讲大会决议。《宣言》中说，“不但对苏共和苏联的共产主义建设具有伟大的意义”，这是肯定的；“而且开辟了共产主义运动的新阶段”，这个评价比较高，但也可以做各种解释。苏共“20 大”以后，一方面带来一个反共高潮，另一方面又使各国共产党不得不独立思考问题，增强独立自主地解决本国问题的决心和信心。因为后面还有一个短句，即“促进了它(指国际共产主义运动)在马克思列宁主义基础上的进一步发展”，这就把它扣死了，把它扣在“马克思列宁主义基础上的发展”这个短句上。当然，苏共“20 大”最好是能完全去掉，但在目前条件下是做不到的。我们做了这么一个让步，又做了这么一个限制，就取得了苏共支持我们对苏共“20 大”在其他问题上的观点的修改。这还是值得的，还是既坚持原则性，又有灵活性。

小平同志说，鉴于许多党害怕苏共强加于人，搞大国沙文主义、大党主义这种情绪，我们在肯定了“以苏联为首”之后，对苏联党在国际共产主义运动中的作用和为首的职权范围是加以限制的。小平同志解释说，对召开国际会议的问题，我们是采取这样的措词，说“在必要的时候，除了举行双边会谈交换意见以外，还应该举行更广泛的共产党和工人党的会议，以便讨论迫切的问题，交流经验，了解彼此的观点和立场，协议为和平、民主和社会主义的共同目的而进行共同的斗争”。这里讲到可以开这样的会,"交流经验,彼此了解观点和立场",也就是可以互相交换意见,不是一家说了算。"协议"就是由协商达成决议,而不是一家做决定。这样一个提法可以使苏共没有理由来操纵会议,它不能不跟大家商量就召集会议。在 12 党开会的时候,达成一个不公开的协议,明白指定由苏共来召集会议。怎样召集,讨论什么,怎样协商,公开的宣言中都规定了。毛主席还明确跟赫鲁晓夫讲,什么时候召集会议,会议的内容是什么,都要预先通知,预先做准备,如果要形成什么文件,事先要有草案,并且提交给参加会议的所有的党,经过协商做出决定。这些都给赫鲁晓夫讲清楚了。小平同志说,这样没有坏处,如果他不照这样做,那我们就可以加以反对。这样也可以解除波兰党、南斯拉夫党、意大利党和其他党的顾虑。看起来,结果还是好的。

毛主席和小平同志扼要介绍情况后,政治局常委会就批准了代表团在莫斯科的活动。

到 1958 年 5 月 23 日,中国共产党第八届全国代表大会第二次会议时才正式通过决议,正式宣布中国共产党赞成在莫斯科举行的各国共产党、工人党代表会议的两个宣言。

第四章

戴维营会谈前后

第一节　面对面的抗衡

在莫斯科会议上，毛主席宣布中共中央决定用15年或更多一些时间赶上和超过英国。回国以后，毛主席集中精力，考虑如何加快中国社会主义建设特别是经济建设的步伐。为此，我党中央希望也需要中苏关系像莫斯科会议所表现的那样的友好合作保持和发展下去。

但是，形势的发展同我党中央的愿望相反。莫斯科会议后不久，1958年春，苏联国防部(当时的部长是马林诺夫斯基)向我国国防部提出要求，说要在中国建立一个长波电台，以便苏联核潜艇舰队在太平洋活动时，可以通过这个长波电台同莫斯科联系，因为苏联在远东地区还没有这样一个合适的建长波电台的地方。苏方提出，这个长波电台由中国出一部分钱，苏联出一部分钱，共同建设、共同使用。其实，所谓"共同使用"当时并无实际意义，因为中国当时根本没有核潜艇，所以使用这个长波电台当然就只能是苏联，实际上等于是要两家出钱，一家使用。

当时我们答复说，钱不需要苏联出，由中国出，在中国建，归中国所有。苏联需要时可以使用，但是所有权归中国。

后来马林诺夫斯基又来电报，还是坚持苏联也出钱。他说，费用大概需要一亿美元，苏联承担一半。但是他避开归谁所有的问题。

这件事情引起了我党中央的重视，很想知道苏联究竟有什么打算。正在这个时候，苏联驻中国大使尤金在1958年7月21日要求紧急会见毛主席，说有重要的事情要向毛主席汇报。毛主席觉得事情既然这么紧急，同意马上见他。

当天晚上，毛主席在中南海游泳池旁边（当时北京天气很热）接见了尤金。少奇同志、周总理和朱总司令、陈云、邓小平、彭德怀和陈毅同志参加了会见。尤金对毛主席说，他是受苏共中央主席团的委托，向毛主席汇报四个问题。

第一个问题是中东事件。尤金说苏联决定不参与中东战争。毛主席说，我们也不赞成参与。我们搞反帝统一战线，同帝国主义作政治斗争，不跟它直接打仗。当时美国军队已有一万多人在黎巴嫩登陆，后来英国也有二三千人登陆。苏联政府发表声明警告美国，但是苏共中央决定不作军事卷入。毛主席说，我们赞成这个方针，不作军事卷入。但是要准备美国打大仗，这不是不可能的，我们要做准备。

第二个问题是南斯拉夫问题。尤金说，苏共中央主席团认为，对南斯拉夫的修正主义要继续批判，不能停止。他还说，苏共中央感谢中国党对苏共的支持。现在南斯拉夫集中攻击中国党，而这个攻击本来是应该针对苏共的。毛主席说，我们对南斯拉夫共产主义者联盟应该采取又斗争又团结的方针。在意识形态方面，我们批判它的错误，但是在国家关系方面还是应该保持外交关系，不要断绝外交关系。目前可以冷一点，但是不能长久这样下去，还是要想办法逐步改善关系。

第三个问题是关于中国政府请求苏联帮助加强中国海军和海岸防御的问题。尤金说，苏联舰队到大西洋、太平洋活动很不方便，海上通道都控制在西方国家手里，中国海岸线长，可以四通八达。赫鲁晓夫希望中国考虑同苏联建立一个共同舰队。

讲到这里的时候，毛主席诧异地问：啊！是不是又要搞“合作社”？

毛主席在这里所讲的又要搞“合作社”，是针对过去苏联跟中国合办的四个合营公司说的。这是毛主席1949年底至1950年初到莫斯科同斯大林商谈订立中苏友好同盟互助条约的时候,斯大林提出的要求。实际上是苏联在中国开矿,开采出来的矿物以很低的价格“卖”给苏联。当时我们为签订中苏同盟条约,只好答应了。毛主席把这些合营公司叫做搞“合作社”。

毛主席对尤金说,我们原想叫你们帮助我们建设海军,没有想过要跟你们一起搞“合作社”,搞什么共同舰队。是不是只有搞“合作社”你们才干,不搞“合作社”你们就不干呢?

这时尤金说,赫鲁晓夫特别嘱咐他,要中国考虑建立中苏共同核潜艇舰队的问题。他没有回答毛主席提出的问题。

接着他就谈第四个问题,即苏联国内情况。尤金说,赫鲁晓夫要他向毛泽东同志汇报,苏联的情况空前的好,工业体制的改革已经完成,今年的农业收成也空前的好,会得到丰收。

尤金谈完以后,毛主席抓住第三个问题不放。他问尤金,照你们的意思是不是只能搞“合作社”?首先要把这个问题搞明确。我们原来设想是请你们帮助我们建设海军,是不是你们认为只能搞共同舰队,否则就不帮我们?也就是说,你们强迫我们搞合作社,是不是这样?尤金说,他感觉到现在是这么一个问题。不过他又说,他们只是提议,还需要两国共同商定。他说,你们可以派人到莫斯科去谈。赫鲁晓夫建议周恩来和彭德怀到莫斯科去谈这件事情。毛主席说,先把这个问题搞清楚,然后再考虑去人的问题。你们不同意帮助我们，我们就不搞。这个问题暂时不定，因为你也说不清楚。究竟是不是办合作社？是不是你们要强迫我们搞共同舰队？是不是苏联指挥这个舰队？尤金支支吾吾，说不清楚，好像是，又好像不是。毛主席说，这个问题现在暂时不定，明天再谈。

第二天，7 月 22 日，毛主席又约尤金在中南海游泳池旁边谈话，参加谈话的除上次参加的少奇同志、周总理、朱总司令、陈云、邓小平、彭真、彭德怀、陈毅、王稼祥等同志外，又增加了林彪。

毛主席对尤金说，中苏之间没有什么紧张局势，我们九个指头是一致的，只有一个指头不一致。过去多次讲过，现在还是这个样子。毛主席说，昨天你提出的问题，我可能有误会，也可能是正确的。看来，要你们帮助我们搞核潜艇的请求，可以撤销。今天早上我们政治局讨论了这个问题，决定撤销这个请求，不要求你们帮助我们建设核潜艇。我们中央过去写信请求你们帮助，是要加强海军建设，加强海岸防卫，也提出过建设核潜艇，但是没有提出过要建设核潜艇舰队，更没有提出过要建设中苏两国共同的核潜艇舰队。你们苏联人大概觉得中国人没有经验，不可信，毛手毛脚，所以要搞合营，要搞共同舰队。如果要合营，索性一切都合营，索性我们把全部海岸都交给你们，我们去搞游击队好了。看来你们是想控制我们。

毛主席说，斯大林过去看不起中国人，去年莫斯科会议，我们感觉到赫鲁晓夫能够跟我们平等相待。我当时说过，这种方针是好的。但是现在你们又来了，又要搞共同舰队了，又要恢复"合作社"了，又要搞斯大林那一套了。所以我们决定现在不搞，撤回请求。要么我们就把全部海岸都交给你们，你们不仅占领旅大，还要加以扩大。不过，老实对你们说，你们这样搞，我们只好自己搞舰队了。如果你们说这是民族主义，那么我们就可以说，你们把俄罗斯民族主义扩大到中国来了。

毛主席对尤金说，你这次谈过来谈过去都说不清楚，或者是我到莫斯科去跟赫鲁晓夫谈，或者是请赫鲁晓夫到北京来跟我们谈。这时，尤金再三辩解说，赫鲁晓夫跟他说的时候，没有谈到舰队归谁指挥，也没有谈到要在中国建立基地，只是想把这个问题提出来，跟中国同志研究具体的措施，没有别的意思。

毛主席说，我们是要搞潜水艇的，如果苏联要提条件，一个条件也不行，半个条件也不行。请你把我这个意见如实告诉赫鲁晓夫，不要怕我的意见太尖锐。如果赫鲁晓夫不同意，他就不必来。尤金说，这是误会。毛主席说，那不一定。你把我们的意见如实报告赫鲁晓夫，请他考虑，是我去还是他来。

这次谈话从上午 11 点一直谈到下午 4 点，尤金再三解释，但他也说不清楚究竟赫鲁晓夫是不是要搞共同舰队。我们反复问他，他一会儿说是，一会儿又说不是，前后矛盾。毛主席最后对尤金说，我要跟赫鲁晓夫直接谈，要么我到莫斯科去,要么他到北京来。不久前我才去过莫斯科,那么,按常理,这次应该是他来。如果他不愿意来,我也可以到莫斯科去。

这两次谈话我都没有参加。后来听小平同志和彭真同志讲,当时气氛非常紧张,尤金满头大汗,说话颠三倒四。

由于毛主席这样尖锐地提出问题,尤金回去后迅速向赫鲁晓夫报告。据后来赫鲁晓夫解释,他接到尤金的电报以后,本来想马上就到中国来,因为要等美国对苏联关于召开五国首脑会议的建议的答复,所以推迟来华。

五国首脑会议是指苏联、美国、英国、法国和印度的政府首脑,在联合国秘书长参加下召开会议,讨论如何制止中东军事冲突。召开这个五国首脑会议的建议,是赫鲁晓夫在美国和英国派军队在黎巴嫩和约旦登陆之后,在7月19日提出来的。艾森豪威尔在7月22日答复赫鲁晓夫,说可以在联合国的范围内召开五国首脑会议。但是到了25日,艾森豪威尔又给赫鲁晓夫写信,提出不必开五国首脑会议,把问题提交给联合国安全理事会讨论就行了。这样就推翻了原来的承诺。赫鲁晓夫知道五国首脑会议开不成,便决定7月31日到中国来。

赫鲁晓夫是7月31日下午到达北京的。他的专机到达南苑机场时,中央政治局常委多数同志到飞机场去接他。毛主席一直把他接到怀仁堂。没有举行什么仪式,没有铺红地毯,一路上大家也没有讲什么话,整个场面非常严峻。

到怀仁堂后，中央其他同志都离开了。毛主席只和小平同志一起跟赫鲁晓夫在怀仁堂后厅会谈，苏联方面只有波诺马廖夫和费德林参加，费德林当翻译。

据小平同志后来告诉我们，这次会议非常紧张。赫鲁晓夫一上来就否认他们有过建立中苏共同舰队的想法，但是他谈了好久也没有进一步谈及这个问题，只是大讲过去斯大林怎样跟中国搞合营公司，讲他们内部对建设海军有各种各样的意见，究竟是建大型的还是小型的，都没有取得一致意见。他滔滔不绝地谈了很久。

毛主席很不耐烦，直率地对他说，你讲了半天，还没有讲到问题的实质。

赫鲁晓夫又对海军建设究竟是主要搞潜水艇、鱼雷快艇，还是主要搞大型巡洋舰，或者搞发射导弹的飞机等问题说了一大套。

毛主席又打断他的话，郑重地对他说，你还是没有说清楚，究竟你们要搞什么。我问你，什么叫共同舰队？

这就把赫鲁晓夫逼到墙角。毛主席说，你们大使尤金同我们谈话，谈了五次，讲的都是共同舰队的问题。他还说到你们的黑海不行，波罗的海没有出路，北海太窄了，海参崴也有危险，等等，等等。总而言之，你们很难搞大的远洋舰队。赫鲁晓夫解释说，这些话我说过，黑海和波罗的海不需要搞大的潜艇舰队，因为在海岸上就可以用炮火控制海面。摩尔曼斯克离美国又太远，中间要经过格陵兰和英国，我们的潜艇舰队进入大西洋会被他们发现。海参崴好一些，有千岛群岛掩护，但敌人也可以利用千岛群岛来监视我们、打击我们。中国海岸线长，面对太平洋，一旦战争爆发，用潜艇舰队打击美国比较方便。他说，我们的具体想法，可以在中国的一条大河岸边，比方说在黄河岸边(按：他是这样说的，看来他根本不知道黄河河口的深浅)，可以建立一个制造潜水艇的大工厂，大量生产潜水艇。他说，这就是我们想谈的问题。

毛主席抓住他的话说，你们大使尤金就是说要在中国搞共同的核潜艇舰队。这时候赫鲁晓夫又辩解说，尤金说的不对，我们没有要搞共同舰队的意思，是中国政府给苏联的信里提出要搞核潜艇舰队问题的。

毛主席说，不对，我们只要求你们帮助我们建设核潜艇，并没有说要你们帮助我们建设核潜艇舰队，更没有说要搞中苏两国的共同舰队。赫鲁晓夫赶忙否认说，我也从来没有这样讲过。

毛主席说，有记录为证。尤金上次谈话是有记录的，记录就在这里。当时毛主席就拿记录给赫鲁晓夫看。毛主席说，你看是不是这样写的？尤金还说你建议搞共同舰队，还说可以吸收越南参加，这个对不对？赫鲁晓夫说，关于吸收越南参加，倒是有过这样的想法，那是讲战争打起来的时候。毛主席说，战争时期那是另外一回事，尤金说的不是战争时期，而是说要搞共同舰队，就是你们要搞斯大林过去搞的那种“合作社”。你赫鲁晓夫1954

年取消了这些“合作社”,怎么现在又提出这个问题,又要搞“合作社”呢?赫鲁晓夫再三辩解说,尤金是个好同志,但是他听错了我的话,误解了我的意思。我也有责任,因为我谈的时候,可能没有交待清楚,所以经过他的转达,事情就搞得不对头了。

赫鲁晓夫接着又说,中国同志说我们要搞共同舰队,要把俄罗斯的民族主义搞到中国来,我听了很伤心,觉得中国同志不相信我们,对我们的政策了解不对,这触犯了我们的自尊心。

这时,毛主席非常生气地说,什么,触犯了你们的自尊心?是谁触犯了谁的自尊心?你们提出搞共同舰队,正是触犯了我们的自尊心。

赫鲁晓夫这个时候也有点火,他说,我没有料想到你们会这样粗暴地理解我们。

毛主席更生气了,说,谁粗暴?是你派的代表尤金在北京向我们五次提出要搞共同舰队。当时我们理解,你们就是要搞共同舰队,否则就不给援助。我们说,我们一万年不建设海军也没有关系,你要搞共同舰队我们就不干。我们可以分工,你们去搞核潜艇舰队,我们去打游击战。

毛主席说到这里时,赫鲁晓夫说,现代战争条件下打游击战不行。

毛主席说,不行也没有办法。我们没有核潜艇舰队,将来索性把海岸都交给你们,你们去打好了。

这时小平同志插话说，当时毛主席问尤金是不是要搞共同舰队，尤金没否认。他提的就是共同舰队。毛主席问是不是要搞"合作社"，尤金也没有否认。当时在座的其他政治局同志听了以后都"啊"了一声，都很吃惊，很奇怪为什么苏联提出要搞共同舰队。毛主席提出是不是搞"合作社"，这说中了要害。你还说很伤心，伤什么心呀！

毛主席说，我当时听尤金说了三次，都说的是共同建设共同舰队。我有过怀疑，但尤金三次都这么说。我们中央商量以后，提出几个方案：第一个方案，你们帮助我们建设海军。第二个方案，共同建设共同舰队，因为不共同建设你们就不援助。第三个方案，我们撤回我们要你们帮助建设海军的请求。因为我们不同意搞"合作社"你们就不帮助，所以我们不建设海军了，不搞舰队了，不要核潜艇了。第四个方案，把中国所有的海岸都交给你们。第五个方案，把旅顺大连和其他的港口都交给你们。斯大林过去在旅大这样搞过，你们想扩大，那就扩大吧。毛主席问赫鲁晓夫，你赫鲁晓夫究竟是不是再来搞斯大林那一套？

赫鲁晓夫赶忙推脱，一再说，我们从来没有提过，没有要搞共同舰队的想法，永远也不会再提这个问题。

毛主席说，你说的是永远不提，那好，把你的话记录下来。

赫鲁晓夫辩解说，这是误会，是尤金"在一定程度上错误地转达”我们的立场。

这里,赫鲁晓夫说的是尤金在一定程度上错误地转达,可见尤金并不是完全错误地转达他的立场,而是在一定程度上正确地转达他的立场。

毛主席说,那好吧,这个问题就这样定下来,我们不搞共同舰队。我们只要求你们帮助中国建设海军,你们不帮助也可以。

这时赫鲁晓夫又提出长波电台的问题。毛主席说,长波电台的问题好办,就是我们建,我们有,你们可以用。马林诺夫斯基两次来电报,都说共同建、共同用。其实就是你们使用,我们现在还没条件使用这个东西。赫鲁晓夫推脱说,他不知道马林诺夫斯基的来电,但是苏联可以出钱。毛主席说,不,不需要苏联出钱。中国自己搞,不要苏联出钱。如果你们要出钱,我们就不搞。赫鲁晓夫说,那我们同意中国的这个决定,你们建,你们有,我们可以使用,共同使用。

接着,赫鲁晓夫又提出第三个问题,就是顾问的问题。赫鲁晓夫说,苏联准备把在中国的顾问全部撤回去。毛主席说,苏联顾问大部分是好的,只有极少数,个别的人有些毛病。你们的人就是我们的人,都是共产党员。我们对个别人有意见,过去没敢说,也不适合说,去年才讲了这个问题,因为去年大家都更加互相了解了。但是,我们的意思还是把这些顾问作为专家留下来,帮助我们工作。有些不需要的,可以不再聘请,但是大部分还是要留下来，个别表现不好的，我们提出名单，请你们调换。

看来赫鲁晓夫提出顾问问题是一种试探，想看看中国究竟对这个问题是什么态度，也包括有对中国施加一点压力的意思。

毛主席说，关于“合作社”的问题这次谈清楚了，这个问题算是解决了。如果将来一旦发生战争，那个时候一定要互相配合，要搞“合作社”，这是将来发生战争时的事情。现在我们不搞共同舰队，不再搞“合作社”。

后来，毛主席在1960年夏天在北戴河召开政治局常委会议时谈到这次事件时说，那次谈话说明，赫鲁晓夫看起来是个庞然大物，但是可以顶，银样镴枪头，一顶就把他顶回去了。所以在原则问题上，我们不能让步，一定要顶，而且是可以顶回去的。

这次会谈（7月31日）以后的三天里（8月1日到3日），还举行了三次会议，8月1日、8月2日会谈的时间比较长。毛主席利用这个机会，同赫鲁晓夫就国际形势交换意见，听听他的观点，也说明我们的观点。

毛主席跟赫鲁晓夫8月1日的会谈，是从上午的10点30分到下午4点钟在中南海游泳池旁边举行的。我们方面参加的有少奇同志、恩来同志、朱德、陈云、林彪、小平同志、彭真、彭德怀、陈毅、王稼祥、黄克诚（当时是总参谋长）、胡乔木、杨尚昆同志。苏联方面除了波诺马廖夫和费德林以外，还有马林诺夫斯基、杜库列佐夫、库兹涅佐夫和安东诺夫。

这次会谈主要是谈国际形势，而且集中谈美国出兵黎巴嫩的问题。因为7月15日美国出兵黎巴嫩，到这时已经半个多月，在黎巴嫩登陆的美军有15000人。毛主席估计，美帝国主义的力量有限，困难甚多。美军登陆黎巴嫩引起全世界反对。这场斗争美国肯定要输。从这个分析出发，在同赫鲁晓夫会谈时，毛主席提出谁怕谁、谁怕谁更多一点的问题。毛主席说，这个问题我们在莫斯科会议期间曾经谈过。美国弱点甚多，恐怕还是他们怕我们更多一点。毛主席还谈到，看来美国对五大国首脑会议是要拖，这个会议很可能是开不成。开不成对我们也没有什么坏处，无非是暴露了美国不愿协商解决国际问题。

毛主席谈到戴高乐的时候说，戴高乐上台有好处，在国际上对我们有利。当然对国内来讲，法国共产党会受到压力，但是也可以让群众看一看戴高乐是一个怎么样的人物，可以暴露戴高乐的真面目，破除群众对他的幻想。但是我们对戴高乐还是要讲究策略，因为他对美国闹独立性，这对反美斗争有利。这点赫鲁晓夫也同意了。

毛主席还提到，这次中东事件证明，帝国主义外强中干。他估计美国很可能要撤退，落得一个挨骂的下场。赫鲁晓夫说，他们主席团决定不用参加战争的办法来支援伊拉克人民和黎巴嫩人民的反美斗争，但是采取举行军事演习的办法来警告美国。他说，他们准备在伊朗边境上演习，在土耳其边境上演习，还和保加利亚一起搞联合演习。毛主席表示赞成不采取军事干预的办法来支援中东人民的反美斗争。他对赫鲁晓夫说,我在莫斯科的时候曾经给你谈过,支援外国斗争不一定要苏军直接出面,可以用参加志愿军的办法。我主张最好不出兵,但是要出兵的时候,不要派军队,只派志愿军。毛主席还再三讲到,我们要注意讲究斗争方法。对美帝国主义,第一要斗争,第二要讲究策略。

在这次会谈中,赫鲁晓夫对昨天毛主席对他的批评还耿耿于怀。他谈到苏联专家问题时说,我们的一些顾问在你们这里做了一些蠢事,你们就能够批评我们,向我们菜园子里面丢一把荆棘。毛主席当时就把他顶回去。毛主席说,不对,你看错了。我们不是给你菜园子里丢石头,而是丢金子。少奇同志也说,我们只是当面给你提意见,我们背后不向任何人讲我们之间的分歧。毛主席说,你是不是又不同意我们的意见,是不是说我们又要专家,又要批评你们。赫鲁晓夫说,我的意思是说中国人很聪明,总想处在一个有利地位上。你们这里有我们的顾问,而我们那里没有你们的顾问,我们的顾问做了一些蠢事,你们就可以批评我们。

8月2日的会谈从下午5点钟到9点钟,会谈地点改在颐年堂,参加的人基本上一样。

这次会谈主要也是交换对国际问题的看法,跟上一次会谈差不多。毛主席在会谈中提出,北大西洋公约、马尼拉条约和巴格达条约这三个条约的组织究竟是什么性质的？毛主席说，说它们是侵略性的，这没有疑问。问题是，究竟是防御性大一点，还是进攻性大一点。毛主席说，依我看还是防御性大一些，是一个钙化组织，像一个人得了肺结核病一样，钙化起来就防止结核菌扩散。

毛主席还谈到，按第二次世界大战和第一次世界大战之间相距20年的时间来计算，我们应该争取推迟第三次世界大战，从现在起，至少推迟七八年，有可能的话，要争取推迟10年、15年、20年，或者更长的时间。我们一定要争取推迟，努力推迟它。但同时要准备万一帝国主义发动世界战争怎么办。因为我们不是艾森豪威尔的参谋长，他们怎样打算，我们说了不算。他们有没有战争狂人呢？肯定是有的，万一帝国主义发动战争怎么办？我们得有准备。

毛主席又谈到，紧张究竟对谁有利？我们要求缓和国际紧张局势，这是正确的。但是不要以为，似乎紧张局势只是对我们不利。这不见得。辩证地看问题，紧张局势对美国也不利，可以引起全世界人民来反对美国的侵略政策和战争政策，可以动员更多的人来反对美帝国主义。黎巴嫩事件造成了紧张，但结果引起了全世界反对美国。美国军队最好是半年内不撤，那样可以使得有更多的人来反对它。当然我们不是艾森豪威尔的参谋长，但估计美军很快会撤退。因为美军留在那里受不了，退还能保留一点面子。估计美国最后可能连面子也不要就滚回去了。

毛主席说,我们的方针是不放弃一寸土地,但是也不要人家一寸土地。毛主席问赫鲁晓夫同意不同意这个意见。赫鲁晓夫表示,他完全同意这个意见。

接着,大家共进晚餐。晚餐后又继续谈了一段时间,主要是谈两国国内的工作。少奇同志谈了教育和劳动相结合的问题。彭德怀同志谈了军队要搞生产,并且要帮助农民。毛主席谈了干部要下放劳动,还说现在我们规定中央的同志一年要有四个月到各地搞调查研究。赫鲁晓夫也谈了他们国内的工作,但是对我们谈的政策、方针,他既没有表示赞成,也没有表示不赞成。

8月3日的会谈从下午1点到2点在勤政殿举行。这次会谈比较简单,是关于这次赫鲁晓夫访华的中苏联合公报签字之前的一个简短的会谈。因为赫鲁晓夫是秘密来的,原先没有准备搞什么公报,也不准备公开回去,而是秘密回去。在会谈两天以后,毛主席向赫鲁晓夫提出是不是公开回苏联去的问题。毛主席提出,要么是秘密来公开回去,要么是秘密来秘密回去。双方商量结果,决定公开回去,同时发表一个公报。所以在会谈过程中,由我外交部和苏方代表团准备一个联合公报,签字以后赫鲁晓夫就公开地离开北京。

这个公报说,中苏双方对国际问题和中苏双边关系的问题充分地、全面地交换了意见,谴责美国和英国出兵侵略黎巴嫩和约旦,要求他们把军队撤走,支持阿拉伯联合共和国、伊拉克共和国和其他阿拉伯人民的正义斗争。

同时两党对国际形势下所面临的亚洲、欧洲方面一系列重大问题充分地交换了意见，并且就反对侵略和维护和平所要采取的措施达成了完全一致的协议。照毛主席的说法，公报在这个地方是吓唬美国一下。

公报还讲到，双方决定继续全力发展两国之间的全面合作，进一步加强社会主义阵营的团结，进一步加强所有爱好和平国家和人民的团结，并且对所讨论的问题达成了完全的协议。

公报所说的中苏两国领导人对当前国际形势充分地交换意见是事实，还说就中苏两国关系充分交换意见也是事实，双方对各个国际问题取得一致意见（至少从表面上看）也是事实。但是，实质问题主要是控制和反控制的斗争。在这四天里面，暴露了赫鲁晓夫在莫斯科会议以后，看到中国威信上升，自认为对他是一个“威胁”，于是采取步骤，试图控制中国（首先在军事上）。这次赫鲁晓夫的北京之行，显示在中苏关系上空出现一片乌云、一阵雷声，虽然没有暴雨，但俄罗斯大国主义的幽灵在徘徊，赫鲁晓夫要控制中国的阴谋在进行。从中国方面来讲，毛主席在这次会谈中无比坚强地表明，中国绝不屈从于任何外国压力，对赫鲁晓夫的大国沙文主义一定要抵抗，也是可以抵挡得住的。这是第一次面对面的抗衡，留下的伤痕久久未能愈合。

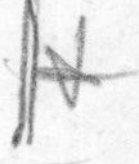

这里有必要说明，中苏两国会议中完全没有谈到三个星期后中国炮打金门的问题，一句话也没有谈到，根本

不是像有些外国评论评说的那样，中苏事先商量好炮打金门。

第二节 四方的盘算

赫鲁晓夫7月底8月初到北京来跟毛主席会谈的时候，曾经对中东形势广泛地交换了意见。当时伊拉克已经发生了革命，7月13日伊拉克人民举行了武装起义，推翻了费萨尔王朝，宣布退出由美国和英国蓄意组织的所谓巴格达条约组织，退出由英国人一手炮制的伊拉克—约旦联邦。伊拉克革命政府同时宣布承认由纳赛尔总统组织的阿拉伯联合共和国。

7月15日，美国匆匆忙忙调动地中海的第六舰队运送美军在黎巴嫩登陆，开始是两千人，后来逐步增加到一万多人。7月17日，英国又出兵约旦。美英军队出兵中东，为的是反对伊拉克人民的革命，反对阿拉伯人民的民族独立运动，要控制中东这块战略地区。

在赫鲁晓夫离开北京后不到一个星期，在中东局势正在剑拔弩张的时候，台湾海峡又出现紧张局势：一方面是国民党反动派在那里调兵遣将，增加驻金门的部队，另一方面美国政府高级官员也就台湾海峡局势大肆叫嚷，加剧本来已经紧张的局面。8月8日，美国海军参谋长帕克说，美国军队随时准备像在黎巴嫩那样在台湾海峡登陆作战。本来美国在台湾就有几千驻军和两个空军基地，美国最大的舰队——第七舰队经常在关岛、台湾和日本三角地带游弋，美国在菲律宾马尼拉还有一个大的海军基地。所以说美国海军参谋长帕克这样叫嚣不是无缘无故的。

毛主席在赫鲁晓夫离京后即去外地视察，先后到河北、河南、山东，然后回到北戴河，主持召开中央政治局扩大会议(8 月 17 日至 8 月 31 日)，讨论 1959 年国民经济计划和人民公社问题。

这次北戴河会议，初期我没有参加，因为会议在开始阶段是分头准备 1959 年计划草案和人民公社决议草案，然后提交全体会议讨论。我在北京还有一些事宜需要处理。8 月 20 日中央办公厅催我赶快去北戴河，8 月 21 日我才去参加会议。

我到达北戴河后才知道，毛主席在前几天主持中央政治局常委会议上确定：要在金门、马祖地区给国民党反动派一个惩罚性的打击，炮轰金门和马祖。金门离海岸很近，在厦门就可以望得见；马祖在福州出海口外。这两地离大陆也比较近，蒋介石部队经常从那里出发骚扰大陆。炮轰金门、马祖的主要目的是警告国民党反动派，使它不敢再放肆地在沿海骚扰。同时还有一个附带的目的，炮轰金马，使美国人紧张一下，说不定可以分散美国人的注意力，对美国在中东的军事行动起一些牵制作用，对中东阿拉伯人民的斗争可能有所帮助。基于这两方面

的设想，中央常委决定炮轰金门。

我到达北戴河的第三天，8 月 23 日，人民解放军福建前线部队开始炮轰金门，一天打了上万发炮弹。台湾国民党马上向美国人求援。美国赶忙调兵遣将，把原驻太平洋的第七舰队的大部分兵舰，包括航空母舰、巡洋舰和驱逐舰集中在台湾海峡；同时还把在黎巴嫩附近支援美军登陆的第六舰队的一部分舰只，从地中海经过苏伊士运河、红海调到印度洋；又从印度洋的舰队中调出一个航空母舰编队开到新加坡。

当时美国总统艾森豪威尔关于台湾海峡形势的谈话是含含糊糊的。在记者招待会上，记者问他，如果发生进攻台湾的事情，美国军队怎么办？艾森豪威尔拒绝回答是否同国民党一起对解放军作战，也不肯说明台湾局势究竟严重到什么程度。他只是声明不放弃对台湾国民党当局的责任。艾森豪威尔在这里所说的“责任”，是指美国政府在 1954 年跟台湾国民党当局签订的共同防御协定里规定的美国和国民党当局一起防守台湾的义务。

当时美国有些国会议员主张，要对中国发动先发制人的核战争。艾森豪威尔反对这种主张，不同意首先发动核战争，认为在现代战争的条件下，这是一种愚蠢的想法。

面对这种情况，毛主席和党中央决定，在宣传上我们要采取进攻的姿态，遣责美国侵略台湾，在政治上压倒美国人的气焰，同时要防止美国第七舰队进入我国领海，给台湾当局舰船护航。我国政府在 9 月 4 日发表声明，宣布我们的领海为 12 海里，宣布金门、马祖是我国的内海岛屿。这是警告美国人不能进入我国领海，如果进入我国领海，我们就有权开炮。

关于领海的范围，国际上各说不一，有些国家宣布为 7 海里，有些国家宣布为 12 海里，也有些国家甚至宣布为 200 海里。我国政府宣布为 12 海里，金门、马祖就在领海的范围以内。

当天，美国国务卿杜勒斯也发表声明，虽然没有明白表示一定要帮助国民党保卫金门、马祖，但是他威胁说，如果那边发生情况，美国总统要做出判断，可能把金门、马祖的形势和台湾联系在一起考虑。言外之意，如果我们进攻金门、马祖，美国人要帮台湾当局打仗的。美国摆出了这么一个架势。

两天后，9 月 6 日，周恩来总理发表声明，驳斥杜勒斯，说美国无权干涉中国的内政。美国舰队如果进入我国领海，那就是侵略。

在周总理发表声明之前，毛主席从北戴河回京后，在 9 月 5 日召开最高国务会议，会上把周总理的声明印发给大家，征求意见，同时说明我们这次炮轰金马的意图和方针。毛主席说，我们并不是现在就要解放台湾，也不是现在就要在金门、马祖登陆，而是要给国民党一个惩罚性的打击，同时要美国紧张一下，这样来支援中东阿拉伯人民的斗争。在会上民主人士都赞成我们的方针，认为应

该在政治上采取攻势,给美国迎头一棒。

最高国务会议是从5日开到8日。在最高国务会议的同时,7日北京举行了大规模的集会,声讨美国的侵略战争政策,反对美国在台湾海峡制造紧张局势。从北京开始,上海、天津、广州等全国十多个城市、两亿多人参加了示威游行,同时也支持伊拉克、阿拉伯联合共和国、黎巴嫩和阿拉伯人民的反美斗争。

这时莫斯科紧张起来。赫鲁晓夫9月5日通知我们,说要派外交部长葛罗米柯到中国来了解情况。这说明在我们发表领海声明和杜勒斯发表声明以后,赫鲁晓夫紧张起来,匆匆忙忙要派葛罗米柯来打听究竟。

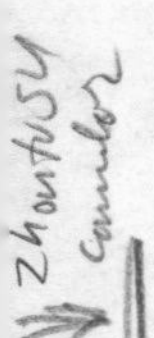

当天(9月5日)晚上,周总理接见苏联驻中国大使馆参赞苏达利科夫时向他说明:第一,我们不是要解放台湾,而是惩罚国民党在我们沿海骚扰;第二,我们这样做的目的是阻止美国搞两个中国,因为美国企图独霸台湾,使国民党统治集团在台湾单独成为一个政治实体,搞两个中国;第三,如果美国要发动战争,中国全部承担起来,绝不连累苏联,不会拖苏联下水。总理还要求苏达利科夫把这三点马上报告莫斯科,同时表示,如果葛罗米柯还要来的话,我们准备接待他。

9月6日葛罗米柯秘密地飞到北京。下午两点钟,周总理接见他,并把昨天同苏达利科夫讲的意思告诉了他。总理说,我们没有别的意思,我们既不是要解放台湾,也不是马上要在金门、马祖登陆,我们就是要打击国民党的气焰，打击美国的气焰，支援阿拉伯人民的斗争。总理这么讲了以后，葛罗米柯表示，他完全赞成中国政府的方针，回去后将报告赫鲁晓夫，并希望还要见见毛主席。

毛主席在当天晚上接见了葛罗米柯。毛主席把他 9 月 5 日在最高国务会议上关于台湾海峡形势的讲话要点告诉葛罗米柯，而且讲得更明确，把我们在台湾海峡的斗争方针和策略全部告诉了他，要他回去向赫鲁晓夫报告。

毛主席说，我们炮打金门，不是要打台湾，也不是要登陆金门、马祖，而是要调动美国人。希望你们放心，我们的目的是要调动美国人，这是一。

第二，美国人同国民党订有共同防御条约，但是不久前艾森豪威尔发表谈话的时候，并没有说现在就承担共同防御金门、马祖的义务，而是说，美国是不是要像共同防御台湾本土一样来共同防御金门、马祖，还要看情况。毛主席说，艾森豪威尔这个讲话表明，他还是怕跟中国打仗。即使是杜勒斯 9 月 4 日的声明，也没有肯定说要保金门、马祖，也是比较含糊的，只是摆出一副恫吓的姿态。

第三，毛主席说，我们宣布 12 海里领海权的目的有两个。一个是警告美国海军和空军不得入内。它如果进入我们 12 海里的领海界线，就是侵犯中国领土主权。另一个目的也是告诉美国人，它只要不越过这个界线，我们就不打它。当然我们也没有说，如果他越过了，我们就一定马上打它，我们可以警告。

第四，毛主席说，从现在各方面的情况来看，美国人可能要逼迫国民党从金门、马祖撤退。他要国民党撤退，主要不是对我们有什么好感，而是金门、马祖离中国海岸太近，美国怕我们打金门、马祖。如果国民党要防守金门、马祖，跟中国大陆开战的话，美国就有被拖下水的危险。因为在国民党不撤退的情况下，金门、马祖前线不断炮战，这个地区处于一种不稳定的状态，这就使美国处于进退两难的境地。美国害怕被拖下水，因为美国还没有决心要打世界大战。

第五，毛主席说，尽管这样，我们对美国要打仗还得有准备。我们的方针要放在它可能要打，不是放在它不会打，要在精神上、物质上准备美国打仗。但是，我们的方针不是跟它硬碰硬。如果它要登陆，我们就采取诱敌深入的办法，放它进来，放它进来后就关起门来打狗。

毛主席跟葛罗米柯说，我们的方针是我们自己来承担这个战争的全部责任。我们跟美国周旋，我们不要你们参加这个战争。我们不同于国民党，我们不会拖苏联下水。

毛主席说，当然这个问题不是当前的问题。当前我们不会打台湾，也不会打美国，不至于引起世界大战。这点请葛罗米柯告诉赫鲁晓夫。毛主席说，将来有机会，我可以同赫鲁晓夫就美国人发动战争时我们怎么办的问题交换意见。这是将来的事情，不是现在的事情，现在不发生这个问题。

经过毛主席、周总理这么讲以后，葛罗米柯完全放心了。他说，我个人认为，你们这样做是对的，我个人是赞成的。我回去后一定把毛主席所谈的中国的想法、中国的打算，原原本本地报告苏共中央主席团，报告赫鲁晓夫同志。请中国同志放心，我一定如实报告。从我个人来讲，是赞成你们想法的。

在毛主席、周总理接见后，葛罗米柯第二天(7日)飞回莫斯科。

赫鲁晓夫听了葛罗米柯的报告，摸到了我们的底牌以后，发信给艾森豪威尔，放了一炮。他在信中宣布，对中华人民共和国的侵略也就是对苏联的侵略，苏联也一定要援助中华人民共和国保卫领土主权的完整。赫鲁晓夫这句话暗示：如果美国侵犯中国，苏联就要援助中国打仗。这是一个严重的警告，当然，赫鲁晓夫是有意也乐意放这个空炮，因为这时他已经知道，我们根本不会和美国打仗。

以上就是1958年9月初葛罗米柯秘密访华的真实情况，都是有案可查的。但是，葛罗米柯在他写的回忆录里，却避开这些不谈。他把当时的情况描写成好像我们一定要跟美国打仗，甚至说我们要把苏联拖下水，要美国跟苏联打核战争。这完全是捏造。

在葛罗米柯的回忆录里，他也隐瞒了一件并非不重要的事情。那就是在他返苏向赫鲁晓夫报告之后，苏联向我们提出，他们要派导弹部队，后来又提出改派空军部队，“支援”中国，这些部队要驻扎在福建前线地区，归苏联指挥。这建议理所当然地被中国政府拒绝了。从这里也可以看到，赫鲁晓夫对中国还是不放心，还是想派部队驻扎在前线地区，监视中国的行动。

葛罗米柯在他回忆录里没有讲到这件事，倒是在西方出版的所谓《赫鲁晓夫回忆录——最后遗言》那本书的第二部分里讲到了。书中述及金门事件时说，苏联要求在沿海驻扎苏联的空军，被中国拒绝了。不过，这个赫鲁晓夫的《最后遗言》是真是假现在还不清楚。据说这个稿子是赫鲁晓夫在生前最后几年里的录音。录音带不知经过什么途径到了西方，由西方整理出版的。西方的苏联问题专家认为这是可靠的，但是也有人认为不可靠。而苏联方面既没有否认，也没有证实。

从美国登陆黎巴嫩，中东形势紧张，一直到台湾海峡紧张，金门打炮的过程中，毛主席逐步形成了叫做绞索政策的观点。这个观点在毛主席 9 月 8 日在最高国务会议结束时的讲话里说得比较充分。他说，美国在世界各地搞军事基地，台湾是它的大军事基地。所有这些美国在海外的军事基地，都是美国自己制造的绞索，是它自己把这些绞索套在脖子上，把绞索绳子的另一端交给各国人民。总有一天，世界人民对美国帝国主义这种侵略和战争政策要处以绞刑。现在台湾也好，金门、马祖也好，都是美国的绞索。我们不要让它从金门撤退，要拖住它，我们想打就打。今天(9 月 8 日)我们要打三万发炮弹，但是我们也不是马上要登陆金门。我们要争取10年的和平,在10年内不想打大仗,在这10年内主要把我们国内建设好。10年以后再争取15年,再争取20年,或者再争取更长的时间。就是要不断的努力,跟世界人民一起,跟社会主义阵营一起,推迟世界战争的爆发。

毛主席说,现在看起来,美国也不想打,美国前国务卿艾奇逊(就是曾在1949年发表中美关系白皮书的那个艾奇逊)最近发表的一个谈话就是证明。艾奇逊说,现在美国既不能撤,也不能打,不能掌握自己的命运,不能控制局势。毛主席说,这说明美国内部也有人看到这种情况很不妙,要么打,要么撤退,二者必居其一,否则就经常处于被动的地位。而我们既不要它撤,也不去登陆,就吊在那里,这是一个绞索。炮打金门的结果,就是要把美国套在那儿,使它经常处于被动。而我们则掌握主动权,要使美国人紧张一下就打炮,要松弛一下就不打炮。

我们采取这样一种斗争策略,是我们跟国民党长期斗争的经验积累起来的。开始时国内外许多人都不知道个中奥妙。所以这次金门炮战,国民党虚惊了一场,美国人也虚惊了一场,连赫鲁晓夫也虚惊了一场。由于我们处理得当,我们完全处在主动的地位,以后的事实也完全证明了这一点。

10月初,毛主席召开中央政治局常委会议,着重研究了当前形势,包括美国国务卿杜勒斯9月30日的讲话,一致认为:美国当前的政策是脱身金马、霸占台湾。

因此，我们与此针锋相对，需要采取“联蒋抗美”的策略。毛主席指出，我们跟蒋介石有共同点：第一是蒋不愿撤出金马，我让金马留在蒋手中有利于就近保持接触，要打就打，要停就停，对美一紧一松，主动权在我。第二是蒋介石要死守台湾，我们在一个相当时期内不打算也不可能解放台湾。第三是我在蒋介石同美国人的斗争中保持“中立”，让蒋介石跟美国人斗，实际上是支持蒋介石跟美国人斗。美国想霸占台湾，逼蒋介石完全成为美国的附庸。蒋介石和蒋经国都还有一点反美的积极性，因为美国要扶持孙立人，搞倒蒋介石。美国要派大批陆军到台湾驻扎，蒋介石不同意，只允许美国派团一级的部队驻在台湾。由于美蒋之间的矛盾日益突出，最近台北发生蒋介石策动人打砸美国大使馆的事情。这些迹象表明，我们和蒋介石是有共同点的，是可以在一定程度和一定范围内联合反美，不让美国完全霸占台湾。

最能说明当时我们采取这个正确方针的，就是毛主席起草的由国防部长彭德怀署名的两次《告台湾同胞书》（10月6日和10月25日）和根据毛主席意见起草的、在10月11日发表的《人民日报》社论《且看它们怎样动作》。这三个文稿充分反映了我党中央当时对金门炮战的策略思想。

10月6日发表的国防部长彭德怀第一次《告台湾同胞书》，明白宣布我军暂停炮击金门和马祖七天，让国民党军队可以向岛上自由运送供给品，但是条件是没有美国护航。如果美国护航，侵入我领海领空，我们就要炮击。开始时，美国军舰还护航，我们打炮，美舰掉头就逃，国民党船队遭殃。后来美国也不护航了。本来，在我政府宣布关于我国领海的声明发表以后，美海空军曾多次侵犯我们的领海领空，但是从 10 月 7 日以后，美军在金门前线就没有再侵入我们领海了。当然，后来也还在别的地方发生过美国船、兵舰、飞机侵入我领海领空，甚至飞机一直飞到大陆来的情况，我们都发出警告。后来美国 U－2 飞机侵入我们领空，被我们击落了。

金门炮战就这样打打停停、停停打打，后来就完全停了。偶尔打一打，也是小打，而不是一天几万发炮弹那样打。这没有什么别的意思，就是把问题吊在那儿，让国民党军队仍留在岛上，也给美国套上一个绞索。

一个月后，在 1958 年 11 月召开的郑州会议上，毛主席曾经回顾炮打金门马祖，谈了他的看法。毛主席说，我们现在手里只有手榴弹，没有原子弹，跟一个有原子弹的敌人开战，不是好办法。因此在炮打金马过程中，我们的方针是小心谨慎。美国军舰护航，我们不打美国军舰，专打蒋介石的军舰。我们是打我们自己国内的人。美国人也很小心谨慎，也是采取这样的方针，不触犯我们。我们在 9 月 4 日提出 12 海里领海权，美国人公开表示不承认，硬是要突破我国 12 海里的领海线，但是，它不在金门，也不在马祖，而只在福建平潭那个地方超过我们的 12 海里领海线。就是它要在你 12 海里领海线上突破一下，表示它不承认。我们没有打它，但发出警告。以后，它又来突破一下，我们又发出警告。这样一次又一次，我们警告了 40 次以后，美国人觉得老是这样下去会有危险，现在它就遵守我们的 12 海里领海线了，不仅金门、马祖不来了，连平潭以及其他地方也不敢突破了。

毛主席还说，今年夏天发生一连串的事情，在有些人的印象里，好像炮轰金门是我们跟苏联商量好的。其实，赫鲁晓夫在 7 月底 8 月初到中国来的时候，根本没有谈什么金门问题。如果说谈了一句话也就算谈了，但是一句话也没有谈到。那次赫鲁晓夫来，主要是来吵架的，吵什么呢？他提出要搞中苏共同舰队，我们反对。他就迂回曲折地再三解释，还是想搞。我们臭骂了一顿，顶回去了。当时我向他提了五个方案，其中一个方案是：你不帮助我们搞海军，硬要搞共同舰队，那么我们就不搞，索性把我们的全部海岸线都交给你，我们一点也不要了。当时我说我去打游击，搞点游击队。赫鲁晓夫说，你为什么要搞游击队呀！现在世界上游击队不行了。我对他说，我的鼻子都让你堵死了，海口统统交给你了，我不搞游击队还做什么事？没有事情做，我只有搞游击队。我是搞游击队出了名的。赫鲁晓夫说，这个不好。后来他就缩回去了。最后才决定发表一个联合公报，吓唬帝国主义一下。其实，那次赫鲁晓夫来根本没谈金门的问题，一句话都没有谈。倒是谈了国际形势，谈了中东事件。

毛主席说，赫鲁晓夫回去以后，大概经过他们中央考虑，在10月间来信说，照我们意见办，帮助我们搞海军，帮助我们搞核潜艇，不再搞共同舰队了。但是，他们后来又来信提出，台湾海峡地区比较紧张，苏方考虑要派一个导弹部队去。后来又一次提出，要派带有导弹的轰炸机和歼击机部队到福建前线去。我们给他复信，表示我们不赞成他们派空军，也不赞成他们派导弹部队。因为他们说他的导弹部队不能交给我们，由他们自己指挥。我们说，你不交给我们，我们就不要，不要飞机，也不要导弹部队。看来，他们还是想控制我们沿海，控制福建那个地方，跟美国在台湾驻扎美军一样。那样一来，以后我们有什么动作都得问他，像蒋介石有什么动作要问美国一样。这些我们都不干，我们统统给他顶回去了。

后来在第二年（1959年4月）召开的最高国务会议上，毛主席又谈到炮打金门这件事情。毛主席说，去年炮打金门是我们先打的，不要赖在美国人身上。我们就是要欺负一下美国人，因为他们在中东混不下去了。伊拉克发生革命，搞得艾森豪威尔、杜勒斯神魂不安，决定派兵去黎巴嫩。但是，全世界人民群起反对。联合国在8月21日召开大会，通过了以第三世界为主的大多数国家要求美国和英国从黎巴嫩和约旦撤兵的决议。

毛主席说，联合国这个决议通过后的第三天（8月23日），我们就在金门打炮。第一天我们一共打了1.9万发炮弹。美国人、蒋介石都说我们打了四五万发，其实那是夸大其词，没有那么多，只打了十几分钟。因为打1.9万发炮弹不要好多时间,只要十几分钟就全都打出去了。国民党部队的参谋长就是在那个时候被打死的,还有一个副司令也是在那个时候受伤的。台湾的国防部长俞大维身上也染了一点血。那个时候,蒋介石慌得一塌糊涂,准备搬家。行政院长陈诚开了会,要政府部门统统搬到乡下去。经济部就带头搬到乡下去了,但是其他部的人老于世故,硬着头皮呆在台北,后来经济部觉得上当,又搬回来了。

美国人也着了慌,从美国西海岸、日本的横须贺、菲律宾的马尼拉调来海军和空军,主要调兵舰到台湾海峡来。它还从地中海的第六舰队抽调一部分舰只到东方来。开始的时候,他们摸不着我们的底,调集了许多兵舰。据杜勒斯说,这是美国历史上最大的一次海军集中。当时美国一共有 12 艘大的航空母舰,这回集中到台湾海峡周围的就有 6 艘,就是说有一半航空母舰都集中在这里了。他们拼命调动海军和空军来,就是怕我们把金门、马祖连同台湾都夺回来。

毛主席说,从 8 月下旬我们开始打炮起,经过 9 月一个月,到 10 月,美国人就开始把情况弄清楚,看到我们并不是要把这些地方都拿回来。所以他们就开始把军舰调回去了。毛主席说,你刚把军舰调来,呆上个把月也好嘛。不,它只呆一两个星期就回去了。结果,11 月美国大选,艾森豪威尔的共和党失败,民主党赢得了多数。我们无代价地做了义务劳动,帮了民主党的忙。这件事情闹得全世界都心神不安，特别是闹得美国心神不安。美国人历来是欺负我们的，我们也趁这个机会欺负他们一下，所以说金门打炮是我们欺负美国人的。

毛主席说，美国人本来非常神气。在日内瓦中美大使级会谈中，他们顽固地拒绝我方提出的要美国撤退在台湾地区的全部美军的要求，并在1958年初无理中断会谈。我们毫不示弱，在6月30日发表声明，要求美国政府在15天内派出大使级代表，恢复会谈，否则后果由美国负责。这等于最后通牒。我们不怕它。在要求恢复谈判的同时，我们在福建前线采取行动，封锁金门和马祖，给美国人一点颜色看。结果，美国人也很怪，我们给它那么一个最后通牒，它不在15天内答复我们，也不说拒绝我们的要求，而是在15天过后，在第17天由杜勒斯出面，说可以恢复会谈，仍为大使级，但地点改在华沙举行。从这时可以看出美国有它软弱的一面。

毛主席说，在金门事件过程中，可以看见双方都在搞边缘政策。美国人在搞边缘政策，调动那么多军舰，而我们也是一万、两万发炮弹这么打。但是，美国军舰上面铺了一块很大的美国国旗，边上也有美国国旗，意思是说这是美国的军舰，要我们不要打。它也不到金门、马祖侵入我们的领海，就在台湾海峡公海上那么晃来晃去。我们也确实不打它，因为我们打的是内战，我们只打蒋介石，不是打美国人，我们跟美国人还在华沙谈判。

毛主席说，美国人在这个战争边缘，我们在另一个战争边缘，两方面都处在战争的边缘，我们是以战争边缘政策对付美国的战争边缘政策。

毛主席谈到这里就有声有色地讲了《聊斋志异》里面的一个故事。这个故事叫做“狂生夜读”。毛主席说，有一位书生夜里坐着读书，有一个鬼来吓唬他，在窗口伸出很长很长的舌头，以为这样可以把书生吓倒。可是，这个书生不慌不忙，拿起笔来把自己的脸画成《三国演义》里那个张飞的样子，就像我们现在袁世海的花脸那个样子。然后也把舌头伸得老长老长。一人一鬼就这样对着、看着、顶着，你望我，我望你。结果那个鬼觉得没办法，吓不倒书生，跑了。毛主席说，《聊斋志异》作者告诉我们，不要怕鬼，你越怕鬼你就不能活，鬼就要吃掉你。

毛主席说，去年 9 月间，我们在这里开最高国务会议的时候（是指 1958 年 9 月间在颐年堂召开最高国务会议谈金门打炮事件和周总理关于领海的声明的时候），我们曾经想过，台湾目前是不能解放的，对金门、马祖要相机行事，有机会就把金门、马祖拿回来。当时这样想也不是冒冒失失，而是很谨慎的。但是后来感到这样想也不对头。因为把金门、马祖让给我们是杜勒斯的方针。他想以撤出金门、马祖交换我们不收复台湾以及澎湖列岛。毛主席谈到这里时对着张治中说，文伯先生，那个时候你还是想不通，你还是想要金门、马祖。当时我对你说不想要了，统统都归蒋委员长暂时看管着。我们少了金马两个小岛也可以活下去。

毛主席以上讲话，把炮打金门的前前后后的策略思想都讲清楚了。但是，当时，不仅蒋介石集团不了解，美国人也不了解，赫鲁晓夫也不了解，都出了一身冷汗。在他们仓促应付中又暴露了一些值得注意的动向。就中苏关系来说，赫鲁晓夫在搞共同舰队失败之后又想派空军或导弹部队控制中国东南沿海，大国沙文主义是一贯的。

第三节　影射攻击的开始

在赫鲁晓夫 1958 年 7 月访问北京之后，中国发动了“大跃进”和人民公社化运动。

从 1958 年年底开始，赫鲁晓夫不断地对中国进行影射攻击。1958 年 12 月 1 日，赫鲁晓夫在莫斯科同美国参议员汉费莱谈话时，不指名地攻击中国内政。1959 年 1 月，赫鲁晓夫在苏共 21 次代表大会的报告中，又不指名地影射攻击中国内政。

这就开始了不指名攻击的恶劣的先例，也是开创了在兄弟党之间，由一个党的总书记公开地、不指名地批评另一个党的恶劣的先例。这种状况只能解释为，赫鲁晓夫在控制中国的企图没有得逞后的愤懑情绪，对中国的强烈不满，一有机会就发泄出来。

我们党中央注意到赫鲁晓夫这种影射攻击，也明白他的用意。但是，毛主席还是强调以团结为重。1959 年

2月1日，在北京召开的中央工作会议(1月26日到2月2日)上，毛主席指出，赫鲁晓夫在“21大”的报告比“20大”有进步。他在报告中讲的国际形势和对外政策，是符合1957年莫斯科宣言的原则的。他对“20大”报告中的一些问题作了修补。例如，关于斯大林问题、和平过渡问题、社会党问题，基本上还是维持了1957年莫斯科宣言的口径。毛主席说，我们同赫鲁晓夫的关系，还是十个指头中九个指头和一个指头的关系，就是有一个指头不同，其他九个指头是相同的。因此，对于赫鲁晓夫在“21大”的影射，我们可以暂不理会，看看以后再说。我们之间是有分歧的，但现在不要说。

当时毛主席和党中央的主要精力用于国内问题。从第一次郑州会议(1958年11月)到武昌会议(12月)，到北京会议(1959年1月至2月)，第二次郑州会议(3月)，一直到上海会议(3月至4月初)，主要是纠正“大跃进”和人民公社化运动中发生“左”的倾向的某些问题。

上海会议之前，在西藏发生了叛乱事件。在这一事件(包括其后我军平叛)过程中，苏联官方没有发表公开声明，报刊也没有发表评论，但是苏联报刊既报道了我国的新闻公报，也报道印度官方及报界的评论和英美等西方国家的反应，而且在报道数量上，后者大大超过了前者，充满了大量污蔑和攻击中国的言论，貌似客观公正，实际上偏袒西藏叛乱集团及其幕后支持者印度当局。

在这里，有必要介绍一下西藏上层叛乱、我军平叛以及我党中央的决策，然后再谈苏联的态度。

西藏上层叛乱集团早就酝酿叛乱，到3月10日公开闹事，打死了西藏自治区筹备委员会一位藏族官员，还打伤了西藏军区一位藏族副司令员。到这个时候，西藏叛乱集团发动叛乱的形势已经很清楚了。少奇同志在3月17日主持召开政治局会议。因为当时毛主席不在北京，会前少奇同志跟毛主席通了电话。这次会议确定了对西藏叛乱采取坚决平叛、全面改革的方针。

在会上，少奇同志和小平同志讲到，我们和平解放西藏已经八年。过去我们没有进行民主改革是等待上层人物觉悟。现在一些上层人物要叛乱，逼得我们不得不进行改革。会议认为，现在首先要坚决平息叛乱，改组西藏地方政府，改组西藏军队，实行政教分离，然后全面实行民主改革。对达赖本人，会议比较一致的意见是：最好要他留在拉萨，如果做不到，他硬是走，这也没有什么。现在的核心问题是平叛、改革。

周总理在会上还谈到，这件事情和印度当局有关，英国和美国在幕后很积极，把印度推到前头。叛乱的指挥中心在印度的噶伦堡。现在对少数上层人物发动全面叛乱要有充分准备，包括军事部署，但是我们不打第一枪。

这次中央政治局会议后不到两天，西藏叛乱集团指挥藏军在3月19日晚上对进驻拉萨的人民解放军发动全面进攻。解放军在20日天亮以后开始反击，全力平息叛乱。在这之前，达赖还在拉萨，还和我们有联系，他给我西藏军区政治委员谭冠三写了三封信。他在信中表示,这件事和他无关,希望同谭冠三商谈。这似乎表示他这时还在犹豫,但也可能是缓兵之计。过了几天,他跟叛乱集团一起逃走了。我们沿路追截,没有截到,因为他们人熟地熟,很快就逃到印度噶伦堡去了。当时我们还不能控制整个边境,因为我们不可能派那么多军队来驻守所有边境通道。有些地方我们根本没有军队。我们只是在拉萨、日喀则周围有驻军。

3 月 25 日上海会议开始的时候,中央同志首先谈了西藏问题。小平同志在会上传达了毛主席和政治局常委对西藏问题的方针。小平同志说,毛主席和政治局常委的意见有四点:

第一,要理直气壮地坚决平息叛乱。因为西藏上层叛乱集团撕毁了他们在 1951 年 5 月同中央人民政府签订的《关于和平解放西藏办法的协议》(共 17 条),背叛祖国,发动武装叛乱,武装反抗中央,武装进攻人民解放军。所以我们要坚决平叛,要理直气壮地声讨叛乱集团。

第二,现在还是说“叛乱集团劫持达赖”,给达赖留有余地,但是要宣布西藏自治区筹备委员会主任(原为达赖)由班禅代理。

第三,现在我们的口号应该是要建设民主和社会主义的新西藏。因为他们已撕毁 17 条协议,我们要重新起草西藏自治区章程。我们要在西藏进行民主改革,要建设社会主义。这些也要理直气壮地讲。

第四，对于印度，我们暂时不公开点它的名。毛主席说让它多行不义。中国有句古话，叫做“多行不义必自毙”。现在就让印度多行不义，到一定时候我们再同它算账。尼赫鲁一些关于西藏叛乱事件的讲话我们暂不报道，因为一报道就要评论，目前暂不同他辩论，看一些时候再说。这是留有余地。对达赖逃到印度噶伦堡也暂时不提。

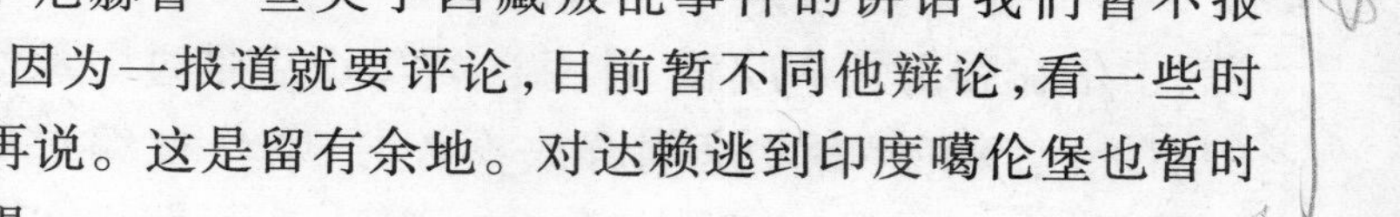

当时周总理要我根据这个精神起草一个新闻公报。我起草出来以后，经过中央同志讨论修改就发表了。

上海会议以后，我们在 4 月 8 日下午到毛主席住地（杭州西湖刘庄），讨论几个关于政府工作的报告稿。毛主席对这些稿子的意见不多，很快就定稿了。但毛主席在会上强调要马上准备关于西藏叛乱问题的公开评论。毛主席说，估计在这次全国人民代表大会上大家会议论西藏叛乱问题。这个问题国内关心，国外也关心。我们要准备发表评论，《人民日报》要准备写一篇比较充分的、把问题展开来说的社论。他说，回北京以后就要着手准备。现在英国、美国、印度吵吵嚷嚷，搞反华大合唱，支持西藏叛乱集团，反对我们平叛。我们要沉着应战，要准备在宣传上加以反击。当时周总理要我回北京后马上着手准备。

从 4 月 14 日开始，《人民日报》就准备写反击国外反华叫嚣的评论。也从这时候起，周总理指示我主持成立一个国际问题宣传小组，参加的有乔冠华、张彦、姚溱和浦寿昌(周总理的外事秘书)等同志,每周开会一次,地点在人民日报社,由我主持,商量近期和中期的国际问题的报道和评论。重要的报道和评论都送周总理审定。

19日是星期天,一清早,我带着一家大小到香山郊游,中午在香山饭店吃饭、休息。香山饭店是过去慈幼院的旧址。1949年春北京刚解放不久时,新华社编辑部就在那里,少奇同志、总理也都住在那里,毛主席住在香山半山腰的双清别墅。1959年香山饭店还没有改建,还保持解放初期的原样。我正在香山饭店午休的时候,中南海总机转来毛主席秘书的电话,要我马上去毛主席住处去参加会议。中南海总机的话务员,本事也真大,他们在新华社和人民日报社找不到我,不知道怎么打听到我在香山,就把电话打到香山饭店来找我,果然找到了。我接到电话后,午睡不成了,马上坐车回城。中途把家里人放到新华社,我直奔中南海。

我从新华门进去,到颐年堂的时候,毛主席正在开会。毛主席一看到我就说,找你半天找不到。我说,因为预先没有料到要开会,我到香山去了。毛主席说,你马上用新华社记者的名义写一篇评论。我就问毛主席评论的主要思想是什么。毛主席说,平息西藏叛乱是属于中国的内政,任何外国不得干涉。过去我们一直对外国主要是印度方面的攻击采取克制的态度,现在可以利用评论所谓达赖喇嘛声明为由头,点名批评印度扩张主义分子,但暂不点尼赫鲁的名。然后毛主席进一步分析达赖声明，对其中的观点（实际上主要是印度和英国方面的观点）逐一加以批驳。他要求我据此写出评论，当天夜里交稿。

我吃过晚饭后就动笔，第二天清晨送到毛主席那里。下午，主席把我和胡乔木都找去。他半躺在木板床上，指示我们应该怎么样修改。当时我们就在毛主席卧室的外间修改，修改以后拿给毛主席看，当场定稿。毛主席要把这篇评论用新华社政治记者评论的形式发表。他说，这样比较特别的形式，会引起人们的重视。这篇评论在当天晚上新华社广播，《人民日报》4 月 21 日在头版头条位置发表，题目是：《评所谓达赖喇嘛的声明》。

4 月 22 日，毛主席在家里召开常委会，要我也去。毛主席在会上说，现在开始在宣传上集中反击印度。他说，《人民日报》原来准备的社论要扩大成一篇评论尼赫鲁几次讲话的长文章。因为从 3 月 11 日以后，关于西藏叛乱的问题尼赫鲁在印度议会上已经接连讲了五六次话，我们可以公开回答他了。他还说，《人民日报》的版面要调整一下，要集中反映西藏叛乱的问题，集中宣传我们在这个问题上采取的正确措施，我们平息叛乱得到人民的拥护，同时也得到国际上的支持。毛主席这里说的这篇社论是指《人民日报》根据 4 月 8 日政治局常委杭州会议的意见从 4 月下旬开始准备的那篇系统反驳外国借口西藏叛乱事件反华的评论。

毛主席在 4 月 25 日给乔木、我和彭真同志写了一封信,信里提到我们过去关于西藏叛乱的提法讲了很久,全不适当,要立即改过来。主席在信里写道:"'帝国主义、蒋匪帮及外国反动派策动西藏叛乱,干涉中国内政'这个说法讲了很久,全不适当,要立即改过来,改为'英国帝国主义分子与印度扩张主义分子,狼狈为奸,公开干涉中国内政,妄图把西藏拿了过去'。直指英、印,不要躲闪。全国一律照政治记者评论的路线说法。"主席这里说的"全国一律照政治记者评论的路线说法"就是他修改上面说的那篇新华社政治记者评论时亲自确定的提法。毛主席要乔木和我召集北京各报和新华社的干部开一次会,讲清楚道理,统一宣传口径。他还要彭真向在人大、政协会上发言的人打个招呼,照这个统一说法,理直气壮地讲。

毛主席 4 月 25 日在他家里又开了一次政治局常委会,通知我也参加。毛主席一上来就问我,文章写得怎样。我告诉他正在修改。接着他明确提出,对尼赫鲁的评论应该尖锐些,不怕刺激他,不怕跟他闹翻。要斗争到底,以斗争求团结,斗争应该有理有利有节。有理就是对尼赫鲁的几次讲话要加以分析,驳他时要充分讲道理,把西藏叛乱的原因、印度过去的干涉以及我们为维护中印友好做了大量的工作等讲清楚。有利,就是要有利于印度人民弄清事实真相,有利于围绕西藏问题的国际斗争,也有利于在西藏平定叛乱和民主改革,还要有利于维护中印友好关系和争取尼赫鲁同我们实行和平共处五项原则。有节,就是要有节制,在文章中要留有余地,讲必要的礼貌，不要把话说绝，要给尼赫鲁台阶下。对印方的谬论应该充分暴露，新华社、《人民日报》要充分报道印度的谬论；对西藏人民拥护平叛、要求民主改革的愿望要充分地反映，要从多方面来反映，要发表读者来信和资料，说明我们平叛的正确和外国干涉的无理。

毛主席说，现在道理在我们这方面，而且叛乱基本平息，印度方面要闹也无能为力，只能打笔墨官司，只能舌战。现在尼赫鲁他们很被动，他们对形势估计错误，以为我们对叛乱没有办法，有求于他。斗争对我们是有利的，要坚决斗，斗到底，以斗争求团结，这对国内国际都很有好处。

毛主席说，你们秀才可以多找几个人，一起议论一下，修改一下，然后再拿到政治局常委来。

根据毛主席的意见，关于西藏问题的评论就由以人民日报起草班子为主改为由胡乔木领头，再增加一些人。外交部部长助理乔冠华、总理的秘书浦寿昌和中宣部的姚溱，还有外交部亚洲司熟悉印度情况的张彤同志都参加了。稿子先由我主持讨论修改，经过几天修改，到 4 月 30 日修改完毕，交给乔木。乔木在 5 月 1 日作了一整天的修改，改好后就印成大样，送给毛主席和其他政治局常委。

5 月 2 日下午，毛主席召集政治局常委扩大会，参加会的除了常委以外，还有陈毅、彭真、陆定一、康生、陈伯达、胡乔木和我。大家对稿子提了不少意见，并且把题目改成《西藏的革命和尼赫鲁的哲学》。大家指出，因为主要是和尼赫鲁辩论，应该着重驳尼赫鲁4月27日的讲话。尼赫鲁4月27日的讲话是他关于西藏叛乱问题第七次讲话，这次讲话中的一些观点虽然过去也讲过，但是这次讲的比较系统，所以应该着重评论他的这次讲话，也联系到他在其他讲话中的观点，这样就比较集中了。

政治局常委会议以后，乔木、浦寿昌和我三个人5月3日在乔木家里修改了一整天，修改以后送给毛主席和其他政治局常委。

5月4日下午，毛主席又召开会议讨论这篇文章。因为比较重要的意见上次会议都已谈过，文章也照大家的意见做了修改，所以这次会上没有很多原则性的意见，只对个别文字、提法提了一些意见，当场基本定稿。由于常委同志在稿子上还作了一些修改，毛主席指示胡乔木和我在第二天再仔细通读一遍，然后用"人民日报编辑部"的名义在5月6日发表。

在这次会议上，在讨论完文章以后，毛主席说，他在第二次郑州会议(3月初)结束以后，在从郑州到武汉的火车上就考虑西藏问题，因为当时已经有迹象表明拉萨要闹事。毛主席说，我当时想到可能要发生叛乱，因此对如果发生叛乱怎么办，也想了一下。当时只要求人民解放军西藏军区在拉萨的驻军密切注意拉萨的西藏上层集团和藏军(按：根据和平解放西藏的协议，当时西藏仍是政教合一，上层集团没有变动，藏军也没有改编，仍保留原来的建制）的动向，要做好准备。后来到武汉不久，3月10日他们在拉萨闹事，他们果然向解放军开枪，19日全面向解放军进攻，发动全面叛乱。

《西藏的革命和尼赫鲁的哲学》这篇文章5月6日见报后，晚上毛主席要秘书林克打电话通知我：从5月7日开始，暂时停止对印度的评论，看看印度对我们这次评论反应怎么样。我们按这个指示，《人民日报》版面变了样，新华社也暂停发表批评印度当局的报道和文章。

5月8日，周总理召集专门会议，研究这篇文章发表后国际上的反应以及我们应该采取的对策。会上大家议论到，我们的文章在印度反应强烈，有些人赞成，有些人反对。我们这样尖锐批评尼赫鲁，有些人接受不了，但是有些人清醒过来，觉得尼赫鲁插手西藏问题的确做了一件蠢事。也有些人认为，尼赫鲁本来在亚非拉国家里面很有影响，现在插手西藏问题，跟中国吵起来，对尼赫鲁很不利。

周总理说，现在研究一下，外交部要采取什么行动，是不是要给印度发出照会。当时有些同志赞成发照会；也有些同志不赞成现在就发，主张再静观印方反应然后决定。周总理认为，这个问题要向毛主席汇报，在毛主席那里讨论后决定。

5月11日上午，政治局常委在颐年堂开会，毛主席在这次会上谈了四点意见：

第一，毛主席说，对尼赫鲁应该有一个正确的方针。

他说,尼赫鲁这个人像任何人一样,是可以分析的。他有两面性,有好的一面,也有坏的一面。我们批评他坏的一面,但是对他好的一面还是应该肯定。《西藏的革命和尼赫鲁的哲学》这篇文章着重批评了他坏的一面,对他好的一面虽然也有肯定,但重点是批评他坏的一面,因为这个时期他放了很多毒。我们这样做是必要的。但是,要记住,经过这样一次批评以后,我们还是要看到尼赫鲁还是有另外一面,他的好的一面,他做过好事的一面。所以应该能够给他下台阶的机会,不要把事情做绝了。

第二,毛主席说,对达赖目前宜采取不予理睬的方针,不管他发表什么声明,我们暂不理睬,看一看再说,就是说也是要留有余地。因为他毕竟是一个宗教领袖,毕竟他在西藏和平解放初期表现还可以,后来到北京来当人大副委员长表现也可以,就是说,他有过好的一面。因此,将来如果他想回来,我们还是欢迎他回来,但是有一个条件,也是惟一的一个条件,就是他在回来之前要发表声明,说他过去在噶伦堡讲的一些话都作废,是不对的,撤销那些声明,这就可以回来。毛主席说,这个条件不算苛刻。我们既往不咎,他也声明过去的作废,这就可以了。

第三,毛主席说,今后关于西藏问题的宣传,数量上可以减少一点,正面的和反面的都各占一半,不要说一切都好,也不要说一切都坏,分量要减少。

第四,毛主席讲到《西藏的革命和尼赫鲁的哲学》这篇文章时说,这篇文章写得还是不错。写文章要讲究提笔。看一篇文章好不好,不一定看文章各段落之间的文字上的联系如何,主要是看文章的内在联系如何。如果内在联系得紧,那么倒不一定追求形式上联系。我们不搞形而上学,不搞形式上的联系,要注意内在的思想联系。毛主席还谈到,他写文章的时候经常是注意提笔,看起来后一段和前一段之间没有多大关系,但是内在的思想是一贯的。每一段都给读者一个新鲜的感觉,不在乎形式上的一气呵成,做到内容上一气呵成就好。

后来小平同志主持书记处会议,根据毛主席的这个指示,具体落实了关于西藏问题的宣传。会议要求:在规模上要收缩,总的精神是要多做少说。对西藏农奴获得解放以后高涨的生产热情,对废除债务、废除"乌拉"的热烈拥护,都应充分报道;对农奴制度的黑暗残酷可以做一般的揭发,但是也不要揭发太多,主要是报道一些叛乱头子对农奴的残酷剥削和压迫,对一般贵族不宜报道,因为我们还要团结没有参加叛乱的贵族。总之是要适当地控制,压缩宣传规模,多做少说。

从这以后,毛主席和党中央的主要精力又转移到纠正在"大跃进"和人民公社化运动中"左"的倾向上来,不让西藏问题干扰我们纠正"左"倾错误的进程,也不要在这个问题上同苏联纠缠,尽管当时苏联报刊已发表了许多西方攻击我们平定西藏叛乱的报道。

但是形势的发展不以我们主观愿望为转移。7月18

日,赫鲁晓夫在波兰波兹南发表演说,借人民公社问题不指名地攻击中国。当时中央正在庐山举行会议,前期反“左”,后期却转了180度,变成反右,错误地批判所谓军事俱乐部,这未始不是因由之一。

9月4日毛主席给我和胡乔木写了一封信,说要准备发表赫鲁晓夫的这个讲话,可以考虑在国庆节以后半个月发表,届时是不是发表,中央再考虑决定。后来,中央决定不发表。

当时党中央和毛主席认为,现在应该跟苏联讲团结,以大局为重,团结一致,反对帝国主义。9月11日,毛主席在军委扩大会议上讲话时强调说,一定要跟苏联同志团结起来,也一定可以跟他们团结起来。对在中国工作的苏联专家,应该采取跟他们搞好关系的方针。他还说,中苏关系是团结的,有时候有一点别扭,这是十个指头中的一个指头的问题。1957年在莫斯科开兄弟党会议的时候,他跟赫鲁晓夫说,对斯大林问题、和平过渡等问题,我们有分歧,这些都是十个指头中的一个指头的问题。因为我们有一个共同纲领,这就是《莫斯科宣言》。现在我们还是要高举团结的旗帜。

这是一直到9月11日的情况,尽管赫鲁晓夫以及苏联的报刊在这个时期不断地对中国进行不指名的影射攻击,或者转载西方报刊攻击中国的报道,但是,我们党中央还是采取克制的方针,还是尽量避免分歧公开化。

第四节 赫鲁晓夫的贡礼

赫鲁晓夫是在9月15日到美国访问的。在这之前，在中苏关系史上发生了两件非同寻常的事情，这两件事情都表明赫鲁晓夫的动向。

第一件事情是6月20日苏共中央致函中共中央，通知苏联停止供应中国原子弹样品和生产原子弹的技术资料。这是苏联单方面撕毁中苏两国1957年10月签订的协定。

苏联帮助中国制造原子弹一事，是1957年夏天苏联主动提出来的。当时苏共领导层发生了所谓"反党集团"事件，即莫洛托夫、马林科夫等联合起来反对赫鲁晓夫，后者在国防部长朱可夫等人的支持下反败为胜，苏共中央决定把莫洛托夫等人开除出党。苏共中央把此事通知中共中央，询问中国党的意见。当时，我们党中央认为，这是苏联党内的事情，既然他们中央已经做了决议，我们没有理由来反对他们党内的事。因此我党中央向苏方表示支持他们党中央的决议。

在这之后，赫鲁晓夫向我们提出，中国如果需要发展原子武器，苏联可以提供帮助。本来苏联早就同意帮助我们发展原子能利用的研究，我们也派了一些专家到莫斯科去参加他们原子能中心的工作，这是早就有协议的。

现在,赫鲁晓夫进一步提出愿意向我们提供制造原子弹的技术资料,而且还愿意提供一个原子弹样品,让我们利用他们的技术来自己制造。我党中央认为,中国是大国,原子弹不可没有,也不可以多搞,因为我们还是个穷大国。既然苏联愿意帮助我们,我们就接受他们的帮助,制造少量的原子弹。中苏双方于 1957 年 10 月 15 日为此签订了协定。

协定签订以后,中国即开始进行为研制原子弹所必需的巨大工程建设。我们集中了大批专家进行研制工作,花了很大的力量、很大的投资。可是,不到两年时间,到 1959 年 6 月间苏联竟然提出废除这个协议,中断向我们供应原子弹样品和制作原子弹的技术资料。苏共中央在给中共中央的信里讲到他们这样做的借口时说,现在苏联正和美国等西方国家在日内瓦进行关于禁止核试验的谈判,给中国提供原子弹样品和制作原子弹的技术资料,可能会受到西方的指责。这显然是遁词。

我们党中央收到这个信的时候,正是毛主席在颐年堂主持连续召开政治局扩大会议,讨论修改 1959 年生产指标,正在忙着调整整个国民经济计划,准备上庐山开会。当时中央认为,苏共中央信里讲的理由是表面理由。当然,这个表面理由也说明赫鲁晓夫这个时候倾向于向西方国家让步,以达成停止核试验的协议。依照赫鲁晓夫的逻辑,既然要停止核试验,那当然不能让中国制造原子弹。这就表明赫鲁晓夫这时倾向于同西方搞妥协,认为这样就可以维护世界和平。也就是说，他把和平的希望寄托在同美国达成协议上面，而不是依靠进一步增强社会主义阵营力量（包括中国拥有原子弹），依靠社会主义阵营、世界民族独立运动、世界工人运动以及世界上一切爱好和平力量的联合斗争。毛主席、少奇同志和周总理还进一步指出，赫鲁晓夫撕毁协议，更重要的原因可能同正在酝酿中的美苏首脑会谈有关。因为那些时候西方通讯社已经不断传出赫鲁晓夫可能要同艾森豪威尔会晤。当时，苏联有一个高级代表团正在美国访问，代表团成员有一个是当时赫鲁晓夫十分信任、被认为是赫鲁晓夫左右手的科兹洛夫。他原来是列宁格勒的市委书记，后来到中央任政治局委员兼书记处书记。他是6月到美国去访问的。那时传出科兹洛夫是专门接洽安排赫鲁晓夫访问美国的。后来的事实证明，艾森豪威尔邀请赫鲁晓夫访美，就是由科兹洛夫把艾森豪威尔的亲笔邀请信带给赫鲁晓夫的。在赫鲁晓夫同意接受邀请后，艾森豪威尔8月3日才正式宣布。事后看来，中央当时的估计是正确的。

中央认为，苏方毁约是中苏关系中一个重大事件。从赫鲁晓夫上台以后，他一直是履行斯大林答应给我们援助的协议的，他1954年访问中国时答应增加援助的项目也是一直在履行的。1957年莫斯科会议时他对中国的态度还是不错的，我们不少建议他差不多都接受了。苏方这次毁约，说明赫鲁晓夫可能要在中苏关系上采取新的方针。赫鲁晓夫在1958年提出要在中国建长波电台、搞共同舰队,实际上是要控制中国。当这些遭到我们抵抗以后,他可能采取新的方针——同西方主要是美国站在一起反对中国的方针。

由于当时中央正忙于调整计划,毛主席提议:对苏共中央的来信暂时不做答复,还要观察观察再说。这是第一件事情。

第二件事情是苏联塔斯社9月9日发表关于中印边境冲突的声明。

这件事情距离赫鲁晓夫9月15日访问美国更近了。塔斯社的声明完全避开印度挑起这次中印边境冲突的事实。声明对中印边境发生的事件表示"遗憾",说中印边境的冲突是"那些企图阻碍国际紧张局势缓和的人搞的"。而且声明还进一步说这件事情"使苏联部长会议主席赫鲁晓夫同志和美国总统艾森豪威尔互相访问前夕的局势复杂起来"。这些话显然是表示赫鲁晓夫对在他访美之前发生这一事件非常不满,责怪中国,偏袒印度。一个社会主义国家公开无理指责另一个社会主义国家,偏袒一个资本主义国家,这在社会主义国家关系史上是前所未有的事情。

中印边境的冲突事件是8月26日发生的。这是印度统治集团内一部分人长期密谋策划的结果。自从1959年3月西藏叛乱集团发动叛乱以后,印度一部分人就趁机大肆攻击中国,支持所谓"西藏独立",支持叛乱集团,支持达赖喇嘛分裂祖国的活动,而且力图把这一事件扩大化、复杂化。

西藏叛乱事件发生不久,印度总理尼赫鲁在3月22日给周恩来总理的一封信,借机提出中印边界问题,要中国接受印度自认为是已经划定了的中印边界线,特别是要中国接受在中印边界东段的麦克马洪线。

本来在这之前,中国政府就曾经向印度政府建议,要按友好的、互谅互让的原则,通过协商,像中国和缅甸之间、中国和尼泊尔之间那样,解决中国和印度之间的边界问题。为此,周恩来总理曾经在1956年12月和1957年1月两度访问印度,但是没有结果。尼赫鲁3月22日的来信,要求中国全盘接受印度单方面的主张。从这以后,印度的反华分子、国际上的反华分子和西方的资产阶级主要报刊,便吵吵嚷嚷,攻击中国。他们不仅支持西藏叛乱,鼓吹西藏"独立",而且,要中国完全接受印度方面的无理的领土要求。他们还进行了一系列毒化中印关系的活动。印度政府纵容这些反华活动,纵容西藏叛乱集团的活动,并且下令印度军队进驻有争议的中印边界地区,甚至越过边界,进入到在过去印度政府官方文件中也承认是属于中国的地区,进行骚扰活动。他们还在边界属于中国一侧的一些地区建立印度军队的哨所。这样就埋伏下印度方面挑起冲突的危险。

8月23日,印度巡逻队越过中印边界,在中国一侧建立哨所。8月25日,这个哨所的印军向中国军队开枪射击，中国军队被迫进行还击。在这次冲突中，印度士兵有一人被打死，一人被打伤。

此事发生后，印度方面马上大肆诬陷和攻击中国，国际上也掀起一个反华浪潮，诬蔑中国侵略印度，甚至造谣说中国要占领印度东部某某城市。倾盆大雨的造谣诬蔑都落到中国头上。西方各通讯社大量加以传播。

开始的时候，由于地区辽阔，交通和通讯不便，中央不了解当地的实际情况，急电向西藏军区查问，边境究竟发生了什么事情。中印边界很长。人民解放军并不是在所有边界上都驻防。只是在平息西藏叛乱过程中，主要是平定拉萨以南叛乱集团巢穴的时候，我军才在一部分地区接近边界。所以西藏军区查询情况也很困难，费了好些时日才电报中央。中央得到的情况表明，这次边境冲突是印度方面有意挑起的。

9 月 6 日，我国外交部召见苏联驻中国大使馆临时代办，向他介绍中印边境冲突的情况，明白地告诉他：这次冲突是印度挑起的，是印度越过中印边界设立哨所，进行巡逻，向中国军队开枪而引起双方交火的。并且告诉他：中国政府将要发布文件和材料，说明中印边境这次冲突的真相和中印边界状况。这样做了以后，我们认为苏联是应该理解中国在这个问题上的立场的。

到了 9 月 8 日，毛主席主持中央政治局会议，讨论中印边界问题和周恩来总理给尼赫鲁的复信。

会上，周总理先作扼要的说明，然后由外交部主管同志详细地介绍中印边界的情况，并展示有关文件和中印边界地图。中印边界东西长达1700多公里，纠纷由来已久，双方对边界的西段、中段和东段都有争执。特别是东段争执较多。从1954年以来，中印双方为边界问题交换照会就有40次之多。

东段的问题，主要是印度政府要求中国政府承认英国殖民时期强迫西藏当局接受的麦克马洪线。麦克马洪是当时英帝国驻印度的总督。英国殖民政府单方面划定的中印边界东段的界线，便以他的姓命名。这条所谓"麦克马洪线"，是这位英国总督拿笔在地图上画了一条线，画在传统的边界线以北100多公里，割走了9万多平方公里的中国领土。

对于这条所谓"麦克马洪线"，没有哪一个中国政府承认。当时的清政府不承认，其后的北洋军阀政府、国民党政府都不承认。现在尼赫鲁政府却要求新中国的政府承认，这当然是办不到的。现在印度军队不仅已经完全占领了这条线的印度一侧的地方，而且还越过这条线，又占领了麦克马洪线以北的中国一侧的一些地方。本来中国就不承认麦克马洪线，现在印度政府不但要中国承认麦克马洪线，而且还要中国承认印军越过这条线占领的地方。

中印边界西段地方很大，广袤荒凉，人烟稀少，大部分地区无人居住。从新疆到西藏的交通是经过这个地区的。中国人民解放军过去没有到达那里去，只是在平息西藏叛乱以后才派军队从新疆到那里去,去了以后就是修路,修路期间不时看到印度军队的巡逻队。这说明当时印度已经越过过去的习惯边界,占领了中国不少地方,这是过去不知道的,是平叛以后才发现的。在整个中印边界沿线,过去没有驻扎人民解放军。因为根据西藏和平解放17条协议,中央只在拉萨有驻军,在日喀则也有一点驻军,其他地方还是维持原来的藏军,没有整编,也没有解散。那些边界地区属于藏军驻扎的地方,其实藏军也没有去,只有在拉萨地区和拉萨以南的山南地区驻有藏军。

政治局会议经过讨论,得出三点结论:第一,中印边界是从来没有划定过的。麦克马洪线是非法的,中国政府不能承认,也没有哪一个中国政府承认过。第二,这次中印边境冲突事件是印度军队越过边界线,包括越过麦克马洪线,也越过了西部的传统边界线,侵占中国领土而引起的,而不是中国侵占印度领土而引起的。第三,中国准备通过谈判解决中印边界问题。在谈判之前,建议维持现状,双方按兵不动,个别有争执的地方可以采取临时协议来解决。

政治局确定的这三点,既坚持了原则,又留有充分协商的余地。

会议还通过了周总理给尼赫鲁的信,并决定在当天(9月8日)晚上交给印度驻中国大使馆,并由新华社在9月9日广播。

第二天(9 月 9 日)上午,苏联驻中国大使馆临时代办给我外交部送来一份塔斯社声明,并说这个声明将在 9 月 10 日发表。我外交部收到这个声明时即告诉苏联临时代办:中国政府对中印边界问题的意见已经在几天前告诉了苏方,因此我们希望苏联方面对中印边界问题最好不要发表任何评论,塔斯社这个声明也不要发表。我们希望苏联方面看了中国政府今天将发表的有关中印边界的文件和材料之后,再和我们交换意见。

当天下午,新华社广播周总理给尼赫鲁的信后,我外交部又约见苏临时代办,通知他周总理的信已经发表,并正式代表中国政府要求苏联政府考虑中国的立场,停止发表塔斯社的声明。

根据我当时的日记记载,周总理给尼赫鲁的信,新华社是在 9 月 9 日北京时间下午 6 时 20 分广播的。这个时间等于格林威治时间上午 10 时 20 分,印度新德里的时间是下午 3 时 50 分,莫斯科时间下午 1 时 20 分(和北京时间差 5 个钟头)。我们估计,我们广播以后,无论是印度还是苏联,他们都可以在 9 月 9 日白天看到周总理给尼赫鲁的这封信。但是苏联政府不听中国的劝告,把原来准备在 9 月 10 日发表的塔斯社声明,提前在 9 月 9 日晚上发表了。就是说,他们上午知道中国将要发表周总理给尼赫鲁的信,下午又知道这封信已经发表,但仍然不顾中国的劝告和要求,迫不及待地赶紧把塔斯社声明发表。

苏联方面这一行动，就把苏联和中国的分歧公开暴露在全世界面前。中苏分歧的公开化，首先采取行动的是苏联。苏方为什么这样急于要发表塔斯社的声明呢？关于这一点，声明本身说得很清楚。声明声称，中印边境冲突是“阻碍国际紧张局势的缓和”，并且使赫鲁晓夫和艾森豪威尔会晤的局势“复杂化”。看来苏联把中印边境冲突是由印度挑起的事实，看作是中国有意制造事件，来破坏赫鲁晓夫跟艾森豪威尔会晤，所以迫不及待地发表这个声明，向艾森豪威尔表明他赫鲁晓夫同中国人不同。艾森豪威尔当然明白，他在评论塔斯社声明时说：“它不是站在中国方面的。”

本来，根据中央的方针，我们并不想利用中印边境冲突这一事件来谴责印度，不想把此事扩大化。但是，印度首先公布这个消息，接着大肆攻击中国，把中国说成是“侵略者”，在全世界煽起一股反华浪潮。这就逼得我们不得不回答，逼得我们不能不同曾经和我们一道创立和平共处五项原则的尼赫鲁辩论。这是不得已的，不是我们所愿意的。

在我们的报纸上，10 日登出了周总理 9 月 8 日给尼赫鲁的复信，同时也发表了尼赫鲁 3 月 22 日的来信。11 日，报纸上又发表了有关中印边界问题的资料，同时刊出中印边界从东面到西面整个边界的地图，并且标明了中印争执的地方，包括印度入侵和占领的地方。

当时正在北京召开的全国人民代表大会常务委员会

会议对中印边境冲突议论纷纷。对印度侵入我国领土，挑起边境冲突，而且恶人先告状，诬蔑中国，常委们非常愤慨。为此，周总理在政府工作报告中特别就中印边界问题做了详细的说明，并申明我国政府的立场。

全国人大常委会最后通过关于中印边境问题的决议，批准周恩来总理的报告，对印度军队侵略中国领土和印度国内右派煽动反华运动表示遗憾，并希望能够通过谈判，根据和平共处五项原则来解决中印边界问题。

9月15日，中共中央邀请各民主党派负责人在中南海勤政殿举行座谈会。会议结束后，毛主席把我找到休息室去，要我写一篇关于座谈会的新闻。我当场写好新闻稿，并附上统战部拟定的参加会议人员的名单，一起送给毛主席，毛主席看完后批示"照发"。当时政治局的几位常委也在休息室里，毛主席对各位常委说，关于中印边界冲突问题同印度的公开辩论，可以考虑暂时告一段落。国庆十周年快到，我们要搞庆祝活动，中印边界冲突问题需要收一下，但是，在收之前要发一篇社论，阐明我们对这场大辩论的态度。社论发表之后就可以停止发表我们和印度双方有关这个问题的言论、行动、消息和文章。

毛主席让常委们考虑是否可以这样做。接着毛主席谈了社论的要点。他说，社论要阐明我们的立场，说明这次争论我们是被迫的。争论一下也有好处，可以把双方的观点公开，也使中印边界问题的真相大白于天下。但是，我们不愿意继续争论下去，我们仍然希望通过谈判解决中印边界问题。社论要重申我们的三点主张，同时要拉尼赫鲁一把，希望双方共同努力，根据和平共处五项原则来解决中印在边界问题上的分歧，维护中印人民的友谊。

周总理赞成这样做，并且指出，社论要强调两点：第一，中印边界没有划定；第二，麦克马洪线是非法的。总理说，这两点是我们这次争论的要点。总理还说，可以引用尼赫鲁的讲话，说他也曾表示愿意协商解决，对此我们欢迎。我们希望中印长久友好下去。

其他常委少奇、朱老总、陈云和邓小平同志也赞成这样做。

快到吃晚饭的时候，毛主席对我说，根据大家的意思，你今天晚上把社论稿子写出来，给总理看了以后明天就发表，不用给我看了。

当天晚上，我先回新华社发出座谈会的新闻，吃过晚饭，就到人民日报社写社论。当天晚上赶出来后打清样送给周总理，送到那里已经到凌晨两点钟了。周总理习惯深夜工作，他一直等着这篇稿子，收到后只在个别地方作了修改，就退回给我。这就是《人民日报》在第二天(9月16日)发表的题为《我们的期待》的社论。

中国和印度之间这次关于边界问题的争论，以及在这之前3月间开始的关于西藏叛乱问题的争论，历时整整6个月，中印之间一片乌云。但是，由于我们坚持正确的方针，既坚持原则，又为尼赫鲁下台阶留有余地，中印的争吵总算平息下来。当然,这个问题还没有了结。后来,到1962年又重新爆发了边境冲突。但是从整个过程中可以看出,我们竭力维护中印之间,也就是亚洲和世界人口最多的两个国家和人民之间的友谊,努力争取尼赫鲁,力争通过和平协商来解决两国之间的分歧。我们根本没有意思要把中国和印度的关系搞坏,更没有意思要挑起中印边境冲突来干扰美苏之间的会谈。

苏联迫不及待地发表塔斯社声明这件事情,的确说明赫鲁晓夫完全是出于对中国的不满和不信任,一心追求美苏合作解决世界问题。

塔斯社9月9日的声明和苏共中央6月20日给中共中央关于中断供应原子弹样品和制造原子弹技术资料的信,这两件事情都是在赫鲁晓夫访美之前做的,是赫鲁晓夫做给艾森豪威尔看的。可以说,赫鲁晓夫送给艾森豪威尔的见面礼,不是赫鲁晓夫在白宫送给艾森豪威尔的苏联火箭到达月球时在那里留下一个苏联国徽标志的仿制品,而是6月的苏联撕毁中苏原子弹协议的一封信和9月9日塔斯社的声明,这才是真正的贡礼。

这两件事,一件是撕毁中苏协议的开始,一件是把中苏分歧公开化的开始。赫鲁晓夫可能认为,这是他访美前的得意之作,其实,这恰恰暴露了他的倾向。只是当时还没有料到他以后会走得那么远。

第五节 在中南海的激烈辩论

赫鲁晓夫是9月15日到达美国访问的，到9月28日离开美国返回苏联。在这期间，他除了访问美国各地以外，主要是9月25日到27日在美国总统休假地戴维营同艾森豪威尔会谈。根据会谈后发表的公报，艾森豪威尔和赫鲁晓夫主要是讨论了全面裁军问题，另外也讨论了德国问题、对德和约问题、柏林问题，以及两国关系等一系列问题。从发表的公报看，会谈没有达成什么具体的协议，只是宣布艾森豪威尔明年（1960年）春天到苏联回访，具体日期没有确定。除此之外，有没有谈了别的什么问题呢？苏联方面表示，没谈什么问题，没有涉及第三国的问题。可是，艾森豪威尔则说，没有达成不讨论第三国问题的协议，没有这回事。美国国务卿赫特10月6日对记者说，苏联对它阵营里的成员的问题应该负责。苏联对中国的问题有了不可推卸的责任。赫特的谈话，表明他们讨论过中国问题。此事在后来赫鲁晓夫到中国访问时更清楚了。

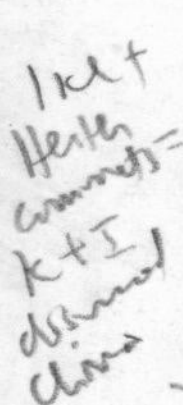

由于第二次世界大战后十多年间，美苏两国长期对立，在赫鲁晓夫访问过程中出现了相当紧张的场面。

赫鲁晓夫在访问中发表几次正式讲话和谈话，都带有比较浓厚的论辩色彩。他在讲话中对捍卫苏联和共产主义表现得相当顽强。当时许多西方舆论认为,这次访问很有特色,反映苏联领导人还是顽强地捍卫他们的意识形态和社会主义制度。

至于赫鲁晓夫本人内心究竟是怎样想的,当时有各种各样的猜测。我们党中央认为,因为赫鲁晓夫访美之前在对华关系上的一些表现,主要是撕毁原子弹协议和发表塔斯社声明,表明他这次到美国去,对中国不怀好意,他采取这两个步骤(毁约和塔斯社声明)是适应美国当局的需要的。但是,对他在美国的表现,我们也不能一概置之不理,不能完全采取冷淡的态度。所以中央决定:我们的报刊可以按照他公开的表现来报道他的活动,给予适当的评价;实际情况究竟怎么样,观察一些时候再说。这样我们就处于主动地位。

根据中央的精神,新华社和《人民日报》把赫鲁晓夫在美国的多次正式讲话,差不多都全文发表,到 9 月 29 日访问结束的时候,《人民日报》还发表了一篇评论,对他这次访美表示支持,认为对和缓国际紧张局势是有益的;同时也阐明:我国政府也主张缓和国际紧张局势,赞成他这种活动,赞成他为全面彻底裁军这个目标而做的努力。当然,全面彻底裁军能否实现,是不是应当采取赫鲁晓夫采取的那样的办法去实现,那是另外一个问题。

赫鲁晓夫访美之后回到莫斯科,第二天就飞到北京,参加中华人民共和国建国十周年大庆。当时,许多国家共产党都来了代表,社会主义国家共产党的代表有好些是他们党的第一把手,苏联共产党是由苏斯洛夫率领一个代表团先来,赫鲁晓夫来了以后就担任代表团团长。

赫鲁晓夫到北京以后,当天(9 月 30 日)晚上,就在庆祝中华人民共和国成立十周年的招待会上,发表了长篇讲话。周总理在招待会上的祝酒词才讲了 1000 字,而赫鲁晓夫讲了 6000 字。他滔滔不绝,内容和口吻就是教训中国。他在谈到我们社会主义力量空前强大之后,说了这么一段话。他说:"这当然绝不是说,既然我们这么强大就应该用武力去试试资本主义制度的稳固性,这是不正确的。因为人民绝不会理解,也绝不会支持那些想这样干的人。"这段话很明显是有所指的。人们不难看到,赫鲁晓夫的心里对我们在 1958 年夏天炮打金门事件和 1959 年 8 月中印边境冲突事件,还耿耿于怀,仍然认为我们是要用武力来试试资本主义的稳定性,好像我们要挑起战争的样子。

第二天上午,就是 10 月 1 日上午,赫鲁晓夫在天安门城楼上,参加了我们庆祝国庆十周年的游行、阅兵活动。作为正式礼节,毛主席在天安门城楼上正式会见了他。那天在天安门城楼上,毛主席还会见了其他国家的代表团。有些代表团分别由少奇同志、朱老总、周总理会见。

赫鲁晓夫在同毛主席会见时,讲他在美国的所见所闻,说美国人生活怎样富裕,艾森豪威尔怎样希望和平。因为会见时间比较短,他还没有畅所欲言,但是他还是有机会对先后陪同他活动的彭真和陈毅同志尽情地讲他的访美见闻。他讲得眉飞色舞，兴高采烈，特别是讲到他到戴维营去的情景，讲艾森豪威尔如何热情接待他，并带他去看自己的农场，讲得津津有味。

赫鲁晓夫这次到北京来，从一开始给我们中央同志的印象是，他是来吵架的。这在10月2日中苏领导人正式会谈的时候就进一步充分表现出来了。

中苏两党10月2日在中南海颐年堂举行正式会谈。我党中央政治局常委差不多都参加了。小平同志因为腿跌伤后活动不方便，没有参加。彭真同志、陈毅同志、王稼祥同志也参加。苏方参加的有苏联代表团全体成员，加上苏联驻中国大使馆临时代办安东诺夫。

会谈一开始，赫鲁晓夫就谈他访美的情况。他认为这次访美是比较满意的，虽然没有达成什么协议。他说艾森豪威尔的确需要缓和。他所到之处受到很热烈的欢迎，一位农场主还送他三头良种牛，有位资本家还送给他一盘古银币。他说，美国差不多每个家庭都有汽车，一家都有几间房子，住的很好，吃的也很好，生活水平很高。他的结论是，我们跟美国只能在经济上搞竞赛，搞和平竞赛，不能用武力来“试试它的稳定性”。

这时毛主席回答他说，我们赞成你访美，赞成你跟艾森豪威尔会晤。我们赞成同美国搞和平共处。美国究竟怎么样，不能看表面，应该要看美国帝国主义的本质。艾森豪威尔有阶级局限性，很难说他真正爱好和平。在这个问题上，毛主席开始说的还是比较客气的。

接下来,赫鲁晓夫提出一个问题。他说,中国和美国的关系还是要搞好,希望中国主动采取一些步骤来改善同美国的关系。赫鲁晓夫提出这个问题,很显然他是答应了美国,要到中国来做说客。艾森豪威尔否认说过他同赫鲁晓夫不讨论第三国的问题。美国国务卿赫特说苏联对中国的行动负有责任。

中国要主动做些什么呢?赫鲁晓夫说着说着就说出来了。他说,你们去年对金门打炮不是办法。台湾现在也不能解放,索性像苏联过去内战时期(1920年到1922年)对"远东共和国"的那样处理。赫鲁晓夫说,列宁当时曾同意成立"远东共和国",为的是缓和日本人支持白军对苏联的进攻。他说,当时列宁在苏联欧洲部分遭到外国干涉很严重的情况下,为了避免在东方同日本作战,采取了这个办法。中国也可以用这样的办法来处理台湾问题。赫鲁晓夫在这里虽然没有说要台湾独立,实际上是要把台湾从中国分离出去,成为什么"共和国"。而台湾是处在美国的控制之下,美国在台湾驻有陆、海、空军。

周总理首先回答赫鲁晓夫说,要解决我们跟美国的关系,惟一办法是美国撤出台湾,从台湾撤兵。至于台湾和大陆的关系,那是我们的内政,我们用什么办法解放台湾,用和平的办法还是用武力的办法来解放台湾,别人不能干涉。这是我们跟台湾国民党之间的事情,是中国国内的事情,同美国无关。美国不能干涉,任何外国都不能干涉。

毛主席这时也直率地说，赫鲁晓夫同志，你把问题搞错了，你把两个不同性质的问题搞混了。一个问题是我们跟美国的关系问题，这是国际问题，另一个问题是我们跟台湾的关系问题，这是中国国内的问题。我们跟美国的关系问题是美国侵略我国台湾的问题，是我们要求美国撤出台湾而美国应该撤兵的问题。至于我们跟台湾的关系，则是台湾怎样解放的问题。这个问题只能由中国人自己来解决，别人无权过问。你赫鲁晓夫同志，对前一个问题有发言权，可以劝艾森豪威尔从台湾撤出一切武装力量。对后一个问题，你是无能为力的，不宜说三道四。

赫鲁晓夫听了很尴尬，耸耸肩膀，摊摊手。

但是，赫鲁晓夫接着又提出一个问题。他说，为着缓和跟美国人的关系，中国是不是可以把监狱里的几个美国人释放？

当时在我们的监狱里关押着几个美国人，他们都是触犯了中国刑律的罪犯。其中有两个是驾驶美国间谍飞机被我们打下来以后被俘的。另外有些是以神甫的身份在中国进行间谍活动被逮捕的。他们都被判刑入狱。

毛主席告诉赫鲁晓夫，放是要放的，但不是现在，而是在他们服刑期满的时候，或者是在服刑期间有好的表现因而提前释放的时候。这都要按照中国的法律办事。

赫鲁晓夫又碰了钉子。

上面两个问题很可能是赫鲁晓夫在戴维营答应了艾

森豪威尔向中国提出的。赫鲁晓夫充当说客，但都没有成功。

接着，会谈转到中国和印度的关系问题。这个问题是赫鲁晓夫首先提出来的，他不厌其烦地说了很多指责中国、偏袒印度的话。双方激烈争辩的时间也比较长。

赫鲁晓夫说，你们应该和印度搞好关系，印度是一个中立国，尼赫鲁是比较开明的，应该团结他。发生中印边境军事冲突是不对的。

当时，陈毅同志首先站起来说，你怎么能这样说呢？分明是印度挑起这场冲突。印度军队越过边界，也越过麦克马洪线，在我们边境内设立哨所，向我们开枪。周总理补充说，印度开枪射击六个钟头以后，我们才还击。开始我们也不知道这个情况。印度是有准备的，消息很灵通，事情发生不久，它就发消息了。而我们中央不知道这个情况，就给西藏军区发电报，查问这件事情。西藏军区也不晓得，他们赶紧问边境部队，边境部队离那个地方也很远，再三催他们查，好几天才查清情况。周总理说，你怎么能说是我们中国挑起的呢！

陈毅同志非常生气，指着赫鲁晓夫说，你们和我们都是社会主义国家，你是社会主义阵营的头头，为什么对一个社会主义国家和一个资本主义国家之间发生冲突，分明是资本主义国家首先挑衅的，你不但不支持社会主义国家，反而支持资本主义国家，指责社会主义国家。你们9月9日发表的那个塔斯社声明，是偏袒印度，指责中国的。

赫鲁晓夫说,我们根本不知道情况,印度说你们打死他们的人。

陈毅同志说,我们9月6日给你们打了招呼,你们应该知道这个情况。9月8日你们跟我们说准备发表塔斯社声明,我们劝你们慢一点,并且告诉你们,我们也要发表一个文件,请你们看了我们的文件以后再表态。退一万步说,就算像你说的你们不了解情况,那么你们应当慎重一些,等弄清情况再表态。但是你们根本不听我们打招呼,急急忙忙抢先发了你们塔斯社的声明,这是为什么?

当时会场的气氛非常紧张,双方就这个问题来回辩论。赫鲁晓夫蛮不讲理地说,我不知道你们的情况,但是印度有一个士兵被打死,一个士兵受伤,这就证明你们不对。陈毅同志说,你我都是打过仗的人,谁死伤多不能说明谁就对,这个道理你不懂吗?赫鲁晓夫也非常生气地说,你是元帅,我是中将,但不管怎么样,是你们先打死了人家的人,又把达赖放跑了。

这个时候彭真同志插进来同赫鲁晓夫辩论。他说,赫鲁晓夫同志,你怎么能说出这样的话?达赖是叛国外逃,他走的时候我们怎么能拦得住他?我们人生地不熟,追也没有追上。

赫鲁晓夫可能看到在达赖问题上他辩不赢,又转移话题说,反正你们把跟印度的关系搞坏就不对。你们何必去争那么一点地方呢？喜马拉雅山下荒无人烟，争那么一小块地方有什么意思？

这时候周总理回答他：不能这么说。我们不去占人家一寸土地，也不能让人家占我们一寸土地，我们绝不能干那些丧权辱国的事情。周总理再三强调，我们对印度一直是采取团结的政策，但对它不讲理的地方，对它违反国际公约的事情，我们要反对，要斗争。斗争的目的是为着要团结它，不能一味迁就它。

陈毅同志说，你那个塔斯社声明，就是迁就主义。

赫鲁晓夫非常生气地说，我怎么是迁就主义？你们才是冒险主义，狭隘民族主义。这又引起陈毅、彭真同志的强烈驳斥。

在争论过程中间，毛主席没有多说话。每当争论激烈的时候，他还笑着对中国同志说，“不要打架呵。”到会议快结束的时候，毛主席说，这个问题还是要把事实搞清楚。别的事情我们管不了，对有关中国的事情，我们希望苏联同志能够听听中国的意见，把情况搞清楚，预先向中国打招呼，同中国商量，再对外公开表态，这样比较好。

对尼赫鲁，我们还是要同他友好，还是要团结他。我们的原则是人不犯我，我不犯人，人若犯我，我必犯人。不为天下先。但是谁要欺负我们，那是不行的。谁都不行。毛主席讲得很严肃，但语气比较委婉。

最后，赫鲁晓夫说，既然这样，我就没什么可以再谈的了。我在美国跟艾森豪威尔说过，我访美之后，接着要到中国去。艾森豪威尔对我说，你到中国去一定是白跑一趟。果然是白跑一趟了。

会谈终于不欢而散。

赫鲁晓夫10月4日即离京回国。

从赫鲁晓夫在会谈中的这些话里可以看出，他的确是答应了艾森豪威尔到中国来做说客，而且他在艾森豪威尔面前还表示很有信心的样子，所以艾森豪威尔才说可能是白跑一趟。

赫鲁晓夫从北京回到海参崴后，10月6日发表演讲，又不指名地影射攻击我们像"好斗的公鸡"，热衷于战争。回到莫斯科以后，他10月31日在最高苏维埃会议上发表演讲，又不指名地攻击我们是"冒险主义"、"不战不和的托洛茨基主义"。

10月4日，毛主席送走赫鲁晓夫后，回颐年堂主持召开政治局会议，主要是讨论同赫鲁晓夫会谈的情况。会议开始，先由周总理向全体政治局委员汇报毛主席同赫鲁晓夫会谈的情况。大家听后议论很多，一致认为，赫鲁晓夫对艾森豪威尔抱有幻想，只看到美国当局表面上表示的所谓"爱好和平"的一面，而且真的相信，没有看到美帝国主义的本质。他说艾森豪威尔和我们一样"热爱和平"。赫鲁晓夫这么讲，至少在这个问题上表现有修正主义的倾向。这只能由美国来教训他。现在我们无论怎么讲，他也是不会听的。对美国的问题，对印度的问题，他都听不进我们的话。我们是赞成和平共处的，这是外

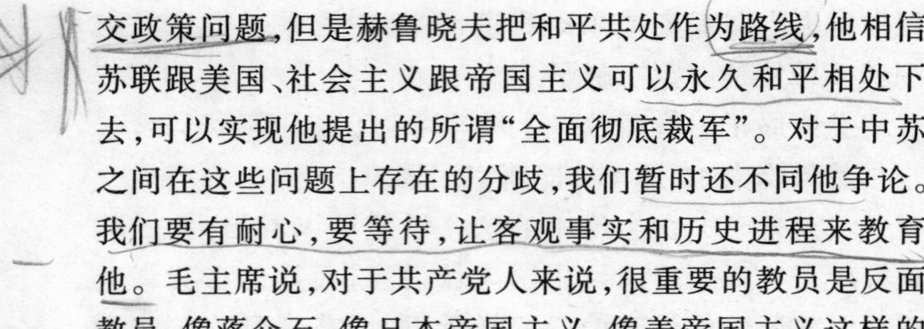

交政策问题，但是赫鲁晓夫把和平共处作为路线，他相信苏联跟美国、社会主义跟帝国主义可以永久和平相处下去，可以实现他提出的所谓“全面彻底裁军”。对于中苏之间在这些问题上存在的分歧，我们暂时还不同他争论。我们要有耐心，要等待，让客观事实和历史进程来教育他。毛主席说，对于共产党人来说，很重要的教员是反面教员，像蒋介石、像日本帝国主义、像美帝国主义这样的反面教员。用反面教员来教育他，往往比我们来跟他辩论、跟他讲道理，会起更好的效果。

会议赞同中央常委几个月来的活动，并作出结论，认为我们目前应采取团结为重、不搞争论、冷静观察的方针，但要看到国际上出现修正主义思潮。会议还决定：近期内要就国际形势，其中包括中苏关系的情况，向各省、市、自治区党委第一书记打招呼。

毛主席写了一首打油诗，讽刺赫鲁晓夫访美。这首打油诗是这样的：

西海如今出圣人，
涂脂抹粉上豪门。
一辆汽车几间屋，
三头黄犊半盘银。
举世劳民同主子，
万年宇宙绝纷争。
列宁火焰成灰烬，
人类从此入大同。

这首打油诗是主席的警卫员1959年12月杭州会议时给田家英看,田家英转告我的,没有广为流传,当然也没有公开发表,写作的时间大概是在毛主席同赫鲁晓夫会谈后不久。

第六节　杭州的议论

从上面中苏关系发展的过程来看,1957年莫斯科会议之后,很明显地表现出,赫鲁晓夫认为中国对他是一个威胁。开始时他想控制中国,没有得逞以后就想依靠美国来解决世界问题,不惜牺牲中国的利益。他沿着这样一条路线一步一步地走下去。

面对这样的情况,我们党中央还是坚持以大局为重、以团结为重的方针。中央政治局常委在同赫鲁晓夫会谈后一致认为应当坚持这个方针。

毛主席在10月14日特别约见苏联驻中国大使馆临时代办安东诺夫谈话时表示,我们对赫鲁晓夫访美还是支持的,认为还是有好处的。赫鲁晓夫在美国的几次公开讲话还是比较好的。毛主席说,上个星期我们会谈时,在一些具体问题上有不一致的地方,但这是十个指头中间一个指头的问题。中苏之间不要因为一个小指头的分歧,影响九个指头的一致。他说,中国党还是强调中苏两国、两党要团结一致。我们不会同美国打仗,也不会去打

台湾，甚至也不会登陆金门、马祖。但是必要的时候也要斗争，以斗争求得缓和。美国搞紧张是搞不下去的，国际上大的趋势还是对我们有利。

周总理11月19日在国务院会议上谈到国际形势的时候，也强调我们跟苏联的关系还是要加强团结，1957年莫斯科会议宣言还是我们团结的基础。周总理说，为了维护马克思列宁主义的原则性，我们不能不进行必要的斗争。斯大林曾经说过，对帝国主义的压力一定要顶住。据米高扬说，斯大林生前有一次曾对米高扬、莫洛托夫、赫鲁晓夫等人说，"我担心的是你们顶不住帝国主义的压力。"周总理说，我们现在不但对帝国主义要顶住，而且对社会主义国家对我们的不正确的意见和错误的做法也要顶住。正确的我们当然要听、要吸收；不正确的我们就要顶住，不能听从他们。但是，社会主义国家之间，主要是中苏两国之间、中苏两党之间，意见分歧只有十个指头中间的一个指头。我们不要忘记大局，不要忘记九个指头是一致的，不要忘记以团结为重。

10月下旬，毛主席离京，到达杭州后，11月间接连开了两次小会（常委只到少数）议论国际问题（包括艾森豪威尔和杜勒斯讲话，赫鲁晓夫的讲话和印度政府的照会等等），作了充分酝酿。

12月1日，赫鲁晓夫在匈牙利党的代表大会上又对中国党进行影射攻击，并且公然提出社会主义各国"必须对表"，即要求各国同苏共保持一致。

12月4日至6日，毛主席在杭州召集政治局常委会议，讨论国际形势和我们的对策，包括赫鲁晓夫12月1日提出的“对表”。常委除朱、邓（因腿伤未愈）外都出席，还有陈毅、贺龙、谭政、王稼祥、康生、陈伯达、胡乔木等。会前，毛主席亲自起草了一个关于国际形势的讲话提纲。他在会上根据这个提纲讲话。毛主席讲话的要点是：

第一，帝国主义的战略目的是保存资本主义、帝国主义制度，消灭社会主义制度，也要消灭民族独立运动。这如同战争的目的是保存自己、消灭敌人一样。帝国主义现在使用两套办法，一套办法是用战争手段，另一套办法是用和平手段。这就是一方面搞原子弹、导弹，搞军事基地，准备用战争的办法来消灭社会主义，但是它打的也还是和平的旗帜。这点要看清楚。另外一套办法也是打着和平的旗帜，发展文化往来，甚至经济往来、人员往来，准备用腐蚀的办法，从内部搞演变的办法来消灭社会主义。帝国主义总是这样的，能够消灭的就立即消灭，暂时不能消灭的就准备条件消灭之。这两套办法可以同时并用，也可以交替使用，根据对象不同采取不同的办法。机会主义、修正主义是帝国主义拉拢的对象，帝国主义尽力扩大机会主义、修正主义的影响，从内部通过和平演变来搞垮社会主义。

第二，赫鲁晓夫不是一个好的马克思主义者，但是他也不完全是修正主义者。他的宇宙观是实用主义，思想方法是形而上学，有大国主义，有资产阶级自由主义。形修正主义是否已经成了系统，是否就是这样坚决干下去？

可能是这样；可能还可以改变。

可能要坚持一个长时期（例如十年以上）；

可能只坚持一个短时期，例如一、二、三、四年。

中苏根本利益，决定这两个大国是要团结的。某些不团结只是暂时的现象，仍然是九个指头和一个指头的关系。

一个指头的历史事件：

1945年 不许革命，但后来又赞成了。

1949—1951年，怀疑是否真革命，开始不[illegible]

1959 年 12 月，毛泽东关于国际形势的讲话提纲手迹。

而上学始于斯大林。历史上我们跟苏联的分歧很多。接着主席就讲了从1945年日本投降后苏共警告我们不要进行自卫战争(即解放战争),一直讲到1959年10月赫鲁晓夫在莫斯科讲我们是不战不和的托洛茨基主义,还讲到12月1日赫鲁晓夫在匈牙利党的代表大会上不指名地攻击我们"抢先",提出要"对表"。

毛主席说,赫鲁晓夫这个人也不是全部是错的。在国际上他还是要社会主义阵营,一直到现在仍然支援中国的建设。在国内他搞农业、工业、七年规划,他还是要搞社会主义。他在和平过渡问题、中印关系问题、对美国看法问题上同我们的分歧还是一个指头的分歧。这个分歧是不是会扩大到几个指头,那还得看。

毛主席说,赫鲁晓夫有两种可能性:一种可能性是继续向严重恶化的方向发展;一种可能性是改变,向好的方向发展。从同赫鲁晓夫这么多次接触看,这个人不大懂马列主义,比较浮浅,不大懂阶级分析的方法,有点像新闻记者,随风转,容易变。因此,我们对待他,一方面不能不认真对待,但另一方面又不要太认真了。他有时候说话是兴头上冲口而出。当然这也反映他本质的一个方面。现在两种可能性都存在,但应该相信他的这种错误到头来是会被纠正的,应该有这个信心。最好是他自己来纠正,如果自己已不能纠正,那么苏联党内会有力量来纠正他。我们应该保持这种革命的乐观主义。

(以上是我当时的记录,但后来看到毛主席亲自写的讲话提纲，其中讲到赫鲁晓夫的可能性，除了上述两种外，还有第三、第四两种。毛主席写道：第三个可能，可能要坚持一个长时期，例如十年以上；第四个可能，可能只坚持一个短时期，例如一、二、三、四年。赫鲁晓夫如果不改正，几年后，可能是八年之后，他将完全破产。）

第三，我们的方针应该怎么样呢？我们现在的方针是硬着头皮顶着，在一个时期不批判他们。对他们好的、正确的、先进的经验，我们要好好学。对他的行动、言论，凡是正确的、有利于国际共产主义运动的、有利于世界和平的、有利于民族解放运动的，我们就支持、拥护；否则我们就反对，但也不要马上反对，要等一个时期看，不能跟着他走。我们的方针还是以团结为重，很难想像两个社会主义大国闹分裂，不可能，也不应该，应该有这样的信心和决心。

第四，现在国际上反华浪潮来势汹汹，其中有美帝国主义，有民族主义国家的资产阶级反动派，也有共产党内的修正主义者。闹得特别凶的、表现特别积极的、态度特别恶劣的，就是南斯拉夫党，这是不足为怪的。从一定意义上讲，这次反华浪潮也是好事，一来可以暴露他们的反动面目，二来可以激发各国人民的觉悟。应该看到，这种反华现象是因为我们坚持原则、坚持维护马列主义纯洁性、坚持独立自主的方针，这必然会遇到国际上各种各样反动势力的反对。对于这种必然性，我们自己要心里有数。我们应当尽快把我国的独立工业体系建设起来，尽快建设我们自己的尖端国防科学技术，应该加强党内的团结，首先是一万多高级干部的团结。

毛主席的这个讲话，可以说是总结了 1957 年莫斯科会议以后中苏关系的变化，并确定了我党应当采取的方针。从这里还可以看到，在赫鲁晓夫访美前撕毁协议和公开分歧，访美后又跟我们吵了一架，回去后还不断不指名地攻击我们的情况下，我党中央还是采取以团结为重、硬着头皮顶着、暂不公开争论、从容观察的方针。

这次会议以后，毛主席即带领一个读书小组（由陈伯达、胡绳、邓力群、田家英、林克组成）继续边读边议苏联出版的《政治经济学教科书》（第三版）下册，1960 年 2 月才读完。

第五章
突 然 袭 击

第一节　毛主席强调团结为重

1960年新年伊始，党中央政治局常委扩大会议在上海召开。这是毛主席紧接着在杭州召开常委会议之后于1月7日—17日主持举行的。

这次会议在上海锦江饭店举行。参加会议的有各省市的第一书记和中央有关部门的部长。全体会议的地点是在锦江饭店南楼和北楼之间的小礼堂。参加会议的人分别住在北楼和南楼，也就是老楼和新楼。我住在公寓式的新楼的12层，这在当时是上海最高级的饭店了。毛主席住在锦江饭店旁边的原法国俱乐部。

这次会议原来主要是要讨论两个问题，一个是1960年国民经济计划的问题，一个是国防战略问题。在会议过程中间，会议议论的中心很快从国防战略问题转到国际形势。因为讨论国防战略问题就必然要联系到国际形势，这就很自然地引起对过去半年里赫鲁晓夫的所作所为的议论。

国防战略牵涉到对美国及其战略的看法。议论集中在美国现在会不会发动世界大战、会不会在近期内发动对中国的战争。

大家认为，大量事实说明，第二次世界大战以后，美国到处张牙舞爪，积极推行扩张政策，扩军备战，到处侵略。艾森豪威尔 1960 年初发表的新年国情咨文，表明美国的确是在准备战争，大搞核武器和洲际弹道导弹。会议上许多同志提出，现在美国是不是就要打大仗打核大战呢？多数同志认为不一定。因为根据前年（1958 年）台湾海峡金门打炮事件中美国的表现来看，它是很怕国民党把它拉下水的。美国是否对我国发动侵略战争？当然有这个可能，但不是很大。美国要长期霸占台湾这是定了的，它把台湾作为不沉的航空母舰这也是定了的。这除了为维护它在西太平洋上的军事战略地位以外，也还是想要把台湾作为指向中国大陆的前进基地。这一点是毫无疑义的。但要说它一定就会很快跟我们打仗，那也不一定。

当时大家比较一致的看法是，美国的本质没有变，还在进行备战，存在着战争危险。我们的战略准备，还是要放在它要打仗这一基点上，不能放在它不打仗这一基点，这样才有备无患。但是也不是说要做大规模的准备,像马上可能爆发战争那样,而是减少常备力量,加强尖端武器,主要是核武器和导弹。

会上从议论美国联系到赫鲁晓夫对美国的看法。大家对赫鲁晓夫这半年来的表现很气愤。有些同志谈到,赫鲁晓夫上台以后犯了两大错误,第一大错误是大反斯大林,第二大错误是大捧艾森豪威尔。这两大错误,一个是把自己人一棍子打死,一个是把敌人美帝国主义捧上天。接着,大家着重分析了对赫鲁晓夫应该怎样估计,他可能发生什么变化,我们应该采取什么样的对策。

会上印发了毛主席在12月杭州会议上关于国际形势的讲话提纲(党中央发出通知,要各省第一书记根据这个提纲,用自己的语言,向全党17级以上干部作报告)。大家的议论集中到对苏联共产党、对赫鲁晓夫的看法上面。大家都同意主席在提纲里对赫鲁晓夫的估计,就是说他不是一个好的马克思主义者,但又不同于铁托。赫鲁晓夫的前途怎么样?他可能会发生什么变化?大家议论到几种可能性。

第一个可能是沿修正主义的道路继续滑下去。这种可能性很大,但目前看来还不能论定。

第二个可能是有所改变,就是碰了钉子以后,他不得不作些改变。因为过去有过先例,比如,赫鲁晓夫对戴高乐,原来是尽说他好话,去年12月戴高乐大肆攻击苏联之后,赫鲁晓夫的腔调就变了。对美国,赫鲁晓夫现在的腔调也同他刚从美国访问回来时不大一样。因为戴维营会谈没有解决任何问题,艾森豪威尔的新年咨文又非常强硬,他非常坚决地反对共产主义,反对社会主义阵营,要扩军备战,奉行侵略扩张政策。所以说,赫鲁晓夫在碰了钉子后,也可能在形势压迫下,不能不有所改变。

第三个可能是根本的改变。这个可能看起来也比较小。他稍作改变是可能的,而要他根本改变,把他的思想体系完全改变,成为完全的马克思列宁主义者,那是比较困难的。

第四个可能是赫鲁晓夫完全变成修正主义,公开分裂社会主义阵营,完全投到美国的怀抱里面去。这个可能性也比较小。毛主席着重分析了这种可能性。毛主席说,这种可能性不太大,但是也存在这个可能性,不是完全没有。帝国主义一方面拿着核武器,扩军备战,另一方面又搞糖衣炮弹。他们采取一硬一软的两面手法,目的都是为了把苏联搞垮。赫鲁晓夫手里也有核武器,是惟一能在战略上与美国抗衡的大国,他是有所依恃的,不会轻易向美国俯首称臣。同时,修正主义者又是实用主义者,在美国糖衣炮弹面前,又很容易为了局部的暂时的利益而牺牲整体的长远的利益,可能会变来变去。修正主义不是偶然的现象,有一定的社会原因,但是,赫鲁晓夫的所作所为,也受各种社会条件的制约。毛主席列举了以下的制约因素。

首先,美国不会照赫鲁晓夫的想法去做。虽然它们都讲不要妨碍赫鲁晓夫，不要损害他的地位，但是要帝国主义完全按照赫鲁晓夫所想的那样让步，那是做不到的。

其次，在苏联内部，因为长期受列宁思想的影响，忠于马克思列宁主义的人还是相当多的，十月革命到如今已经40多年，要改变这种传统思想是不容易的。

第三个因素，在国际共产主义运动中，有许多党还是坚持马克思列宁主义的，是不会完全听任赫鲁晓夫为所欲为的。赫鲁晓夫自己也有所顾忌，即使他想同帝国主义搞某种妥协、让步，在帝国主义面前退让，也是不敢贸然从事或者做得过分的。

第四个因素，是民族独立运动还要继续发展下去。

赫鲁晓夫要削弱这个运动，要被压迫民族不革命，服从他的指挥棒，也跟帝国主义、殖民主义搞妥协，这是很困难的。这也不能不影响赫鲁晓夫的政策。

还有一个很重要的因素，就是我们党坚持马克思列宁主义，对赫鲁晓夫不能不有所影响，不能不有所制约。因为中国毕竟是一个大国，我们党对赫鲁晓夫的影响就不同于一般的小党。这不是大国主义，这是实实在在的存在力量。

毛主席说，这样一来，一方面是革命力量对他的制约，另一方面是革命的敌人——帝国主义和资产阶级反动派这些反面教员的作用，也是不可低估的。这些反面教员是不会按照赫鲁晓夫的指挥棒和他的想法去做的，是不会满足赫鲁晓夫的要求的。赫鲁晓夫在革命力量面前可能碰得头破血流，在反革命面前也可能碰得头破血流，大搞修正主义是没有好下场的。世界形势的发展不以人们意志为转移，也不以赫鲁晓夫的意志为转移。

会议上大家同意这些分析，比较倾向于肯定赫鲁晓夫存在两种可能性。变好变坏这两种可能性都存在。我们的方针是力争他变好，采取以团结为重的方针，这是我们根本利益所在。当然，讲团结也不是不要斗争，适当的内部批评是必要的，对一些重大的国际问题，正面地发表我们的意见也是必要的。但是我们斗争的目的还是团结，还是作为共产主义队伍内部问题来处理，从团结的愿望出发，经过斗争、批评，达到新的基础上的团结。我们还是要坚持团结的方针，也就是采取 1957 年莫斯科会议上的方针。即使赫鲁晓夫要分裂，我们也不要分裂，硬是拖着他。你要分裂，我不分裂，我们不采取分裂的步骤。有些同志甚至说，我们就是赖着，赖着跟他搞团结，赖着不分裂。

为着达到坚持团结和反对分裂的目的，就要采取一些办法。会议中大家提了很多意见。归纳起来，主要有以下几点意见。

第一，要充分揭露美国帝国主义的本质没有改变。帝国主义还是帝国主义，还是战争的根源，还是和平的敌人，还是民族独立运动的敌人，还是社会主义、共产主义的敌人，还是死对头。它无时无刻不采用两手的办法来对付革命的力量，它对革命力量是能够消灭的就消灭，不能够消灭的就暂时采取逐步蚕食、腐蚀、渗透、颠覆的办法，用糖衣炮弹的办法，直到搞垮革命力量。对这些都要充分地揭露。这也是1957年《莫斯科宣言》所要求的。

第二，要充分批判南斯拉夫的修正主义。因为在这个时期南斯拉夫攻击我们最凶狠恶毒，而且是装扮成马克思主义的姿态来攻击我们的。所以我们要充分批判它的修正主义观点，这样也可以帮助苏联党、帮助赫鲁晓夫认识他们的错误。

第三，要高举马列主义的旗帜，高举1957年《莫斯科宣言》的旗帜，大力宣传马克思列宁主义，大力宣传毛泽东思想，充分发挥我们理论上、哲学上和政治上的优势。

第四，积极支持民族独立运动。对民族资产阶级应该采取又团结又斗争的政策，团结是目的，斗争要有理、有利、有节，要尽可能争取他们参加反对殖民主义、反对帝国主义的斗争。帮助这些国家的工人、农民、知识分子为争取和维护民族独立与世界和平而斗争。

最后，大家还强调说，归根到底还是要靠我们全党、全国人民团结在党中央周围，学习和运用毛泽东思想，学习和运用马列主义的基本原理，结合我国的实际情况，提高自己的水平，壮大自己的力量。这是反对修正主义浪潮的一个最重要的保证，也就是要把我们自己国内工作特别是内部团结搞好。

在会议的最后，毛主席做了一个发言，他讲得比较系统，主要讲了五点意见。

第一点，毛主席说，这次会议只在一个问题上做决定，就是决定1960年的国民经济计划。其他问题，关于国防战略问题，关于反对修正主义斗争的问题等等，都是交换意见，都不做决定。

第二点，毛主席说，大家还是要读书，要组织省、市、自治区的党委学习苏联出版的两本书，一本是《政治经济学》，一本是《哲学原理》。学习这两本书要第一书记挂帅。读这两本书的目的就是要把苏联的观点搞清楚，特别要从理论上搞清楚。这两本书里面不能说完全没有马克思主义，马克思主义也还不少，但是也不能说它基本上是马克思主义。

第三点，毛主席说，国内的形势是好的。国际的事情我们不能全管，因为我们不是艾森豪威尔、尼赫鲁、苏加诺、赫鲁晓夫的参谋长。我们只能管960万平方公里土地的事情。如果能在国际上发生什么影响的话，主要靠我们自己把国内工作做好，在中国这块土地上把事情办好。现在人家不大相信我们，这不是没有一定道理的。我们搞大跃进、人民公社才在摸索。我们对人家的意见不能大骂一顿了事，更不能打仗，要靠我们把国内的工作做好。

第四点，毛主席说，国际形势是好的，世界人民一天天觉悟起来。还有一点应该估计到，就是苏联不仅在经济上，而且在军事上是强大的。因为有这么一个重要因素，加上全世界各国人民和各国共产党的共同努力，世界大战现在是打不起来的。在这一点上，赫鲁晓夫是做了好事的，这是应该肯定的。赫鲁晓夫访美缓和了国际紧张局势，帝国主义现在不敢打大战，这一方面是好的。但是，另一方面他给美国搽粉，给艾森豪威尔搽粉，这一点是不好的。赫鲁晓夫不是利用好的形势来扩大社会主义的影响，而是给人家搽粉。当然，帝国主义也给赫鲁晓夫搽粉，也说他的好话。双方都搽粉，但是比较起来，讲原则的还是西方国家，还是艾森豪威尔他们搽粉是有分寸的，不是像赫鲁晓夫那样把艾森豪威尔捧上天。

毛主席说，赫鲁晓夫想控制我们，控制不行就整我们。他整了我们几下。我们党历史上受过多次整，也习惯了。挨整挨得多了也就不怕了。我们顶了他，结果还是顶住了。我们对苏联，包括对赫鲁晓夫本人，我们的政策还是团结的政策，这是我国人民根本利益所在，也是全世界人民根本利益所在。两个社会主义大国要团结。赫鲁晓夫虽然有缺点，但还是应该团结，而且是可以团结的。斯大林不是也整过我们吗？但是还是可以团结的。当然这两个人不能相提并论，但可以对赫鲁晓夫做工作。有关南斯拉夫的问题，我们给赫鲁晓夫写了一封信，讲明对南斯拉夫应该采取什么样的政策，他还是听了。毛主席说，有些事情可以事后给他讲，有些事情也可以事先给他讲。赫鲁晓夫很快就要访问印度，他很可能要插手中印边界问题。这对我们不利，对苏联也不利。所以应该通过外交部告诉他们，叫他对尼赫鲁讲，要同中国协商解

决问题。中印之间的问题我们不要别人来调停，我们跟印度直接打交道，直接协商解决问题。

毛主席说，赫鲁晓夫是不是系统的机会主义？这个问题我们暂时不做结论为好，因为赫鲁晓夫这个人善变。我们要看几年，他也要看我们。他有两怕：一个怕我们搞得他过不去，在这一点上我们需要照顾照顾；再一个怕我们给他戴机会主义的帽子，这一点我们现在不能说他是机会主义，更不能公开说。其实，我们和他的分歧是一个指头的事情，或者是一个小指头的事情，其他九个指头还是相同的。苏共还是好党，这个大前提现在还是应该肯定的。但不同的一个指头也要用正面讲道理的方式公开说清楚，可以用阐述《莫斯科宣言》的方法，把我们的一些观点明确地讲清楚。原则上我们要鲜明，但具体问题要策略一些，不要把话讲绝，要留有余地，要谨慎。对有些原则问题、理论问题，我们要讲就公开讲，不要放暗箭。赫鲁晓夫现在还不断地放暗箭，他越放暗箭越对他不利。应该公开讲清楚帝国主义本性难移，它的策略可以改变，但是它要消灭社会主义、共产主义的目的是不会变的。它要消灭一切革命力量，对这一本质问题要讲清楚。现在，我们跟赫鲁晓夫在这个问题上是有分歧的，我们赞成缓和紧张局势，我们赞成和平共处，但是我们不赞成给帝国主义涂脂抹粉。正面讲道理时不要同苏共、赫鲁晓夫公开争论，不点他们的名，不引用他们的话，但可以引用南斯拉夫人的话，用批评南方观点的形式讲清道理。

第五点，毛主席说，面对反华浪潮，我们要坚决顶住，也能够顶住。我们要准备顶它十三年。因为从我们离开延安到现在整整十三年，我们再顶它十三年，分三步：第一步顶三年，第二步顶五年，第三步再顶五年。不要有顾虑，要准备出大乱子。大不了就再回到延安。这一点我跟民主人士也讲了，大不了再从头来。我就不相信我们革命不成，一定会成的，因为我们的事业是符合绝大多数人民的利益的。赫鲁晓夫也是能顶的，顶了他就缩回去了。

毛主席说，我们总的方针还是团结的方针。我们全国要团结，同苏联要团结，同整个社会主义阵营要团结，同世界进步力量要团结。当然，同尼赫鲁也要讲团结，就是又团结又斗争，目的还是要团结他们反对帝国主义。只要帝国主义存在，就有战争的土壤，战争终究要在帝国主义消灭以后才能够说是可以避免的。在这个根源没有消灭之前，不能说是可以避免的。我们不要怕形式上的孤立，这种孤立是暂时的、形式上的。全世界绝大多数人民还是拥护我们的，拥护的人是会越来越多的，这是因为我们的事业符合他们的利益。

上海会议之后，中央政治局常委曾经开过好几次会。在会上一方面是根据上海会议精神，确定对苏联和东欧其他社会主义国家毫无例外地执行团结的方针，只对南斯拉夫进行批评。我们对南斯拉夫还是采取又“打”又“拉”的方针，现在“打”也就是批评，但是批评要注意有间歇性，不是那么老批下去，要有阶段性、间歇性，同时还要做南斯拉夫的工作。这是上海会议已经决定了的。这几次常委会上还是强调这一点，并指定中央宣传部组织起草文章，批评南斯拉夫党的错误观点，正面阐述与当前国际形势密切有关的若干马列主义基本原理，在纪念列宁诞辰 90 周年时发表。

这些常委会议还讨论和确定对美国还是继续同它在华沙举行中美会谈，方针是“谈而不破、谈而不速”。“谈而不破”就是我们不主动破裂，要拉住它谈。“谈而不速”就是建交问题不要急于求成，不要求速成，我们不能接受美国的条件，不能根据美国的条件来建交。当时中央同志认为，现在跟美国建交，条件不成熟，它不可能接受我们的条件，即不可能同意从台湾撤兵；它的条件我们也不能接受，即不能同意搞两个中国，拖几年建交对我们有利。用毛主席的说法，就是“把房子打扫干净以后，再让美国人进来”。这个方针概括地说就是“谈而不速”的方针。

对美国提出要我们放它几个间谍的问题，中央常委认为，将来再放，对现在已经逮捕的这些间谍还是要判刑。其中有一个在上海解放时留下来没有撤退的美国人，全名叫做杰姆斯·爱德华·沃尔斯，他操纵以上海主教梅龚品为首的叛国集团替美国人搞情报。当时梅龚品已经被判了刑。按照中国的法律，也要给美国人沃尔斯判刑。（后来，沃尔斯在 3 月中旬被判处有期徒刑 20 年。）

中央常委还讨论了解决长期历史遗留下来的中国和印度以及其他周边国家的边界问题。中央同志认为,要迅速跟他们解决边界问题,包括印度在内。对印度,还是要通过谈判,争取和平解决中印边界问题,原则上要互谅互让,我们做点让步,印度也做点让步,这样互相妥协,达成协议。为此,在适当时机,周总理将访问印度。对缅甸、尼泊尔、老挝,都要争取快点解决同它们的边界问题。至于中朝、中蒙的边界问题更要快点解决,问题也不大。中越边界问题,现在还不着急,因为越南还在跟美国人打仗,但是也要解决。中苏边界是最长的,从东段到西段有几千公里长的边界,这些边界过去又都没有完全划定,双方地图有许多出入,也要争取解决。把我们四周的边界问题都解决了,就稳定了我们跟邻国的关系。

以上这些是这几次常委会议中谈到的一些问题,其目的就是要努力主动地在外交上开创新的局面。

中央这些设想,后来部分地实现了。

缅甸总统奈温在1月底访问中国时,签订了双方边界协定,解决了中缅边界问题,同时还签订了中缅友好和互不侵犯条约。

尼泊尔首相柯伊拉腊3月初访问中国,在3月下旬签订了中尼边界和经济援助两个协定,解决了中国和尼泊尔的边界问题。

周总理在1月间写信给尼赫鲁,表示愿意和平解决中印边界问题。尼赫鲁在2月间表示同意。接着周总理再次写信给尼赫鲁表示愿意在4月间到印度去访问，商谈边界问题。

4月间周总理连续出访亚洲各国：4月15日到19日访问缅甸，19日到26日访问印度，26日到29日访问尼泊尔。接着在5月5日到5月9日访问柬埔寨，9日到14日访问越南，5月27日到6月1日访问蒙古人民共和国，签订了中蒙友好互助条约。陈毅同志在8月间又访问了阿富汗，签订了中国阿富汗友好互不侵犯条约。同朝鲜的边界问题，也在这一年的5月签订了边界协定，主要解决天池归中朝两国共用的问题，以白头山为标志来划分中朝两国边界。

在解决同周边国家的边界问题里，难的就是中印边界问题。周总理在4月19日到26日访问印度时，跟尼赫鲁谈了多次，但是尼赫鲁表现得很固执，不愿意根据互谅互让的原则来解决边界问题。按照我们原来的意图，我们在边界东段让一让，印度在西段让一让，这样来解决两国的边界问题。但是尼赫鲁提出，东段他要多占，西段他也要多占，他们军队已经驻扎的地方都算他的，还没有进驻的地方也算他的。这完全继承了英帝国主义过去的扩张主义衣钵。周总理虽然耐心、细致地说明我国的立场，但是没有得到印度方面的响应。这种情况同苏联的态度有关，也同美国的态度有关。

在亚洲展开活动的同时，我们对非洲、拉丁美洲也展开了活动，主要是加强民间的友好活动。所以在3月到

4月间，先后成立了中国和拉丁美洲友好协会、中国和非洲友好协会。

由于贯彻了中央的意图，积极主动地开展对亚洲、非洲、拉丁美洲的工作，得到各国的积极响应，从而开创了外交工作的新局面。

第二节　赫鲁晓夫开始行动

赫鲁晓夫在北京会谈不欢而散以后，回到苏联就开始实行他的所谓“和平计划”。10月31日他在苏联最高苏维埃会议上，打出他同西方互相让步的和平纲领。12月1日在匈牙利党代会上，他提出社会主义阵营和世界各国共产党要“对表”，就是说要大家向莫斯科看齐。

更严重的是，2月4日他在莫斯科召开的华沙条约国首脑会议上放肆攻击中国和毛主席。这次首脑会议是苏联要求所有社会主义国家支持它将在巴黎召开四国首脑会议和艾森豪威尔夏天访苏时的方针。在这个会上通过了一个宣言，主要是既吹捧赫鲁晓夫访美，又一致支持苏联参加在巴黎召开的英、美、法、苏四国首脑会议。

从一般原则来讲，我们也支持争取国际形势的缓和，首脑会谈总比不会谈好，只要他不损害各国人民的利益，是可以支持的。但是，问题是在这次华沙条约国莫斯科会议上，赫鲁晓夫先后两次对中国进行猛烈的攻击。一次是围绕中印边界问题，一次是把矛头直指毛主席。

根据代表团的报告，赫鲁晓夫在中印边界问题上完全偏袒印度，指责中国。他指责中国违背社会主义阵营和共产主义运动的利益。赫鲁晓夫说，中印边界冲突和放走达赖喇嘛，给印度共产党造成困难，使得印度共产党在喀拉拉邦竞选失败，又使尼赫鲁更加右倾，使得南亚和东南亚各国对社会主义国家产生不信任。他还明白宣布，他不相信印度是侵略者。但是他又表示，他不愿意研究这个问题的细节。他蛮不讲理地说，反正中国跟印度发生冲突就是中国不对。9月9日塔斯社声明是"帮助"中国的。

特别是在招待会上他喝一点酒后，大发脾气说，有人要苏联为首，可是"为首"能给什么呢？既不能给面包、黄油，又不能给道义、政治支持。他这个话当然是指中国了，因为主张社会主义阵营应该以苏联为首，是中国党在1957年莫斯科会议上提出来的。他这样讲，就是说中国党虽然提了以苏联为首，但是没有给他面包、黄油，在政治上、道义上也不支持他。他还说，共产主义只是一种形式，内容就是面包、黄油。并说我们讲以苏联为首，以赫鲁晓夫为首，为的是看着他犯错误，然后批评他。他还指责中国的批评尽是玩弄词句。

赫鲁晓夫在招待会上越骂越起劲，竟把矛头直接指向毛主席。他说，如果一个老头子不明智，等于是一双破套鞋(按：指苏联人在下雪天穿的那种长筒套鞋)，实际上是摆在那个角落里当废品，没有用处。赫鲁晓夫这次大放厥词，他说出了他内心的想法。他说，“过去(指1956年和1957年)你们的声音对我们来讲是非常重要的，现在我们要走我们自己的路了。”在赫鲁晓夫看来，现在他的地位已经巩固，他说了算，不在乎中国对他支持还是不支持了。

在华沙条约国首脑会议之后，赫鲁晓夫接着在2月间到印度、印度尼西亚访问。在这之前，艾森豪威尔在1959年12月的亚洲之行也曾访问印度，支持尼赫鲁采取固执的反华立场。赫鲁晓夫访问印度和印度尼西亚的时候，正是这两个国家反对中国的浪潮高涨的时候。当时在印度的议会里、报纸上吵吵嚷嚷，就达赖喇嘛问题和中印边界问题，对中国进行大肆攻击。在印尼，印尼的反华分子发动一个驱逐华侨、迫害华侨，特别是迫害华侨商人的运动，中国和印尼的关系非常紧张。

在这个时候赫鲁晓夫到那里去访问，很明显地可以看出，赫鲁晓夫在推行他的“和平计划”，双管齐下，一方面把东欧的社会主义国家拉在一起，来促成他跟西方举行四国首脑会议；另一方面千方百计地打击、孤立中国。这在当时已经明显露出这样一个趋向了。

2月22日，毛主席召集政治局常委在颐年堂开会，讨论赫鲁晓夫在华沙条约国首脑会议上对我们的攻击。

当时中央同志认为，赫鲁晓夫在华沙条约国首脑会议上的表现，以及他后来所采取的行动，是一个很重要的标志，说明他为着要追求跟西方达成妥协，他要迁就西方，要以反对中国来讨好西方。他的这个姿态，像他过去访美之前发表塔斯社声明和废除供应中国原子弹样品协议一样，都是为着讨好西方。同时也还有另一种企图，就是把中国的威信打下去，使中国不能够反对他准备对西方所做的让步。中央认为，我们要认真对待这个问题。会议确定，要加快实施原来在上海会议之后考虑过的一系列打开外交局面的外交行动的设想，以对付世界范围的反华浪潮。

中央政治局常委会议还确定，对赫鲁晓夫的反华也要准备必要的反击。

3月初，毛主席主持政治局会议，决定周总理访问缅甸、印度、尼泊尔等国家。会议还决定要收集列宁有关帝国主义、战争与和平、无产阶级革命和无产阶级专政、殖民地半殖民地革命等问题的文章编成小册子，在列宁诞辰90周年的时候发表。在编辑小册子的同时，要按上海会议的布置，根据列宁的观点，加紧撰写文章，阐述关于时代、关于战争与和平、关于无产阶级革命和无产阶级专政等问题。为纪念列宁诞辰90周年，要举行隆重的纪念大会，同时发表纪念列宁的文章，从正面阐述列宁的观点，回答现代修正主义对列宁的观点的歪曲、篡改和阉割。

当我们正在准备起草纪念列宁的文章的时候，3月23日早上，我在北京接到通知，要我到天津去，说政治局常委要在那里开会。

我跟胡乔木、陈伯达、康生，分乘两辆汽车到天津。我们没有进入天津市区，而是在天津郊外飞机场的铁路支线旁停下来。在这个支线上正停着毛主席的专列。我们上了专列，刚在房间歇下来，就通知我们下午两点钟开会。

这个专列有 12 个车厢。主席专用两个车厢，一个是办公室和卧室合在一起的，另一个是餐车，开会用的。少奇同志、总理、小平同志都是每人一个公务车，办公室带卧室。我们四个人和一些政治局委员，每人一间包厢。这种包厢也比较特别，只有一个床，一个沙发，两人共用一个洗漱间。

这次会议本来是讨论人民公社的问题，特别是城市人民公社的问题，但在会议过程中，主要是谈了两个问题，一个是中苏关系，批判修正主义观点的问题；再一个是少奇同志提出、毛主席赞成的，就是要把宣传毛泽东思想和宣传马克思列宁主义联系起来。

会议一开始，少奇同志就提出，毛泽东思想实质上就是坚持和发展了马克思列宁主义，不能把毛泽东思想同马克思列宁主义割裂开来。我们在对外宣传的时候，应该强调坚持马克思列宁主义，这个旗帜应该高举起来，这是一个非常严肃的、有重大原则意义的问题。

小平同志提出，以后我们谈到马克思列宁主义和毛泽东思想的时候，在国内一般可以提“马克思列宁主义、毛泽东思想”。这样提就把两个联系起来，不是两个东西，中间一个顿点，就是表明互相有联系的。

对这个提法，毛主席赞成。他说，好呀，我们要做得比较妥当一些。这个提法比较确切，免得别人误解我们要把我们的“香肠”出口到外国去。他还说，我们不搞革命输出，我们在国内宣传可以谈毛泽东思想，但对外宣传我们不提毛泽东思想，我们只提马克思列宁主义。我们在批判现代修正主义的时候，要特别注意到这一点。

接着，毛主席说，所以把你们几个秀才都找来，主要是把这个问题说清楚。你们在写文章的时候，要注意掌握这个精神。少奇同志说，我们讲毛泽东思想，就是讲马克思列宁主义的普遍真理和中国革命的具体实践相结合，一贯的提法是这样的。毛泽东思想是属于整个马列主义体系里面的，但它是结合中国的实际和国际工人运动的实际，对马克思列宁主义有所发展。我们不要求人家接受我们对毛泽东思想的提法，我们对外宣传还是提马克思列宁主义。他还说，这个问题要发个通知，全国宣传上口径要一致，特别是在宣传马列主义、反对修正主义的时候。

会议接着讨论中苏关系问题。

议论从毛主席的一个批语谈起。这个批语是毛主席在我国驻巴基斯坦使馆发回的一份电报上写的。这个电报是讲我国在巴基斯坦办展览会的情况。电报里边讲到我们办的展览受到巴基斯坦人民的热烈欢迎，参观的人非常踊跃。毛主席3月22日(即天津会议前两天)在这个材料上批了很长一段批语,题目叫做《关于反华问题》。主席写道:“所谓大反华,究竟是一些什么人,有多少人呢?不过是一些西方国家的帝国主义分子,其他一些国家的反动派和半反动派,国际共产主义运动中的修正主义分子和半修正主义分子,以上三类人,估计总共只占全人类的百分之几,例如说5%吧,最多不过占10%。”“而有24倍3000万人是拥护我们的,或者是不反华的,或者是暂时被敌人欺骗对我们表示怀疑的。”这种情况,就“如同1949年以前在中国发生的情形一样,国民党制造谣言,说共产党杀人放火,共产共妻,多数人不相信,一部分人表示怀疑”。“巴基斯坦的情况,就是这样一种情况。印度的情况也是如此,真正反华的,不过是一小撮人。在新德里展览的各国农业馆,在所谓大反华空气中展出,到中国馆参观的人民群众达350万人之多,超过任何国家的农业馆。”毛主席说:“我劝同志们,对西方国家的帝国主义分子,其他国家的反动分子半反动分子,国际共产主义运动中的修正主义分子半修正主义分子,对于所有这三类分子,要有分析。第一,他们人数极少。第二,他们反华,损伤不了我们一根毫毛。第三,他们反华,可以激发我们全党全民团结起来,树立雄心壮志,一定要在经济上和文化上赶上并超过最发达的西方国家。第四,他们势必搬起石头打到他们自己的脚上,即是说,在90%以上的善良人民面前,暴露了他们自己的丑恶面目。”毛主席还说:"他们反华,对于我们说来,是好事,不是坏事,证明了我们是真正的马克思列宁主义者,证明了我们的工作做得还不错。对于他们说来,是坏事,不是好事,是他们的不祥之兆。"毛主席举了中国的例子说:"蒋介石一反共,他就倒霉了,1946 年全力大进攻,只有三年半,他就被人民打垮了。这件事是人人明白的。现在的外国人反华,不过空口骂我们几句,并没有动手打。假如他们要动手打我们的话,也一定逃不脱蒋介石、希特勒、东条英机的结局。"毛主席又说:"他们不是反华,而是拥华、亲华,称赞我们,给我们讲好话,那将置我们于何地呢?"我们岂不是成了背叛马列主义、背叛人民的修正主义者了吗?"各国坏人半坏人反华,不是每天都反,而是有间歇性的,有题目可借的,例如西藏问题和中印边界问题,他们就反一阵。这个题目也不能永远借来反华,因为他们亏理,90%以上的人不相信他们的话,每天反下去,他们就越站不住脚。美国和我们的仇恨结得大一点,但也不是天天大反其华,也有间歇性。其原因也是因为无理由地天天大反,听众感觉讨厌,市场缩小,只好收场。过一个时期另有新题可借,再来掀动反华。"毛主席说:"不但现在有较小的间歇性,而且将来会有较大的间歇性,看我们的工作做得怎么样。"

毛主席最后说:"我劝同志们利用巴基斯坦这件材料,想一想我们的任务,想一想我们的工作,想通这个所谓大反华问题的性质和意义,做出充分的精神准备,准备着世界上有10%左右的人长期地,但是间歇地反对我们。所谓长期,至少要打算10年,甚至会有整个20世纪的后40年。如果给我们40年的时间的话,那时候世界情形将起大变化……总之,一切问题的中心在于我们自己的团结和自己的工作都要做得好。”

毛主席关于反华问题的这个批语,也印发给在专列上参加会议的同志。当时到会的除了少奇同志、总理、小平同志以外,还有彭真同志、李富春同志、薄一波同志、谭震林同志,还有天津的黄火青同志。此外,还有廖鲁言和我们一起到天津去的四个人。会议从毛主席的关于反华问题的批语谈起,着重讨论了中苏关系,特别是乘纪念列宁90诞辰之机发表反修文章问题,要求加快准备和增加文章。然后会议又讨论了1960年的经济计划和人民公社问题。

这次会议实际上是常委扩大会,只开了两天,就是3月24日和25日,到25日晚上就结束了。会议结束的当天晚上,我们到天津市住了一夜,第二天回到北京。

第三节 纪念列宁的文章

回到北京后,我们根据中央政治局常委的指示,加快纪念列宁的文章的起草工作。我们分头准备三篇文章:一篇是由乔木同志领头、我协助起草的《人民日报》社论;

另一篇是《红旗》杂志编辑部文章，由陈伯达领头，《红旗》杂志几位副总编辑帮助他准备；还有一篇是准备在纪念列宁诞辰90周年大会上的讲话，这个讲话由陆定一同志讲。他当时是政治局候补委员、书记处书记，又是中央宣传部部长。所以这篇讲话就由中央宣传部的同志协助他准备。

4月初，邓小平同志主持书记处开了两次会议，讨论这些文章的初稿，同时也讨论了编辑列宁文章小册子的问题。关于纪念列宁的文章，首先要考虑的是要集中讲哪几个问题。当时会上就确定要讲清七个方面的问题：

第一，要讲世界形势，要对世界形势作分析；讲新技术——核武器出现以后，世界形势有什么变化，什么变了，什么没有变，现在是什么时代，新时代是什么样的时代。因为修正主义观点中的一个重要的问题是认为时代变了。

第二，要讲列宁主义是不是过时了。因为修正主义讲列宁主义过时了，我们要明确回答：在当今这个时代，列宁主义没有过时。

第三，要讲马克思、列宁的革命学说。

第四，讲战争与和平的问题。

第五，讲帝国主义的本性变了没有，要讲清楚维护和平和反对帝国主义的关系。

第六，讲革命斗争和议会斗争的问题。这里面牵涉到和平过渡的问题，对这个问题要根据1957年莫斯科会议时，我党的备忘录的观点来讲。

第七，是反对修正主义和教条主义的问题。

大家认为，在纪念列宁的文章中一共要讲这么几个问题，但是在这里面还要注意，要坚持团结的方针。因为我们不是反对苏联提出的缓和国际紧张局势的口号。所以对苏联正确的东西，我们还是要表示支持。我们批判还是着重批判南斯拉夫的观点，指出主要危险是修正主义。要注意革命的原则性和策略的灵活性相结合。

这些问题讨论完以后，又讨论了三篇文章的适当分工。因为当时三篇文章的初稿中间重复比较多。书记处会议确定：《人民日报》的文章着重分析当前形势，不多谈理论问题，着重讲现代维护和平的斗争和反对美帝国主义为首的侵略和战争势力，揭露美帝国主义。因为这是现实世界和平的一个要害问题。陆定一同志的文章着重讲无产阶级革命和无产阶级专政的学说，有针对性地批判一些反对革命的观点，批判和平过渡的观点，坚持列宁的革命学说。《红旗》杂志编辑部的文章偏重于理论上的阐述，把列宁有关这些问题的观点，特别是无产阶级革命和无产阶级专政的观点说清楚，从时代问题讲起，说明列宁主义并没有过时。

对三篇文章作了分工以后，就分头进行修改。

后来在毛主席家里开政治局常委会的时候，小平同志把书记处开会时谈的这些意见向常委们汇报。少奇同志、周总理赞成纪念文章讲这些问题，也赞成三家做这样的分工。毛主席也表示赞成。毛主席说,主要的是我们要充分说理,对我们要跟他辩论的人要区别对待,而且要留有余地,特别是对好心、善意的人,或者思想方法上有形而上学思想的人,也还是把他看成是我们的朋友,这样来同他说理。集中批驳的是南斯拉夫的修正主义观点。对苏联人的观点,我们不要直接引用,特别是不要引用赫鲁晓夫本人的讲话。

因为一个时期来,在赫鲁晓夫访美以后,苏联在整个宣传上大讲“三无”世界。“三无”世界是赫鲁晓夫在1959年12月30日回答阿根廷《号角报》社长提出的问题时讲的。他说:“要实现没有武器、没有军队、没有战争的世界。”也就是无武器、无军队、无战争的“三无”世界。根据这个总的目标,苏联报刊长篇大论,一篇又一篇地宣传和平共处、和平竞赛、和平过渡。其实,这些观点南斯拉夫的报刊早都讲过了,现在苏联又大讲特讲,把这些观点散布得这么广、影响这么大,造成了整个国际共产主义运动的思想混乱,所以必须回答。

毛主席在会上强调,在文章论辩中,可以泛泛提出要批判的观点,具体的只引南斯拉夫报刊的观点,要留有余地。苏共还是我们团结的对象,不要直接批它。但是我们这么批评,可能促使他们也考虑考虑自己讲的对不对,可以起抑制的作用。

根据中央的指示,我们分头对三篇文章作了较大的修改,在纪念列宁90诞辰时一同发表。

《人民日报》编辑部文章，主要是讲中国人民在纪念列宁的时候有三个方面的任务。一个是建设社会主义，一个是争取世界和平，一个是团结国际友人。在这篇文章里讲这三个任务时，重点放在争取世界和平。而争取世界和平就需要反对美帝国主义为首的侵略和战争政策。所以文章把重点放在揭露美帝国主义这上面，列举了美帝国主义在戴维营会谈之后进行的一系列的事实，一共列举了35件事例，充分揭露美国还是继续执行它的侵略和战争政策、扩军备战政策。社论着重阐述为了维护世界和平，首先要对美帝国主义的侵略和战争政策进行斗争。社论针对当时不仅南斯拉夫，连苏联都在大讲美国爱好和平、艾森豪威尔爱好和平，着重揭露美帝国主义，最后落到要团结世界一切爱好和平的力量，首先是团结社会主义阵营，来反对美国帝国主义的侵略和战争政策。

陆定一同志的讲话，是在中共中央举行的纪念列宁诞辰90周年大会上讲的。这个讲话着重讲了列宁的革命精神，指出列宁的精华就是他的革命精神，在取得革命胜利之前是如此，在取得革命胜利以后也是如此。讲话突出地阐述无产阶级革命和无产阶级专政的学说。这篇讲话的警句就是："修正主义由害怕战争进而害怕革命，由自己不想革命进而反对人家革命。"讲话指出：现代修正主义是帝国主义政策的产物，它们被帝国主义的核讹诈政策吓破了胆，自己害怕战争，也害怕革命，害怕由革命引起战争。它自己不想革命，也反对人家革命，既反对资本主义国家人民革命，也反对殖民地半殖民地国家人民革命。

《红旗》杂志编辑部文章的题目为《列宁主义万岁》。它从时代讲起，指出：虽然新技术的发明，核武器的出现，有重大意义，但是，时代并没有变，现在还是帝国主义和无产阶级革命的时代，因此列宁主义并没有过时。它论述暴力、革命、战争与和平的关系、和平共处的政策与和平过渡的区别等问题，回答了列宁主义是否过时。文章最后的结论是要坚持列宁主义的旗帜，坚持列宁的革命学说。

这三篇文章都集中对美帝国主义，对南斯拉夫的观点进行揭露和批判，并没有引用赫鲁晓夫和苏联报刊的话，连赫鲁晓夫最得意也最能代表他的思想的“没有武器、没有军队、没有战争”的话也没有引用，而且好几处肯定了以赫鲁晓夫为首的苏共中央领导下，苏联人民建设社会主义的伟大成就，肯定了以苏联为首的社会主义阵营的团结。三篇文章高举团结的旗帜，每篇的末尾都强调要加强团结，团结全世界所有爱好和平的力量，反对以美帝国主义为首的帝国主义阵营的侵略和战争政策；强调各种爱好和平力量的联合斗争，抵制美帝国主义的挑拨。

后来这三篇文章印成小册子，用《红旗》杂志编辑部文章的题目——《列宁主义万岁》做标题，印成中文、英

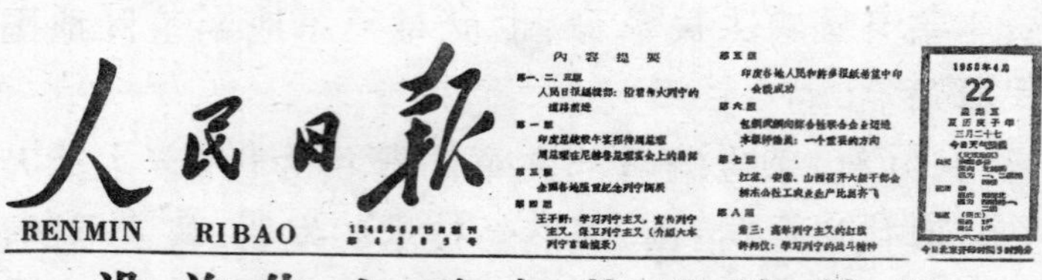
人民日報
RENMIN RIBAO

内容提要

第一、二、三版
人民日报编辑部：沿着伟大列宁的道路前进

第一版
印度总统敬午宴招待周总理
周总理在尼赫鲁总理宴会上的讲话

第三版
全国各地隆重纪念列宁诞辰

第四版
王子野：学习列宁主义，宣传列宁主义，保卫列宁主义（介绍六本列宁言论摘录）

第五版
印度各地人民和许多报纸希望中印会谈成功

第六版
包钢武钢向鞍钢各钢联合企业迈进
本报评论员：一个重要的方向

第七版
江苏、安徽、山西召开六级干部会
蒋木公社工农业生产比翼齐飞

第八版
肖三：高举列宁主义的红旗
许梦侠：学习列宁的战斗精神

1960年4月
22
星期五
夏历庚子年
三月二十七

沿着伟大列宁的道路前进

人民日报编辑部

在列宁的革命旗帜下团结起来

——1960年4月22日在列宁诞生九十周年纪念大会上的报告

陆定一

同志們、朋友們：

今天，4月22日，是伟大的列宁诞生九十周年。

列宁是继马克思、恩格斯之后，全世界无产阶级、劳动人民和被压迫民族的伟大革命导師。列宁在帝国……

……强大的社会主义国家。在第二次世界大战中，苏联成为打败法西斯侵略的主力，帮助东欧各国的人民赢得了自己的解放，帮助亚洲各国的人民打败了日本帝国主义，大大地促进了无产阶级革命事业和民族解放事……

……作出新的分析。不是别人，正是伟大的列宁，他执行了这个任务。（鼓掌）

列宁深刻地分析了帝国主义的本质，彻底地驳斥了……

……二国际机会主义者，被帝国主义"强大"的外表吓破了胆，接受了资产阶级的收买，为帝国主义服务。他們按照帝国主义的利益，在工人群众和人民群众中……

红旗 半月刊

中国共产党中央委员会主办

★一九六〇年第八期★

目录

列宁主义万岁

——纪念列宁诞生九十周年

红旗杂志编辑部

一

今年四月二十二日，是列宁诞生的九十周年。

在列宁诞生后的第二年，即一八七一年，出现了英勇的巴黎公社起义。巴黎公社是一个划时代的伟大革命，是无产阶级企图推翻资本主义制度的具有全世界意义的第一次演习。当公社因凡尔赛的反革命进攻而临近失败的时候，马克思说："即使公社被搞垮了，斗争也只是延期而已。公社的原则是永存的，是消灭不了的；在工人阶级得到解放以前，这些原则将一再表现出来。"①

什么是公社的最主要的原则呢？按照马克思的说法，那就是，工人阶级不能简单地掌握现成的国家机器，并运用它来达到自己的目的。换句话说，无产阶级应当采取革命手段，夺取政权，粉碎资产阶级的军事官僚机器，建立无产阶级专政以代替资产阶级专政。熟悉无产阶级斗争历史的人們都知道，正是在这个根本问题上，划清了马克思主义者同机会主义者、修正主义者的分水岭，而在马克思恩格斯逝世之后，正是列宁，他为了保卫公社的原则，对机会主义者、修正主义者进行了完全不调和的斗争。

巴黎公社没有得到成就的事业，经过了四十六年，终于在列宁直接领导下的伟大十月革命中取得了胜利。俄国苏维埃的经验是巴黎公社经验的继续和发展。为马克思恩格斯不断阐明、而为列宁根据俄国革命的新经验加以充实的公社原则，首先在地球六分之一的土地上，变成为活生生的事实。马克思说得完全正确：公社的原则是永存的，是消灭不了的。

帝国主义的强盗们企图扼杀新生的苏维埃国家，联合当时俄国的反革命势力，进行了武

① "马克思关于巴黎公社的一次谈话"

1960年4月为纪念列宁诞辰90周年，《人民日报》、《红旗》杂志发表的三篇文章。

文、俄文、德文、日文、法文公开发行,引起了很大反响。

由中央编译局和中央宣传部共同编辑了好多本列宁言论的小册子,其中有关于帝国主义的,关于战争与和平的,关于无产阶级革命和无产阶级专政的,关于殖民地和半殖民地民族独立运动的,等等。每一个题目编成一本小册子。这些小册子编出来以后,在列宁诞辰90周年的时候也出版发行了。

《列宁主义万岁》三篇文章重申了列宁革命学说的基本原理。我们原先以为,公开发表以后会得到列宁的故乡以及整个国际共产主义运动的积极反应,会使他们认真思考当前的世界形势和根据形势应该采取什么样的方针、政策,以及怎样来维护列宁的革命学说,维护马克思列宁主义的基本原理。

正是出于这样的考虑,三篇文章发表后,4月26日中央政治局常委在毛主席家里开会时决定,从现在起,除了一般的国际问题照常发表我们的意见以外,有关现代修正主义的问题要暂停发表文章。毛主席提出,帝国主义反华有它的间歇性。一个战役和一个战役之间应该有间歇,这是军事学上的一般原理。那么,在政治斗争中也有这个问题,不能老是紧张下去,天天都那么斗,应该有个间歇,波浪式地发展。一张一弛,文武之道。应该停一个时期,看看各方面的反应,无论是美国的或是苏联的,都要看看它们有什么反应。毛主席说,人家反华有间歇性,我们反美反修也要有间歇性。但是,我们要充分准备,准备在十年或者更长的时间内这样的斗争反反复复、打打停停。

因此,我们的报刊都按照中央的这个指示,暂停发表有关反修的文章。

第四节　首脑会议流产

在我们发表了《列宁主义万岁》三篇文章之后的第八天,也就是5月1日,发生了美国U-2间谍飞机侵入苏联领空事件。这一事件发生在美、英、法、苏四国准备在巴黎召开首脑会议的前夕,引起了轩然大波。

当苏联公布了美国U-2间谍飞机入侵苏联和苏联政府向美国提出抗议之后,新华社和《人民日报》马上转发了苏联政府的抗议。《人民日报》还发表了评论,支持苏联政府谴责美国的挑衅。这件事情我虽然事前没有请示中央,但是我认为这与4月下旬中央常委确定的方针相符合。所以在书记处开会的时候,认为我们这样做是对的。

U-2飞机事件成了5月4日小平同志主持的书记处会议议论的主题。(当时毛主席在南方,少奇同志在视察西北和西南,周总理访问东南亚,因而没有召开政治局会议。)大家议论纷纷,差不多一致认为,赫鲁晓夫向美国提出强硬抗议,既有内因,也有外因。从内部来讲,苏联是忍受不了这样的欺负,美国人一边说要开首脑会议、缓和国际紧张局势,一边又派飞机入侵苏联领空,使苏联人感到受了侮辱。当时苏联报刊都有这样的反映。外部的影响就是当时世界舆论大哗,包括西方国家、美国舆论在内,大多数认为这件事情做得实在太愚蠢。在这种情况下,赫鲁晓夫对这件事不能忍气吞声。尤其是这件事情是发生在我们发表《列宁主义万岁》这三篇文章之后,赫鲁晓夫感到不能在美国面前表示软弱。

会上大家也谈到,《列宁主义万岁》这三篇文章发表的时机实在好。我们这些文章对列宁观点的论证,证明他的理论具有强大的生命力,证明列宁讲的帝国主义的本质、世界战争的根源、帝国主义两手等观点没有过时。我们阐述的这些观点,恰恰在U-2飞机事件中得到现实政治的证实。当然,我们在4月间并没有想到美国竟然会在这个时候派飞机入侵苏联,但是美国的帝国主义本性难改,这一点是我们论定的。U-2飞机事件是个偶然事件,但是偶然中包含着必然。

对事件发展的前途会怎样,大家在会上也进行了议论,估计有两种可能:一种可能是艾森豪威尔敷衍一番,还是召开四国首脑会议;另一种可能是艾森豪威尔根本不买账,对苏联的抗议不予理睬。在这种情况下,赫鲁晓夫或者忍气吞声,依然到巴黎去参加四国首脑会议;或者是“愤怒的杯葛”,拒不参加巴黎四国首脑会议。当时估计赫鲁晓夫采取后一种的可能性较大,因为美国既然不理睬，他还去参加四国首脑会议，这在全世界面前实在是太难堪了。

我在会上提出，赫鲁晓夫在最高苏维埃会议上发表讲话，强烈谴责美国 U-2 飞机事件，《人民日报》发表这篇讲话时版面怎么安排？小平同志说，这没什么需要多考虑的，应放在第一版显著位置，但也不必当头条。同时把艾森豪威尔的态度也发表，针锋相对，看以后会怎样发展。

5 月 16 日，赫鲁晓夫仍然按原计划从莫斯科到巴黎，准备参加四国首脑会议。但他在到达巴黎时发表声明，要美国对 U-2 飞机侵入苏联领空事件公开道歉，并且保证以后不再发生这样的事件。如果做不到这一点，苏联政府将重新考虑对召开四国首脑会议的态度。声明态度强硬，差不多是给美国政府的最后通牒。

5 月 15 日，毛主席电话请刚刚访问越南回到南宁的周总理飞武汉，商量当前国际局势。毛主席在 16 日同周总理谈了一个上午。周总理 5 月 17 日回到北京，当天下午就在由邓小平同志主持的政治局会议上传达了毛主席如下的意见。毛主席指出，赫鲁晓夫硬起来了，虽然不必到巴黎发表这个声明，可以在莫斯科发表，看看反应，然后决定是否去巴黎。现在事情似乎很僵，要艾森豪威尔公开道歉办不到，这是明摆着的。因为他已经说过派出那架 U-2 飞机是经过他批准的。堂堂一个美国总统，会自己打自己的嘴巴吗？四国首脑会议看来开不成了，流产了。在这个事件上,赫鲁晓夫做对了。我们要给予支持,要在天安门广场开群众大会支持苏联。不过,他说要重新考虑对四国首脑会议的态度,不知是什么意思?是拒绝参加?还是延期召开?毛主席嘱周总理回京向政治局报告后,看赫鲁晓夫如何行动再决定。但宣传上大造声势,支持赫鲁晓夫,抨击艾森豪威尔,要继续做。

周总理传达后,会议讨论毛主席意见,决定宣传多发评论,支持苏联,揭露美国,还决定一俟巴黎情况明朗,四国首脑会议流产,即在天安门广场召开100万人以上的群众大会,要北京市紧急布置。

第二天,各外国通讯社纷纷报道艾森豪威尔于5月17日发表声明,断然拒绝赫鲁晓夫的要求。赫鲁晓夫愤然离开巴黎返莫斯科。这样,熙熙攘攘了一阵子的四国首脑会议流产了。

5月20日,北京天安门广场召开了有120万人参加的示威游行群众大会,朱德委员长、宋庆龄副主席、周总理、邓小平等党和国家领导人都出席了。群众情绪激昂,空前热烈。

5月21日至22日,毛主席在杭州趁同金日成会谈之机,召开了政治局常委会。毛主席是21日会见金日成的,他也是因巴黎四国首脑会议流产来华同我党中央交换意见的。这是中朝两党高层领导在苏共“20大”后,第一次交换两党同苏共关系的意见。金日成同志很称赞我们的两论无产阶级专政的历史经验,也认为比《列宁主义万岁》三篇文章写得好。22日,毛主席召集常委会议,主要讨论四国首脑会议流产和对赫鲁晓夫的看法。刘少奇同志这时也从武汉赶到杭州,周总理和邓小平同志则从北京陪同金日成同志飞抵杭州。在杭州休养的陈云同志参加了会议。

我没有去杭州参加常委会议,我知道的情况是小平同志回京后在中央书记处会议上传达的。据小平同志说:

会议讨论了四国首脑会议流产,大家一致认为,赫鲁晓夫这次做得对,在艾森豪威尔拒绝道歉的情况下,只有拒绝参加。但赫到巴黎才提出条件,说明他对开会还抱有一定幻想,对艾森豪威尔的"同我们一样爱好和平"还抱有一线希望。我们党的方针是不反对缓和紧张局势,也不反对举行四国首脑会议,如果能达成某些协议,这当然好,如果达不成协议,也可以揭露帝国主义反对缓和。问题在于对帝国主义绝不可以抱不切实际的幻想。赫鲁晓夫有时在这方面做得过分了。帝国主义有时也称赞赫鲁晓夫,但总是比较有分寸的,而赫鲁晓夫则把人家吹捧得天花乱坠,太没分寸了。四国首脑会议流产不等于马上打大战,美国本身没有准备好,英法不愿意,苏联的国力是不可轻视的。看来,首脑会议的条件现在还不成熟,西方还没有到非作点妥协不可的程度;而世界大战,目前条件也不具备,打不起来。

小平同志在传达毛主席对当前形势的分析时说,社会主义和帝国主义的关系，一种是战争，即帝国主义发动大战，双方处于战争状态；另一种情况是比较缓和，就是社会主义国家和帝国主义国家和平共处。若和平共处，不是没有纠纷，没有冲突，只是表现为比较缓和的形式。除了这两种情况外，还有一种情况是冷战共处。第二次世界大战以后，大多数时间是冷战共处，双方剑拔弩张，有局部战争，如朝鲜战争，印度支那战争，中东战争等，但没有打起世界大战。冷战共处的形势也不是一直很紧张，有时高一阵，有时低一阵。我们的方针是争取缓和，同帝国主义和平共处，即使冷战共处也比打大仗好。我们能争取10年、15年也好，更长的时间更好，使我们能把我国的建设搞好。第二次大战结束到现在已有14年，这是两次大战中的间歇期，也就是冷战共处时期，这个时期延长得越久越对我们有利。

小平同志说，毛主席还对赫鲁晓夫作了分析。赫鲁晓夫这个人有两面性，你看，去年他在戴维营会议后把艾森豪威尔捧上天，这次为了U-2飞机事件，他们两人对骂起来了。很难设想强大的社会主义苏联的首脑会一下子向美国总统下跪。但应该看到，赫鲁晓夫以美苏合作主宰世界的基本想法没有变，他这次以强硬的姿态同艾森豪威尔对抗，实在是因为美国派U-2飞机入侵苏联，把赫鲁晓夫置于非常难堪的地位。他只能强硬对待，不能示弱，否则对苏联人民交待不过去，对社会主义国家人民和世界人民交待不过去，他要垮台。无论如何，这次他做了

好事，我们应当大力支持。天安门广场上百万人民群众示威游行做得好。理应如此，我们是识大体顾大局的。

据小平同志说，会议上大家一致认为我们发表《列宁主义万岁》三篇文章很适时也很有力量，使得赫鲁晓夫不能不有所顾忌。毛主席说，我们的文章有影响，但对赫鲁晓夫这样的人，很难说影响有多大。对赫鲁晓夫，正面教育可以起点作用，但有限，他至今仍说 1957 年 1 月间总理给他们“上大课”，仍耿耿于怀。对他能起较大作用的是反面教员，像艾森豪威尔、阿登纳这样的人。毛主席认为，从这两年间的情况来看，赫鲁晓夫在重大问题上，他的倾向是修正主义的，但也不能说他在所有问题上是彻头彻尾的修正主义，不好说他的修正主义已经完全形成了。但总的来说，可以说他是半修正主义(这是毛主席第一次明确说赫鲁晓夫是半修正主义)。毛主席说，赫鲁晓夫是一个资产阶级式的政治家，而且是一个不甚高明的资产阶级式的政治家，同这个人相处比较困难。我们从他搞掉贝利亚、莫洛托夫、马林科夫，现在又搞掉伏罗希洛夫，连波斯别洛夫这样一个书生也容不了，都要排挤，同此种人怎能共事呢？至于中苏关系，时好时坏，反复无常，1954 年还比较好，1956 年就不行了，1957 年好一点，1958 年又不行了，就是这么反反复复，不好相处。这个人不可信赖。他和我们签订了原子技术合作协定，他突然单方面撕毁了。就是说，他想怎么干就怎么干，不讲什么条约、协议，是很难信赖的人。当然，他做得对的，我们还是表示支持；做得不对的，我们就要反对。现在是内部批评，不公开指名骂他，用今天正面表态的办法讲道理。将来说不定要公开批评，但我们绝不为天下先。

小平同志传达完以后，嘱咐人民日报社、新华社和广播电台要按照杭州会议上毛主席的指示行事，密切注视四国首脑会议流产后形势的变化。

第五节　建议和反建议

在四国首脑会议流产后不久，苏共中央 6 月 2 日给我党来信，建议利用 6 月间罗马尼亚工人党第三次代表大会的机会，在布加勒斯特举行社会主义国家共产党和工人党代表会议，就美国破坏四国首脑会议后的国际形势交换意见。

小平同志在 6 月 4 日主持书记处会议，讨论苏共中央来信。大家比较一致的意见认为，四国首脑会议之所以流产，苏联之所以采取强硬的态度，首先是因为苏联国内对 U-2 事件反应非常强烈，认为苏联受到了欺负，这口气咽不下去。其次是美国起了很好的反面教员的作用。美国用它的行动证明，它搞的并不是什么缓和国际紧张局势，而是制造紧张局势。再有就是我们《列宁主义万岁》这三篇文章有影响，使得赫鲁晓夫不能轻易对美国做出让步。在美国拒绝他的声明之后，赫鲁晓夫无法转圜，他只能采取拒绝开会的办法,愤然回国。

对于苏联6月2日来信中提出要开社会主义国家共产党和工人党代表会议的问题,中央书记处的意见是:

第一,我们跟赫鲁晓夫之间有共同点,有共同点就可以开会。在苏共中央的信里有这么一句,说1957年《莫斯科宣言》还是正确的。而赫鲁晓夫对巴黎四国首脑会议的方针也还是对的。在这一方面有共同点,就可以求同,对赫鲁晓夫表示支持。

第二,估计苏共要开会,意在保驾。在赫鲁晓夫遇到这样困难的时候,我们可以给他保驾。如果赫鲁晓夫现在垮台,苏联社会乱起来,这对大局不利。我们希望苏联比较稳定。我们认为他是个半修正主义,还不是完全的修正主义,也不是没有变好的可能。因此可以保驾。问题是如何保驾,在什么基础上保驾。

第三,苏共要开这次会议,有两种可能。一种可能是共同对敌,根据四国首脑会议流产以后的形势,加强社会主义国家的团结,共同对付美国。但是,还要估计到另一种可能,这就是赫鲁晓夫认为我们捣乱,干扰他同西方妥协,认为中国不跟他"对表"。他可能打着团结的旗帜来整我们。要估计到有可能他们是要用整我们的办法来保赫鲁晓夫。

第四,考虑到上面这种分析,我们不能同意马上开会,不能照他们原来的建议开,要开就要做充分的准备。我们可以建议不要匆匆忙忙开,要经过充分的准备再开。

我们可以建议把会议的时间推迟在十月革命节前后，最早也只能在8月开，不能在6月开，因为需要时间做准备。

第五，我们可以建议，首先是这个会的范围再扩大一些，不是12个社会主义国家的党开，而是扩大为世界各国党派代表参加，像1957年那样的范围。因为如果召开12个社会主义国家党的会议，我们的意见很难充分表达在文件上。在12个党中，除了朝鲜、越南以外，基本上都是跟赫鲁晓夫走的，他们会支持赫鲁晓夫的观点。所以要把范围扩大，要增加资本主义国家的党。其次，要成立起草委员会，为会议准备文件，可以还是由1957年莫斯科会议时26个党组成的起草委员会，也可以增加，也可以减少，但是不要太多。在这个起草委员会开会之前，要成立中苏两党联合起草小组，为起草委员会准备一个共同的文件。我们可以提出这样一个反建议。

第六，苏共中央在6月2日来信提出，要在罗马尼亚工人党大会的时候开12国会议。我们可以建议，在罗党大会期间，可以就上述这个问题交换意见，商量怎样为将来在十月革命节前后正式召开兄弟党会议做准备。

这次会议除了谈这些意见外，快结束的时候，小平同志提出，考虑到四国首脑会议以后的形势，有必要更广泛地宣传我们在《列宁主义万岁》三篇文章里面所阐述的观点，要正面宣传，不是批判苏共或南共的观点。现在来宣传更加有利，时机也很合适。美国这样横蛮的态度正是给我们一个好的时机，证明美国帝国主义本质没有变，不能对它抱有幻想。小平同志说，这些意见要请示中央政治局常委，征求毛主席的意见。但我国工会代表团要在6月5日至6月9日北京举行的世界工人理事会上，按照这个方针阐述我们三篇文章所说的观点，来动员全世界人民维护世界和平，反对帝国主义的侵略和战争政策。

会上还确定,给苏共中央6月2日来信的答复,可以到上海开会时再进一步讨论。在北京先准备一个复信的初稿,到上海后再定稿发出。

会议之后,据尚昆同志告诉我,小平同志同少奇同志和周总理交换了意见。他们三人在6月5日一起出席我党中央出面召集的世界工联理事会的各国代表团中的共产党或工人党的负责人座谈会。座谈会首先由我工会代表团团长刘宁一同志致词,说明我们的基本观点,但苏工会代表团团长格里申反对刘宁一的致词,并拒绝听取小平同志的解释,也拒绝少奇同志和周总理的挽留,断然退出座谈会。此事后来成为苏共借口指责我党的一个题目。

乔木和我在书记处会议即开始起草给苏共的复信。复信里主要是讲两个建议:一个是建议社会主义国家共产党和工人党会议扩大为世界共产党和工人党会议,会议的时间推迟到十月革命前后。另一个建议是为了充分准备,成立起草委员会和中苏两党联合起草小组。

我们刚动手不久，毛主席从杭州来电话，提出上海召开的中央工作会议，除讨论1960—1963年的经济计划(原先确定的议程)外，还要讨论苏共来信。于是，小平同志要我们随他先行飞上海，就近请示毛主席。

上海会议在6月10日到18日举行。这是政治局常委扩大会议，也叫中央工作会议。在会议开始之前，中央常委讨论并修改好给苏共中央的复信，在6月10日发出。在这封复信发出之前，苏共中央在6月7日又给我党中央来了一封信。信中说，原先苏方提议召开的社会主义国家共产党和工人党会议推迟举行，在布加勒斯特只是举行兄弟党“会晤”，就开会的时间、地点和会议内容交换意见。因为我们的复信本来就建议推迟，不需作什么改动，原样发出了。

毛主席在讨论给苏共中央复信时说，这次去布加勒斯特开会，要做两手准备，一是要准备他们整我们，二是要准备他们拉我们。拉我们好办，无非是要我们多支持少批评，我们本来是采取团结为重的方针。要充分做思想准备的是他们要整我们，把开不成首脑会议的气都撒到我们身上，组织对我们的围攻。谚语说，害人之心不可有，防人之心不可无。保持高度警惕并做充分准备没有坏处。首脑会议流产后，苏联报刊宣传的还是老一套“三无世界”之类。这次世界工联北京会议苏方代表团长态度恶劣，值得我们警惕。

上海会议实际上从8日开始，但是先开座谈会，对当前形势交换意见,由少奇同志主持。周总理谈了国际形势(主要是四国首脑会议流产)和他同陈毅同志访问东南亚的情况。毛主席和小平同志主要精力在抓给苏共中央的复信和对布加勒斯特会议的分析。从6月10日(给苏共中央复信发出后)开始,少奇同志才主持讨论三年补充计划问题,这是会议的正式开始。6月12日少奇同志通报了中央常委对苏共来信的看法和我们的复信。毛主席在6月17日出席会议讲话,主要谈工业、商业、农业和人民公社等问题。6月18日毛主席以《十年总结》为题,发表长篇讲话,其中谈到了同苏共的关系。他说,我们既然同意开会,就要为开会创造好一点的气氛。在6、7、8、9月我们的反修宣传要暂停一下。当然,在开会之前,不排除赫鲁晓夫攻击我们,那么我们就让他放,让他放一阵再说。像《列宁主义万岁》三篇文章那样的论战文章,在4个月内不发表。但是要做充分的准备,要准备在将来的兄弟党国际会议上斗争。

在上海会议结束之前,政治局常委决定由彭真同志率领代表团去参加罗马尼亚工人党的代表大会,同时参加在布加勒斯特召开的各兄弟党的"会晤"。

彭真同志后来告诉我,中央决定派代表团去参加布加勒斯特会议以后,毛主席把他叫到上海(他原留守北京,没有参加上海会议),参加政治局常委会议,讨论代表团应该采取的方针。经过讨论,毛主席归纳为六句话,即:坚持团结,坚持原则,摸清情况,后发制人,据理辩论,留有余地。这六句话的意思，首先是以团结为重，但我们讲团结是有原则的，对赫鲁晓夫的错误不能迁就，要坚决反对。但现在情况不明，他召集“会晤”究竟要干什么还不清楚，所以要把情况摸清楚。毛主席要彭真同志和代表团同志在罗马尼亚工人党代表大会期间，同别的兄弟党广泛接触，弄清楚苏共的意图。如果他们是要在这个会上整我们，我们就采取后发制人，让他先放，然后我们先防守后反击，在反击的时候据理力争，跟他辩论，但是也不可以把所有子弹都打完，要留有余地。

第六节　突然袭击

彭真同志率领我党代表团6月16日离开北京，当天到达莫斯科。第二天同苏共中央主席团成员科兹洛夫会面。科兹洛夫原来是苏共列宁格勒市委书记，是赫鲁晓夫一手提拔到苏共中央来工作的。当时有种种传说，说他是准备当赫鲁晓夫的接班人。科兹洛夫一开始就指责我们发表三篇文章，指责我们在北京举行的世界工人理事会上宣传我们的观点。他说，我们理论上是错误的，组织上也是错误的。好像没有经过苏共同意就是犯了组织上的错误。当时我们代表团跟他辩论，一共吵了8个钟头。据代表团发回来的电报说，科兹洛夫在跟我代表团争吵的时候，他手里有一个文件，是打字的，大概有20多

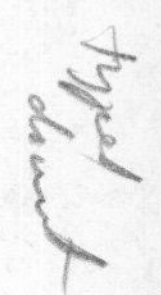

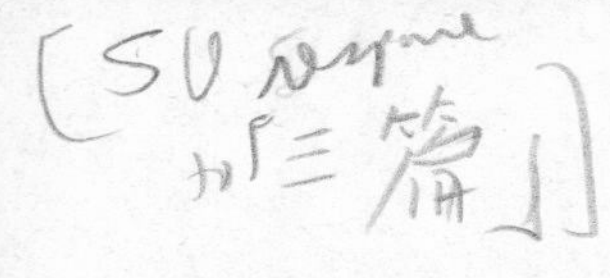

页，说明他是准备好的。但是，当我代表团问到布加勒斯特会晤究竟怎么开，他们有什么打算时，科兹洛夫支支吾吾说，这个事情到了布加勒斯特以后再商量。我代表团在给中央的电报中说，这个情况不是好兆头，很可能赫鲁晓夫要在布加勒斯特整我们。代表团已根据中央的方针做后发制人的准备。

罗马尼亚工人党第三次代表大会是在6月20日到6月25日举行的。赫鲁晓夫在会上发表长篇讲话，会场上多次起立鼓掌、呼喊，为他捧场。彭真同志的致词，还是讲我们三篇文章的观点，参加会议的坐在大厅里的人鼓掌都比较热烈，可是坐在主席台上的那些人就有意冷落。代表团把这种情况向国内报告说，这个情况值得注意，可能要对我们采取什么行动。中央回电要代表团提高警惕，摸清情况，后发制人。

代表团来电还说，我代表团到达布加勒斯特后遭到全面封锁，各代表团都没有同我们接触。他们住在什么地方，罗党联络员也不告诉我们。我们想去拜会兄弟党，罗方也不给安排。在会场上偶尔碰到一些兄弟党代表，他们也不知道“会晤”怎么开，说这次“会晤”非常神秘。于是代表团决定单刀直入，提出要见赫鲁晓夫。但他们一直拖延，推到22日赫鲁晓夫才跟我们代表团谈。

我代表团同赫鲁晓夫的会见一共继续了6个小时，其中大部分时间是赫鲁晓夫指责我们党。代表团根据中央的方针商量好采取先让他放的方针，多听少说，以便摸清他究竟要干什么。赫鲁晓夫看到我们是这样的态度，就更加放肆地攻击。他说，你们搞大跃进，可是人民没有裤子穿，穷得要命。你们搞百花齐放，现在怎么样，还放不放？你们那么爱斯大林，你们把斯大林的棺材搬到北京去好了。我们可以送给你们。你们老讲东风压倒西风，就是你们中国想压倒大家，要压倒全世界。他还讲到成吉思汗怎样从中国打到欧洲。他还强词夺理地说，中印冲突完全是你们自己造成的。我们发表一个声明保持中立，是帮助你们，而不是反对你们。现在你们跟印尼关系也搞坏了，责任也在你们。总之，他信口雌黄，大肆谩骂，根本不讲道理，想怎么说就怎么说。代表团在给中央的电报中说，经过这次谈话，赫鲁晓夫的意图摸清楚了，他要我们到布加勒斯特来“会晤”，就是要整我们。

第二天，6 月 23 日，苏共代表团交给我代表团一封信，这封信是苏共中央给我们党中央的，署的日期是 6 月 21 日。信里通篇大讲他们的修正主义观点，驳斥我们三篇文章中的观点。他们在把这封信交给我们的同时，还把这封信改成《通知书》的形式，发给其他兄弟党，而且比交给我们的时间还早，在 6 月 21 日就发出了。这是越南党、朝鲜党和阿尔巴尼亚党的代表团告诉我们的。赫鲁晓夫在骂了我们一顿以后，才把这封信交给我们。

我代表团收到苏共中央给我们的信以后，立即向国内报告这封信的要点，也就是所谓《通知书》的要点。苏共中央的信，一共分七个部分。第一部分是讲时代的性质。它不赞成说当今时代是帝国主义和无产阶级革命的时代。它给时代下了许多定义。其中心思想是说现在是由资本主义过渡到社会主义的时代,社会主义世界已占支配地位,帝国主义力量已大大削弱,因而时代的性质已经变化,和平共处、和平过渡已成为可能。

第二部分是讲战争与和平问题。它强调战争可以避免,指责我们,认为我们不是帝国主义的参谋长,指责我们说在帝国主义存在的条件下依然有发生战争危险的观点是宿命论。

第三部分是讲和平共处问题,这是来信中讲得最长的一部分,也是赫鲁晓夫思想体系里面的核心问题。它认为和平共处是对外政策的总路线。它指责我们反对和平共处,攻击我们说帝国主义是纸老虎的观点,提出要足够估计帝国主义的强大,应该跟它和平共处,否则爆发战争,全人类都要毁灭。它的这个观点,同第一部分讲时代问题时强调帝国主义已大大削弱的观点自相矛盾。当它强调可以和平过渡时,它认为帝国主义没有什么了不起,当它强调要和平共处时,它又说帝国主义很强大。来信又为赫鲁晓夫吹捧艾森豪威尔辩解,说苏共对帝国主义从来没有幻想,同时又说仍然可以实现"没有武器、没有军队、没有战争"的世界,指责我们反对这个口号。

第四部分是讲向社会主义过渡可以有不同的形式,着重讲和平过渡的可能性。信里说,毛主席也讲过要准备两手,和平的一手,暴力的一手。不明白为什么中国改变了立场。实际上我们在1957年莫斯科会议的时候,跟他争论最多的就是这个问题,而且写了一个备忘录,不赞成他们片面强调和平过渡的观点。

第五部分是讲关于国际群众组织的问题。来信指责中国在国际民主组织中采取“独特的立场”。其实在近半年来,我们在这些组织里面无非是根据1957年《莫斯科宣言》,阐述我们的观点,并没有什么独特的立场。对于那些违背《莫斯科宣言》的言行,我们当然要反对。我们的立场就是1957年《莫斯科宣言》的立场。

来信第六部分说中国党违反了1957年《莫斯科宣言》和《和平宣言》,即:由12个社会主义国家的共产党、工人党签署的《莫斯科宣言》和64个共产党、工人党签署的《和平宣言》。信中所罗列的一大堆罪名,大都是歪曲的甚至完全是捏造的。

来信第七部分是讲团结的必要性,说中共严重损坏了国际团结,使个别的队伍偏离了正确的道路。

整个来信（我们后来为了便于兄弟党了解，通常用苏共中央给兄弟党的《通知书》的名称）除了歪曲、谩骂、诬蔑以外，还包含一些修补苏共中央过去发表的被我们批评的错误观点。它做的这些弥补，有的是逻辑上弥补，有的是词句上修改。苏共中央在信中极力攻击我们党，但实际上这么长篇大论完全是为它原来的错误立场辩护。

6月23日,毛主席召集政治局常委开会。当时中央

还没有收到苏共中央给我们的信，也没有收到代表团22日同赫鲁晓夫谈话的情况报告。因为北京和布加勒斯特之间的时差有五六个小时。北京只收到赫鲁晓夫在罗马尼亚工人党代表大会上的讲话。中央同志认为，从赫鲁晓夫的讲话看来，中苏之间的分歧已经公开化。我们6月10日给苏共中央的复信中提出的建议，苏共中央一直没有表示态度。我代表团路经莫斯科同科兹洛夫大吵一顿，到了布加勒斯特，又遭到全面封锁。从这些情况来看，苏方提出的所谓"会晤"很可能是对我们围攻。中央决定打电报告诉代表团，说明中央估计苏共可能对我们搞突然袭击，要代表团有被围攻的思想准备。

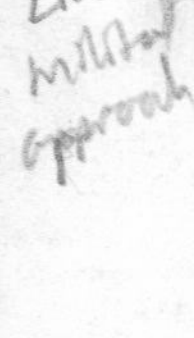

少奇同志说，如果苏方发动攻击，代表团应准备把中苏关系分歧的实质在兄弟党代表"会晤"中端出来，让各兄弟党知道这个问题的严重性。当然也不是希望这一次就能解决问题，斗争还是长期的。

毛主席说，现在我们跟苏共的共同点不是越来越多，而是越来越少。因此要估计一下这次"会晤"会怎么样发展，会不会破裂，是不是破裂不可避免。他说，依我看，彼此都不想破裂，我们本来就不想破裂，看来苏共也没有那么大决心敢于破裂。上海会议时有同志提出，要赖着跟他团结，不搞破裂。但是，我们也要想到，破裂也不要怕，也要做这个准备。只要你不怕，才可以争取到不破裂。立场是要坚持的，但在什么场合讲什么话，要注意方法，态度要诚恳。人家不同意的，我们不强加于人，让历史来裁判。究竟怎么样，要看这几天的发展，要给我们代表团打招呼，要他们准备受围攻，还是临走的时候中央交代的原则，后发制人，留有余地。

小平同志亲自起草了一个电报，发给在布加勒斯特的我党代表团。

常委会议上还决定，这两个月内不发表批评修正主义的文章，让他们放，而且让他们放够。但是要认真准备写文章反驳。

在布加勒斯特，23 日上午苏共代表团把信交给我代表团之后不久，又送来了一份关于会议公报的稿子，并说准备在 24 日开会讨论。

24 日上午，12 个社会主义国家共产党代表团举行所谓“会晤”，由罗马尼亚党的第一书记乔治乌·德治主持。“会晤”一开始就对我们围攻。因为他们都看过苏共中央的《通知书》，内容无非是根据这个《通知书》瞎说一顿。

在会上发言态度比较恶劣的是保加利亚、捷克斯洛伐克和民主德国的党，波兰和蒙古党的代表发言比较一般，阿尔巴尼亚、朝鲜、越南的党则不赞成会议这样开。阿尔巴尼亚党的代表表示，这个会议这样开他们很难表示意见，他们要请示国内。

（后来，巴卢库率领阿尔巴尼亚代表团访问中国，在跟毛主席谈话时讲到，卡博率领阿尔巴尼亚代表团参加布加勒斯特会议的时候，在地拉那的阿尔巴尼亚党中央领导三天三夜没睡好觉。卡博每天都请示中央，究竟怎么表态,他个人不能决定,也很难做出决定。阿尔巴尼亚党中央指示他,要他一定要请示中央以后才能够表态。所以每天从地拉那派飞机到布加勒斯特,带着他的请示回地拉那,然后又带着中央的指示回布加勒斯特。当时毛主席就问,为什么不用电报、电话?巴卢库说,电话根本不能保密,而电报呢,阿尔巴尼亚的密码是苏联编的,他们可以译出我们的密码,也不能用。所以只能写信,派专人、专机往返送。卡博接到中央的指示以后,就表示不赞成开那样的会,结果阿尔巴尼亚代表团也受到一阵围攻。)

最后赫鲁晓夫讲话时,又一次对我党进行了激烈的攻击,涉及到内政、外交各个方面,差不多把他22日跟我们代表团谈话的内容又搬到这个会上来。

在这次会上,无论是赫鲁晓夫的发言,还是其他党的发言,都避开了理论问题和政治问题,只抓住一些具体事情特别是组织问题来攻我们,说我们在国际民主组织里持独特立场,说我党代表在蒙古党大会上致词中没有和平共处这句话,说我们跟阿尔巴尼亚的谈话是找反苏同盟军,还讲到世界工联北京理事会会议、纪念列宁的三篇文章等等。

赫鲁晓夫发言以后,彭真同志站起来讲话。彭真同志在讲话中,对其他党的意见都不提,只提赫鲁晓夫的讲话,只批评赫鲁晓夫,批评他骂我们假革命,批评他吹捧艾森豪威尔。彭真同志着重批评赫鲁晓夫说帝国主义跟过去不一样，说资本主义发展的规律已经和过去有很大的不同，批评他违背马克思列宁主义。对于一些具体问题，彭真同志只笼统地给予答复，说我们是根据《莫斯科宣言》讲的，我们是维护《莫斯科宣言》、维护马克思列宁主义的，并不是什么独特活动、独特立场。

彭真同志提出，原先苏共给我们来信，只讲"会晤"，没有讲要发表公报的事情。现在居然有一个公报稿子。我们有些意见，请考虑修改。赫鲁晓夫立刻表示不能修改，而且要我们签字。彭真同志又提出，公报应加一段关于反对教条主义、着重反对修正主义的内容，这是《莫斯科宣言》上写的。赫鲁晓夫又带头反对。后来彭真同志又提出，公报前面不必一一列举每个党的名字，只讲社会主义国家共产党、工人党的代表举行会晤。赫鲁晓夫也不赞成。最后，我们提出公报里边改两个字，把"一致"两个字删掉。赫鲁晓夫仍然不赞成。反正一个字都不能改。

赫鲁晓夫横蛮霸道，说会议不能延长，马上就签字。他要求我们当场签字。彭真说，不行。我们提出的几个修改意见你都不接受，怎么就要我们签字呢？苏共中央通知举行会晤时没有说要发表公报，我党中央没有授权我们签字。我们要请示中央。

就是这样，彭真同志和赫鲁晓夫两人一来一往地吵。后来吵得不可开交，罗马尼亚党的乔治乌·德治提议休息半小时以后再开。实际上，他们是利用这个时间商量怎么办，怎么处理这个僵局。

复会以后，他们还是提出要通过公报。乔治乌·德治宣布，大家都呼吁中国共产党和它的主席毛泽东同志能够为着团结，能够同意代表团签字。乔治乌·德治做了这么一个说明后就宣布散会。

第七节 防守反击

散会后，我们代表团连夜向中央报告会议的情况，请中央指示，签字还是不签字？电报中还说：代表团倾向于签字，同时发表一个声明，把我们的意见讲清楚。

25日上午，中央收到代表团24日夜里从布加勒斯特发来的电报。在这之前已收到了代表团22日同赫鲁晓夫谈话和23日苏共中央给中共中央的信（即《通知书》）的要点。

25日上午小平同志同少奇同志、周总理（毛主席睡觉还没起床）通电话商量，决定起草声明。小平同志把乔木同志和我找到居仁堂（书记处办公楼），向我们口授他设想的声明内容。我们写成文字后稍加整理，即印送给政治局常委审阅。同时我们还起草了给代表团的电报，也同时印送毛主席、少奇同志和周总理。这个电报指示代表团：我们后发制人，现在是反击的时候，要严厉地批评苏共，要指名批评赫鲁晓夫，对其他兄弟党一概不要提及。我们既要坚持原则，又要留有余地。代表团争取在会议上宣读北京发去的声明。但也要估计到可能不让我们在大会上宣读，所以，要准备在会上散发这个声明。声明发表后，可以在公报上签字。他们不让修改也就算了。

当天下午，毛主席在颐年堂召集常委开会，讨论中央给代表团的电报和给代表团起草的声明。

在会上，毛主席说，现在看来，我们打的是反包围，赫鲁晓夫对我们搞突然袭击，预先布置好了包围圈，是骗我们到布加勒斯特去的。他6月2日的信是他下决心要对我们施加压力。6月7日的信是一个骗局，骗我们说不开正式会议，在布加勒斯特只是“会晤”，只对会议的日期、地点和会议的内容交换意见。这完全是撒谎。看来他们的《通知书》早就准备好了，临时写是不会这么长篇大论的，一共有五六十页，说明他是准备好对我们实行围攻。这个《通知书》就是对我们发起围攻，拿这个《通知书》来武装跟随他们走的喽罗。

少奇同志、周总理和小平同志一致认为，赫鲁晓夫对我们三篇文章咽不下去，他是迫不得已拒绝参加四国首脑会议的。他不是把气出在艾森豪威尔身上，而是把气出在我们身上。因为我们这三篇文章向全世界广播了，大家都听到、知道。形势发展证明我们说对了。这使他下不了台，逼得他没有办法，不得不宣布拒绝参加四国首脑会议。在这种情况下，他把一切怒气都发泄到我们身上。他在22日同我代表团谈话时，那么放肆、那么恶毒、那么不讲道理、那么破口大骂，反映了他内心的恼怒，真是恼羞成怒了。

少奇同志说，赫鲁晓夫很像高俅，就是恶霸兼流氓。毛主席说，他比不上高俅，他只能当个蒋门神，就是《水浒》里面的蒋门神，高俅的食客。

少奇同志说，从《通知书》看来，赫鲁晓夫毫无原则，一下可以这样说，一下可以那样说，自相矛盾也顾不得。

毛主席说，现在我们跟赫鲁晓夫的分歧，根本的问题是全世界除社会主义国家以外的三分之二的人民要不要革命的问题，属于社会主义国家三分之一的人民要不要继续革命的问题，这是两条路线分歧的根本问题。赫鲁晓夫是代表老板阶级，代表资产阶级，不要革命，不要继续革命，不要共产主义。

常委会对代表团的声明草稿只作了一点修改，立即发到布加勒斯特，这个声明有五点内容：

第一，指出苏共中央代表团、赫鲁晓夫破坏协商的原则，抛弃预先不做决定、只是交换意见的诺言，搞突然袭击，滥用苏共的威信，把自己的意志强加于人。这在国际共产主义运动中间开了一个极端恶劣的先例。

第二，中国党历来是忠于马克思列宁主义的，两年多来是忠于 1957 年《莫斯科宣言》的。我们在马列主义的一系列基本原则上同赫鲁晓夫有分歧，这些分歧应该通过同志式的讨论，以取得一致。但是赫鲁晓夫采取家长式的、武断的、专横的态度，把我们两党的关系不是看成兄弟党的关系，而是看成父子党的关系，企图用压力使我们向他们的非马克思列宁主义观点屈服。我们是绝不屈服的。我们认为，国际共产主义运动的命运是取决于各国人民的要求和斗争，取决于马克思列宁主义的指导，而绝不是取决于任何个人的指挥棒。

第三，重申我们历来是为团结而斗争的。赫鲁晓夫的错误做法对国际共产主义运动是不利的。但是不管怎么样，不管赫鲁晓夫如何做法，我们坚信，中苏两党的团结，各国共产党、工人党的团结终究是要继续巩固和发展下去的。

第四，讲清楚我们和赫鲁晓夫之间的分歧，在整个两党关系来看，还是属于局部性质的，中苏两党为共同事业而奋斗和团结是主要的。我们相信我们同赫鲁晓夫的分歧是能够找到机会，通过平心静气的、同志式的商谈得到解决。

第五，对公报的草案提出意见。我们认为，公报的草案明确确认《莫斯科宣言》的正确性是对的，但是这个草案中间对马克思列宁主义论点的说明是不确切的、片面的，而且这个草案对当前的重大问题没有表示态度，对共产主义运动中的主要危险是现代修正主义根本没有提到，这是错误的。因此，我们不能接受公报草案，建议对我们代表团提出的修改意见加以讨论，以便搞出一个大家都能够接受的文件。

正当我党中央在北京讨论代表团的请示的时候，25

日赫鲁晓夫在布加勒斯特擅自把会议扩大了。我们代表团到会场的时候才发现,参加的不是12个党,而是51个党,欧洲、拉丁美洲、亚洲、非洲的好些兄弟党的代表都来参加了。会议扩大到这么个范围,事先既没有征求我们的意见,也没有通知我们,完全是他们一手包办的。

会议一开始,又是和24日的会一样,对我们围攻一通。不过这次发言的大多数都是那些常驻苏联和东欧国家的兄弟党的代表。当时我们代表团还没有接到中央的指示,不好多讲话。彭真同志只在大会上说,现在这个会议不符合苏共6月7日的信,那个信只通知会议讨论召开兄弟党会议的日期、地点和会议的内容,而且说不作决定,现在则要求发一个公报。大家发言又不是讨论公报的问题,而是指责中国党。中国党在会前提出两点建议,一是建议兄弟党会议推迟到十月革命节的时候召开;二是扩大会议范围,参加会议的包括全世界的兄弟党,而且要在会前成立起草委员会,为兄弟党会议准备文件。对于我们的建议,苏共没有答复我们。现在大家这样指责我们,又要求我们在公报上签字,我们代表团处境很困难。许多指责都是没有道理的,是不顾事实的。我们代表团还没有得到中央授权在公报上签字。我们正等待中央的指示。

我代表团这时采取哀兵的姿态,既争取时间,又取得同情。

25日上午和下午的会议,都是在一片谴责中国党的叫骂声中进行。

当天休会以后，到了晚上，代表团才收到党中央的指示和中央发来的声明。代表团连夜充分讨论了中央的指示和怎样贯彻执行中央指示。

据代表团的同志后来说，他们原先考虑也是在会上先发表声明，然后签字。但是后来考虑，如果在会上发表声明，很可能会被他们打断。同时也考虑，根据前几天的情况，在别的代表发言骂我们的时候，他们有意对同声传译设备在技术上做手脚，使我们听不清楚究竟人家说了什么，也使别人听不清楚我们说了什么。如果我们在会上发表声明，他们很可能也采取同样的办法。考虑到这些情况，代表团决定采取这样的步骤：第一，先提出公报修正案，就是把中央拟定的声明中的几点意见，改写成一个修正案，在会议一开始时就提出来，看看他们怎么样。如果赫鲁晓夫还是反对我们修改，就采取第二步，即扼要地讲明我们的立场，然后表示：为了团结，同意签字。随后就把我们的声明当场散发给所有代表，这样就可以避免他们的干扰。

第二天一清早，我代表团约见罗马尼亚党的总书记乔治乌·德治。我们代表团到达罗党中央总部时，罗党政治局的所有成员差不多都到了。我们向他们提出，这次会议不正常，同苏共 6 月 7 日的信不相符，并说我们接到中央的指示，要求修改公报草案。我们准备在今天下午开会的时候提出修改意见。乔治乌·德治听后表示，会议开成现在的这样子，也不是罗马尼亚党所愿意的。他劝我们要忍耐，不要着急，事情慢慢会解决的。他说，这个会我们预先也不知道怎样开，也不知道苏共在会前要发出《通知书》。会议怎么开都是苏共在会议开始前通知我们的。乔治乌·德治做了这么一番解释，可能也是实情。乔治乌·德治还对我们说，捷克斯洛伐克对开会没兴趣，他们已经在昨天晚上回国了。波兰代表团也认为不应搞得这样严重。他还劝我们不要把这次会议看得太重了。

由于我们跟罗马尼亚党会见，会议推迟到快 11 点才开始。我们首先提出我们对公报的修正案。彭真同志说，我代表团认为这个公报草案没有讲该讲的问题，我们提出一个修正草稿，请大家讨论。当场就把修正案分发给各代表团。赫鲁晓夫看后马上站起来反对。他说，前天(24 日)社会主义国家共产党、工人党已经通过了，不能再修改了。彭真同志问，一个字都不能修改？赫鲁晓夫蛮不讲理，说，一个字都不能修改。这时，有一些党的代表也附和赫鲁晓夫的意见，说不能修改了，已经通过了。

这么嚷嚷了一阵以后，我们代表团看快到 12 点了，就站起来说，既然大家不赞成我们的修改，我们也不要求修改了。但是我们必须声明，我们的修改案还是对的，还是比较适合时宜的，很遗憾没有被大家接受，很遗憾受到赫鲁晓夫的坚决反对。对这种强加于人、不讲道理、横蛮的、粗暴的做法我们表示极大的遗憾。彭真同志接着又说，为了团结，我们同意在公报上签字，但是我们要声明我们的立场。现在就由我们代表团的工作人员把我们的声明分发给大家。我们同意签字。

因为我们说同意签字，到会的人都松了一口气。所以我们代表团工作人员顺利地把我们的声明发给了大家。

我们的声明发给大家以后，大家都低着头看。据代表团同志回来说，当时会场上静寂得像死人一样，空气极其凝重。原先我们估计，赫鲁晓夫看了我们的声明以后，会有两种可能：一个可能是暴跳如雷，当场就大骂我们一顿；另一个可能是他看到我们答应签字，他脑子一时转不过来，把我们的声明吞下去了。

看来我们这个声明是一记闷棍，赫鲁晓夫没有回答我们的声明，只建议十月革命节开会，提出起草委员会由12个党再增加10个党。我们提出增加日本和澳大利亚。大家也同意了。上午的会就这样结束了。

代表团回住地后非常高兴，有的同志说赫鲁晓夫吞下去了。有的同志说他上午吞下去了，他下午可能要发作。

下午开会的时候，其他党的代表发言时都没提到我们的声明。到赫鲁晓夫发言，大概他事后觉得实在咽不下去，果然摆出老资格、老子党的架势，好像是做总结的样子，大骂了我们一顿。他大骂我们违反1957年的宣言，破坏团结，攻击我们的内政外交。内容没有什么新东西，都是老一套。但是，他不敢接触我们在声明里面讲到的父子党和指挥棒这两个问题，只是空泛地讲中国党破坏国际共产主义运动，挑拨苏共和其他兄弟党的团结。因为父子党、指挥棒这两个问题对他来讲是最痛的了，讲到了他的本质了。这正是我们要在这次会议上捅出来的要害。

接着，彭真同志也发了言，批评赫鲁晓夫搞父子党，强迫我们签字，也批评他在罗马尼亚工人党会议结束时举行的招待会上对我们谩骂、诬蔑。彭真同志还着重讲了我们是维护团结的，是维护《莫斯科宣言》的，是维护马克思列宁主义基本原则的。违反这些的不是我们，而是赫鲁晓夫。彭真同志完全执行毛主席的方针，就是豺狼当道，焉问狐狸，集中反击赫鲁晓夫，对其他党一概不问。

在彭真同志发言时，赫鲁晓夫非常激动，他跟彭真同志你一句我一句，你来我往地吵起来了。彭真同志说，你讲到哪里我跟到哪里。我今天还没有把全部意见都讲出来。我们对你们的《通知书》还没有答复，我们将来要详细答复你们提出的问题。但是你今天讲到什么问题，我就跟你讲什么问题。接着赫鲁晓夫又讲了长波电台的问题，但是他不敢提共同舰队的问题。彭真同志就回答长波电台的问题说，你就是要控制中国，要苏联所有，归苏联使用，这是损害我们的主权。这样的事还有，你讲到哪里我跟到哪里。彭真同志在这里又点了一下，其实赫鲁晓夫知道，这里暗指的是共同舰队问题。

赫鲁晓夫又讲了世界工联理事会北京会议、纸老虎、双百方针等问题，还讲到我党八大会议上米高扬致词时毛主席故意离席等。彭真同志逐个地批驳他，他讲什么就驳他什么。彭真同志这样你来我往地批驳赫鲁晓夫这个庞然大物，别的兄弟党代表只是瞪着眼睛听。吵了一阵以后，赫鲁晓夫无可奈何，最后只好不了了之。

彭真同志是我党书记处书记，赫鲁晓夫是苏共第一书记，从身份来讲是不对称的。但是，彭真同志就那么理直气壮地顶他、驳他，而且再三说，我还有好多话要讲，今天不讲。但你讲到哪里我就跟到哪里。他不断地重复这句话，从气势上压倒了赫鲁晓夫。

赫鲁晓夫也看到他单枪匹马地跟彭真你来我往地那么对吵，觉得不是办法，于是就示意其他党的代表来助攻，问还有什么人要讲。但是，没谁来响应。于是他又点保加利亚党的日夫科夫名字。日夫科夫才勉强给中国党加了什么民族主义、分裂主义、宗派主义、教条主义等十几顶帽子，没说出什么道理。当赫鲁晓夫点到阿尔巴尼亚党的卡博时，卡博说，我们没有什么意见，我们中央不赞成兄弟党会议这样开法，中央意见就是这样，我们提不出别的意见。赫鲁晓夫自讨没趣。

最后，乔治乌·德治出来收场。他说，时间不早了，大家也不准备会议延期。公报草案已经通过了，中国也同意签字了，到此会议就圆满结束了。

散会的时候，赫鲁晓夫气没有出够，仍然耿耿于怀，退出会场时对我们代表团讲，看来你们教条主义很顽强。我们代表团成员中懂俄文的也顶他一句说，看来你这个机会主义也很顽强。

由于代表团每天都不断地、及时地把布加勒斯特会议的情况用电报发回国内，中央对会议的进展情况了如指掌，及时给代表团指示，所以代表团的斗争进行得很成功。

第八节　留有余地

我党代表团回国以后，6 月 30 日，毛主席主持中央政治局会议，由彭真同志汇报。在会上彭真同志详细汇报了代表团根据中央的方针进行工作的情况。

会上大家议论到，这次斗争是一场突然袭击，是一场遭遇战。我们虽然预先估计到这个可能性，但是还没有充分估计到赫鲁晓夫会采取这么恶劣的手法，预先准备好围攻我们。毛主席说，看来苏共中央 6 月 2 日给我们中央来信建议开会，那个时候他就下决心要整我们了。他 6 月 7 日来信说这个会推迟开，在布加勒斯特开会只商量一下开会的时间、地点和开会的内容，交换一下意见，不做决议，这完全是欺骗的手段，是企图麻痹我们。实际上，那个时候他们就准备好《通知书》来全面攻击我们。毛主席说，赫鲁晓夫打算围攻我们，而我们是反围攻，像过去中央苏区那样反“围剿”。但是我们这个反“围剿”要适可而止，要留有余地，不要把子弹一次打完，能够收时就收，有理有利有节。

大家还议论到，中央采取高举团结的旗帜，后发制人，坚持原则又留有余地的方针是对的。实际上我们代表团这次的工作达到了一个目的，就是把中苏之间分歧的严重性摆在所有参加会议的兄弟党面前，让他们知道中苏之间的争论，不是简单地对这个问题或那个问题有不同意见，而是在一系列重大原则问题上，特别是在牵涉到两党、两国关系的问题上存在严重的分歧。赫鲁晓夫《通知书》所起的作用，就是把这个问题摊开了，把分歧公开化了。而我们的反击也起了这么一个作用，让大家知道，不能让赫鲁晓夫他说怎么样就怎么样，事情的真实情况也不像通知书说的那样。赫鲁晓夫企图通过这次会议，采取高压的办法把我们整服。但是实际上适得其反，我们跟他进行了针锋相对的斗争，他不但没有达到他原来的意图，相反把他的弱点，他的横蛮无理，他的错误观点，都给揭露出来而且批驳了。当然，我们只讲了一部分，没有全部讲，赫鲁晓夫讲到哪里我们才跟到哪里，形式似乎被动，实际上非常主动。这次反“围剿”斗争是成功的。

毛主席和少奇同志、总理、小平同志都讲到，这次斗争是第一个回合，斗争是长期的。来日方长，我们要做充分的准备，要准备在十月革命节开各兄弟党会议的时候会有一场恶战。现在首先要对他的《通知书》做出回答，然后准备在起草委员会中协商提交兄弟党会议的共同文件草案。

这次政治局会议决定，7月间在北戴河开中央工作会议，除了讨论国内的问题以外，着重讨论国际问题、中苏关系问题。同时还决定给党内发一个通报，把这次布加勒斯特会议的情况告诉党内高级干部，讲清楚我们跟苏共的分歧是重大的原则问题的分歧，同时指出这还是十个指头里边一个指头的分歧。我们的方针是坚持原则，进行必要的斗争，同时还要坚持团结。因为彼此有需要，也有团结的基础。赫鲁晓夫也不是一成不变的，也可能变化。所以我们要坚持从团结的愿望出发，经过批评，达到新的基础上的团结。我们要采取这样处理国际共产主义运动内部问题的方法，对他进行斗争目的还是为着团结。

会议还决定，在十月革命节开兄弟党会议之前，不发表跟苏联进行论战的文章，即使不指名的也不发表。当然，对于美帝国主义和民族主义国家的资产阶级反动派，对于时事性的问题当然还照样发表评论。对苏联要静观一个时期，看看他们还有什么动作。估计他们在开会之前还会有动作的，我们要再看一看。

第六章
回顾与决策

第一节　避暑胜地

北戴河是华北久负盛名的避暑胜地，解放前主要是外国人夏天避暑的地方。这里有一条半月形的、平坦的、长达十公里的海滩，是游泳、戏水、日光浴的好处所。北洋军阀时期，首先是外国人在那里建了高矮不一、造型别致、风格不同的别墅。特别是英国人在唐山办开滦煤矿以后，英国的一些资本家、工程师每年都到这里避暑。在北京的各国外交使节也在这里盖了很多别墅。北洋军阀比较守旧，他们在那里盖了一些房子，但连夏天也不常到那里去。日本人占领时期和国民党统治时期，那里又盖了一些小别墅。但总的说来，那里气候潮湿，一年可度假季节也短，许多别墅都很破旧了,新中国成立之后新建的不多。(近十多年来大兴土木,可我一次也没有去过。)

在50年代,中央同志夏天也偶尔到北戴河来度假,但很不经常。因为那个时候进行抗美援朝、三大改造,工作繁忙,中央同志难得有空闲休假。从1958年夏起,中央经常在那里召集各省、市第一书记参加的中央工作会议。这样北戴河才又逐渐热闹起来。

北戴河的十里长滩,大体可分为三部分。东面属于东山区,北京军区、河北省在那里盖了一些房子,基本上是河北省的。中区是北戴河的市区,刚开始的时候是一个小镇,50年代和60年代也还是小镇。国务院政府机关的各部和外国人在那里盖了一些房子,作为夏天休假的地方。新华社和人民日报社在那里也搞了比较简易的疗养所。西区是属于中直机关的,由中央办公厅管。再往西就是部队的,总参、总后、总政在那里有些别墅,但是不太多,当时还比较荒凉。最热闹的是中区。

中央所在的西区比较安静,从中区到西区之间的路是隔离的,有警卫守着。在西区的山坡上有一块比较平坦的地方,盖了一个礼堂。文艺演出、看电影、娱乐活动都在那里。礼堂的东面是毛主席住地,那是一排比较宽大的平房,东头是主席住的地方,西头是他会客的地方,中间是书房和饭厅。少奇同志住在半山腰的别墅里,中央其他几位同志都在围绕小礼堂周围的别墅里,多数都是平房,个别的是楼房。只有周总理和董老住在靠近海边的马路旁，都是两层楼的别墅。1958年我第一次到北戴河去的时候，是跟胡乔木住在小礼堂附近的一个平房别墅里。

1960年夏天，我到这里是第二次了。中央决定在这里召开政治局扩大会议，也叫中央工作会议。中央各部门和各省的主要负责人都来了。

因为要起草文件，这次来的秀才比较多。我们住在中直的高干招待所，这个招待所在西区的西头，离总后不远的地方，是两层旅馆式的楼房。我、姚溱、熊复、邓力群、胡绳、许立群、王力、张香山、范若愚等都住在这里。每两人住一套。每套房子都是东西各一间住房，中间还有一个小客厅，合起来是三间一套。另外也还有秘书、工作人员住的单间房间。

在北京的时候，小平同志交待，所有参加起草反修文章的秀才都到北戴河去，在那里起草对苏共在布加勒斯特会议上散发的《通知书》的答复，当时我们简称为《答复书》。

参加起草《答复书》工作的人比较多，除了上面提到的以外，还有外交部的乔冠华、余湛，还有中联部的伍修权、刘宁一，调查部的孔原、冯铉。因为我们住的那个楼房比较小，房子不多，所以他们都不跟我们住在一起，除乔冠华住在中区外交部的招待所以外，其他人都分散住在别的地方。

其实，起草反修文章的人，从1960年初起草《列宁主义万岁》三篇文章的时候起，队伍就慢慢形成了。那个时期做的主要工作是收集、编辑马恩列斯关于时代、关于帝国主义、关于无产阶级革命和无产阶级专政、关于战争与和平、关于殖民地半殖民地民族独立运动等等问题的论著，搞清楚他们对这些问题的主要论点是什么，是在什么情况下，对什么问题、跟什么人讲的，后来把每个问题的论述分别编成了小册子。同时，我们也收集世界各国党特别是苏联党，尤其是赫鲁晓夫对这些问题的言论，分别打印成一份份材料。同时也收集我们中央负责同志过去在各种公开场合、会见外国客人时，在这些问题上讲过一些什么观点。当时主要是做这三部分工作。

在撰写《列宁主义万岁》三篇文章以后，我们就更加注重收集各国党和我们自己对国际共产主义运动的言论。这样，在我们自己写文章的时候，对对方的言论（主要是根据苏联和各国兄弟党他们自己报刊登载的领导人讲话或者是他们中央做的决议等）比较熟悉，辩论起来有根有据。这个工作从长远来看是很有用处的，因为写文章要有针对性，要搞清楚对方的论点。

除了注意收集上面三部分的材料以外，我们还有意识地收集美国总统、国务卿、国防部长等主要人物关于这些问题讲过一些什么话，英国从丘吉尔起历任首相讲过什么话，法国的戴高乐讲过什么话。当时主要是收集美、英、法这三家，特别是美国的材料。因为那个时候日本和西德在国际问题上还没有发表什么特别的议论。除了收集这些国家的领导人和政府高级官员的讲话外，还收集这些国家一些主要报刊的评论。

这样一来敌、友、我三方面的论点弄清楚了，写起文章来就掌握比较充分的事实，有根有据，针对性较强，有所谓而发，而不是无的放矢，夸夸其谈，又不是脱离现实，坐而论道，说些学究式的议论。

参加这个材料收集工作的有外交部、中央联络部、中央宣传部、中央调查部、新华社、人民日报社、马恩列斯编译局、《红旗》杂志社等单位，另外还有全总、青年团、妇联也参加工作，因为他们同世界工联、国际妇联、国际学联、世界青联等国际民主组织经常来往，掌握不少材料。所以收集的材料相当齐全，数量相当大，近千万字，后来把这些言论分类编成摘录。

在1960年开始的时候，在北戴河会议前后写《答复书》的主要还是几位秀才亲自动手，那个时候大家也比较年轻，都是40岁出头一点，正是精力旺盛的时候。后来才慢慢增加一些帮手，主要目的是培养人才。一般的稿子先给他们讲一讲，由他们先起草，然后再同他们一起修改。这样慢慢就形成了一个相对固定的班子。这个班子就是后来中苏公开论战的时候我党中央政治局常委正式成立的反修文稿起草小组的前身，也是它的基础。

因为是夏天，太阳出来比较早，北戴河早晨的空气也比较好，所以我们早上起得很早，起来后就分头起草，快到中午吃饭的时候，大概11点左右就下海游泳。这是一天中间最好的时间，海滩阳光很好，海面也比较风平浪静。午饭后就休息一下，任务紧的时候，下午就再写，比较松的时候，下午又去游泳，或者在沙滩上商量问题。晚饭后散步，一直散步到俱乐部小礼堂看戏或者看电影。有时不愿意看就一直散步到中区的镇上吃点冷饮。一般情况都是龚澎请客。她自己喜欢吃冰淇淋，所以也请我们吃冰淇淋。有时则到海边浴场休息室里喝茶，这是中央负责同志游泳时休息的处所，我们比较熟悉，去了就边喝茶边闲聊，我们戏称这是“废话俱乐部”。

礼堂里有好戏的时候，我们也去看。因为看戏要凭票，而我们这些人并不都是参加会的，只有我是属于会议的成员，其他秀才都不属于会议成员，虽然也可以拿到票，但不是首长票，没有首长票就不能坐到前排。后来我们就想了一个办法，当然这也是一个恶作剧了。因为乔冠华个头高大，王力比较胖，头发又斑白，少年白头，像个“首长”，虽然他在我们中间比较年轻，比我还年轻。所以我们就把我的票给他俩中间的一个，其他人前呼后拥，好像是首长的秘书，跟在后面进去坐到前排看戏。我因为经常到中南海开会，警卫对我很熟，不要票也会让我进去。但是许立群经常给拦在门外，虽然当时他是宣传部副部长，但他比较谨慎，进场的时候总是犹犹豫豫、畏畏缩缩，怕这怕那，经常被警卫拦住。我们用了这个办法后，他也可以跟着大家一起大摇大摆地进去了。他长相少年英俊，像个首长秘书。后来到 1962 年以后就比较好一点,因为警卫对我们这些秀才比较熟了,他们是认人的。但是1960年那个时候,警卫对他们还比较生疏,他们到毛主席、少奇同志那里开会较少,不像我从1956年起就经常接近中央领导核心。

我们一到北戴河就开始动手起草对苏共《通知书》的答复,到会议结束的时候已经改了几稿。这个《答复书》的起草工作由小平同志直接抓,具体主持这个工作的主要是三个人,一个是乔木,一个是陆定一,一个是康生。

陈伯达不大参与我们的活动,他惯于自己搞。在小平同志主持开会的时候,他偶尔也参加。但是我们这些秀才在起草过程中间,乔木、陆定一、康生同我们一起商量的时候,他是不参加的。当时我不晓得是什么原因,后来才慢慢搞清楚,他跟定一同志合不来。定一同志在七大的时候当了宣传部长,而他只当个宣传部副部长。有一次他向我发牢骚说,陆公当了部长以后架子大了,跟我们不大来往了。其实也没有什么来往不来往的问题,因为他俩经常在一起开会。只是因为定一同志当了部长以后,没有单独找他谈过话,所以他就记恨在心。这是后来1963年夏天在杭州的时候,他跟我说了此事后我才知道的。

在北戴河的时候,《答复书》基本上定稿了,小平同志也主持书记处会议讨论过了,但是最后定稿是在北戴河会议之后。

整个来说,在北戴河会议期间,虽然我们有搞《答复书》的任务，但是多数时间是休息。为什么呢？因为当时小平同志交代说，在北戴河你们要好好休息，紧张的事情还在后头。他指的是后面还有将要举行的中苏两党会谈，这之后还有26党起草委员会，最后才是81党大会。在这一系列会谈和会议中，肯定发生激烈争论。我们要为此做充分准备，所以小平同志说，紧张的事情还在后头，在北戴河先休息休息，松弛松弛，准备迎接连续战斗。

第二节　布加勒斯特会议说明什么

北戴河会议是从7月5日到8月10日举行的。会议的议题原定有两个。一个是讨论国民经济计划调整问题，一个是国际问题，即中苏关系问题。关于国内问题，当时中央已经感觉到，1959年庐山会议反右倾以后，工作中间一些“左”的错误不但没有得到纠正，反而更加严重了。整个1960年上半年情况很不好，国民经济计划完成得很差，特别是轻工业生产不好，而且农业又发生自然灾害，已经发生春荒，所以对1960年下半年的经济计划以及1961年的国民经济计划必须调整。

原来会议是准备要对这个问题进行比较充分讨论的。但是，从会议一开始，大家的注意力就集中在国际问题上，集中在中苏关系问题上。从开始直到最后，中苏关系问题成了大家议论的中心。本来中央也是准备在这次会议上讨论这个问题的，但是预先没有估计到大家对这个问题这么关心，所以在会议正式开始的第二天（7月6日）就由彭真同志汇报布加勒斯特会议的经过。

彭真同志在会上除了讲了布加勒斯特会议的情况以外，还讲到从这个会议可以看出的几个问题。大家就对这几个问题展开了讨论。

关于布加勒斯特会议的经过，前面已经讲到了，所以这里只讲会议讨论的几个问题，可以说大家的讨论是关于布加勒斯特会议的总结。

第一，这场斗争是一场什么样的斗争？彭真同志在汇报中提出，这场斗争实际上是国际共产主义运动两条路线的斗争，是马克思主义路线和机会主义路线的斗争。讨论中大家认为，这个问题恐怕还是归结为毛主席讲的两句话，也就是说，占世界人口三分之一的社会主义国家人民要不要继续革命，世界上另外三分之二的人民即资本主义世界人民要不要革命的问题。陆定一同志在纪念列宁诞辰90周年的讲话里面讲到，修正主义由害怕战争而害怕革命，由自己不革命而反对人家革命。这两句名言就是主席过去讲过的三分之一和三分之二的问题，所以，说这场斗争的性质是两条路线的斗争的问题，它的实质内容就是要不要革命、要不要继续革命的问题。

第二，战争与和平问题是当前争论的焦点。我们的观点不是说战争马上就要发生，更不是不应提出为和平而斗争。我们认为，只要战争的阶级根源、社会根源还存在，那么总存在着战争的危险，不能说战争是完全可以避免的。而赫鲁晓夫强调战争不是不可避免的，就是说，去掉两个“不”字，战争是可以避免的了。我们在讲到战争的社会根源时说，帝国主义就是战争，只要存在战争的社会根源，战争的危险就始终是存在的，不是可以避免的。对这个问题争论的实质是修正主义从害怕战争到害怕革命，以牺牲三分之二世界人口的革命来换取帝国主义恩赐的和平。我们是反对以牺牲革命换取和平的。我们认为，革命力量越壮大、越发展，和平的保证就越大，战争的危险就越小。而赫鲁晓夫却认为，革命越发展，战争的危险性越大，和平的可能性越小。我们和赫鲁晓夫在现时代战争与和平问题上的分歧，实质上是这样的分歧。

第三，由于我们坚持反对赫鲁晓夫的这些错误观点，赫鲁晓夫对我们又怕又恨。他之所以对我们又怕又恨，是因为我们发表的《列宁主义万岁》三篇文章打中了他的要害，我们批判的是南斯拉夫的观点，但赫鲁晓夫正是抄袭这些观点，而且还有所“发明”（如“三无”世界之类）。所以他总想办法来整我们。

赫鲁晓夫这么想整我们，一方面是由于我们坚持了原则，另一方面是美国人也坚持了原则，但它坚持的是帝国主义的原则。帝国主义的本性没有改变。它对赫鲁晓夫很不客气的。虽然要举行四国首脑会议，但它仍派飞机侵入苏联领空，而且艾森豪威尔公开宣布飞机是他派的，以后还要派。他的这个态度使赫鲁晓夫下不了台。

如果没有我们的批评，可能他还觉得好混一点。我们一批评，他就非常难堪了，只好宣布拒绝参加巴黎四国首脑会议，虽然他已经到达巴黎。

赫鲁晓夫在我们发表三篇文章之后，特别是在巴黎四国首脑会议流产之后，恼羞成怒，把气出在中国党身上，对我们恨透了，于是准备发动一个反华运动。在布加勒斯特会议之前，他们做了充分的准备，在 6 月 21 日开会之前就把苏共中央给我党中央的信，改成《通知书》的形式发给各兄弟党。这封信是做了充分准备的。那个时候，苏共中央想采用高压的办法把我们党压服。从布加勒斯特会议可以看出，以赫鲁晓夫为首的苏共中央是下了决心要压服中国党的。

第四，这次布加勒斯特会议是搞阴谋诡计，搞突然袭击的。这种做法在国际共产主义运动中是一个很恶劣的先例。他们事先不说要开什么会，甚至预先也说不讨论什么问题，只讨论开兄弟党会议的地点、日期和会议议题。但是会议一开始，就搞突然袭击，组织对中国党进行倾盆大雨的围攻。他们搞阴谋诡计，在会议之前纹丝不露。虽然他们给我们中央的信署的日期是 21 日，但 6 月 22 日我们代表团会见赫鲁晓夫时，他也讳莫如深。他对我代表团采取严密封锁，然后搞突然袭击。

这种办法不是兄弟党之间讨论问题所应采取的方式，而是反常的，是搞阴谋的。由此可以这样说，赫鲁晓夫这样的人是不可信赖的。他是搞阴谋诡计的，不能用通常的党内斗争的办法来对待他,也不能用兄弟党之间商量问题、讨论问题以至争论问题时通常采用的办法来对待他。

赫鲁晓夫是个阴谋家,从他搞掉贝利亚,搞掉莫洛托夫,后来又搞掉朱可夫的这些情况来看,他是善于搞阴谋的。他在党内既然这样做,那么在兄弟党之间也会这样做的。布加勒斯特就是一个证明。

第五,大家认为,这个斗争是长期的。好些同志指出,看来赫鲁晓夫是越走越远了,要他改变很难,当然也不是完全不可能,但是要具备三个条件:一个是他们内部的马克思主义力量对他的修正主义进行有力的斗争。这是主要的。第二个条件是我们坚持不跟他走,不听从他的指挥棒,为维护马克思主义的纯洁性,用批评的武器,对他的修正主义思想进行坚决斗争。还有一个条件,也可以说是一个很重要的条件,就是美国这个反面教员的作用。反面教员的作用,在一定情况下,比我们的斗争作用还要大。巴黎四国首脑会议的流产,并不是因为我们反对这个会议,而是因为艾森豪威尔的帝国主义立场非常坚定,他横蛮霸道,不但不道歉,而且说以后还要派飞机入侵苏联,帝国主义的狰狞面目暴露无遗。这对赫鲁晓夫来讲是迎头一棒,对他也是一个沉重的打击。但是他并没有真正接受这个教训,反过来恼羞成怒,说我们拆他的台。这真是岂有此理。

第六,在会议讨论过程中间,大家都赞成中央采取的坚持团结、坚持原则的方针，就是尽力来推迟中苏两党、两国公开破裂的时间，力争拖下去，但是也不怕分裂，也要准备分裂。如果他硬是要破裂，那也没有办法，但我们不怕。无非是自力更生。他不给援助，我们自己搞。如果他连贸易也不做，我们就跟日本、西欧做生意。美国封锁我们，做不成生意，但日本、西欧还是可以做生意的。这样就逼得我们搞单干。其实单干也是列宁和斯大林在帝国主义包围、封锁之下搞工业化时采取过的办法。这是列宁的办法，没有什么可非议的。我们要有这样的志气，这样的国格，不怕封锁，不怕分裂，自力更生，奋发图强。

第七，对苏共在布加勒斯特会议上散发给各兄弟党的《通知书》，也是他们6月21日给我们的信，要答复，要坚决进行反击。

在讨论彭真同志汇报过程中，毛主席主要讲了这么一个意思。他说，布加勒斯特会议这场斗争是一场“围剿”与反“围剿”的斗争，是人家准备好向我们“围剿”，而我们中央委员只去了三个人，搞反“围剿”。不管赫鲁晓夫是怎样一个庞然大物，我们还是把他顶住了。现在反“围剿”告一段落。下一回合是十月革命节时召开世界兄弟党会议。我们现在要静观一个时期，暂时不公开发表跟他论战的文章，看他还有什么法宝要拿出来。他既然下决心在布加勒斯特会议采取这么恶劣的办法企图压服我们，但没有压服得了，是不是还要压呢？估计他还要压。所以我们还要看一看,看看他还要拿出什么东西。当然,他们的《通知书》是要回答的,要统统给他顶回去,秀才们要做准备。

毛主席又说,现在人家对我们的大跃进和人民公社有怀疑,这不能说没有道理。这些是新鲜事物,我们正在进行试验。我们进行各种各样试验,无非是想把我们中国搞得好一点,发展得快一点。我们想试试是不是只有苏联那个办法是惟一的办法?我们想,除了苏联的办法,是不是根据中国的情况还有更好一些的办法,更快一些的办法?无非是这么一个想法。国内工作决定我们在国际上的发言权,我们要埋头苦干,把国内工作搞好。

会议进入国内问题的讨论后我没有参加。我和其他秀才一起起草答复苏共中央 6 月 21 日的《通知书》,也就是起草我们的《答复书》。

第三节 历史的回顾

北戴河会议从 7 月 14 日到 16 日连续三天,由周恩来同志报告我们党和共产国际,实际上是和苏共的关系。因为在北戴河会议初期,谈了布加勒斯特会议的情况以后,大家一面讨论国内问题,一面很想知道我们跟苏共的关系怎么会发展到现在这样严重的、原则性的意见分歧。所以政治局常委决定由周总理做一个系统的报告。

周总理经过一番准备以后,在 7 月 14 日开始做长篇发言，连续三天，每天一个上午，详细地介绍了从共产国际成立开始一直到最近我们和苏共的关系。

周总理的报告是分五个时期来讲的。

他首先说明，共产国际（1919—1943）的成立是必要的，解散也是适时的。尽管这中间有些缺点，但是大体上还是正确的，特别是列宁在世的那四年是正确的。斯大林主管共产国际的工作长达 18 年，总的来讲，支持革命是主要的，不许革命是次要的，他犯过一些错误，也做了一些自我批评，有的也改了。后来由季米特洛夫主持共产国际还是比较好的。所以毛主席说："两头好，中间差。"1943 年共产国际宣布解散，是正确的。它已完成了历史任务，各国共产党已成长壮大。由一个中心来指挥全世界共产主义运动是有害无利的。从赫鲁晓夫上台到现在是七年半，开始一段还做了一些好事，从 1958 年起就向坏的方面发展，一直到现在。

周总理说，共产国际和我们的关系在第一个时期大体上是正确的。这个时期是从 1919 年共产国际成立一直到 1927 年。共产国际成立以后，就派人到各国去考察、物色有共产主义觉悟的先进分子。在中国找到陈独秀、李大钊，也找到戴季陶、王介民，通过他们帮助中国建立共产党。他们也找了孙中山，甚至找过吴佩孚，觉得他们不是共产主义者，后来放弃了。在共产国际帮助下，中国共产党 1921 年建立起来了。在 1925—1927 年大革命期间，共产国际支持共产党和国民党合作，共同发动北伐，一直到占领武汉。这一段还是对的，但是后来就问题越来越多，毛病越来越多了。

第二个时期是从1927年7月（蒋介石叛变以后）到1935年7月共产国际第七次代表大会。这个时期是共产国际中期，对中国革命影响最大。共产国际给中国党提出的路线、方针，基本上是错误的，给中国革命造成的损失也是最大的。

1927年“八七”会议，是反对陈独秀右倾机会主义的，基本上是正确的。但是没有对国民党叛变以后中国的革命形势做认真的分析，没有总结大革命时期跟国民党搞统一战线的经验教训，也没有提出今后革命采取什么路线、方针、政策。南昌起义打响了中国革命武装斗争的第一枪，创立了红军，这是它的历史功绩。但是，在具体军事路线上是错误的，南下广东以后只在汕头地区等待共产国际的支援，而不是采取就地上山开展游击战争，造成起义的失败。后来退到湘南组织浏阳暴动，把队伍带上井冈山，和毛主席在“八七”会议后回湖南组织的农民起义的部队会合。

这个时候，共产国际原来派到国民革命军里帮助孙中山、蒋介石的军事顾问鲍罗廷、加伦已经回国，另外派了一个叫罗明纳兹的人作为共产国际的代表，来指导中国党的活动。这个人的整个思想是托派思想，结果在革命低潮的时候，采取盲动主义的路线，到处发动暴动，下令广州起义，但是没有讲起义以后队伍应该怎么办，根本

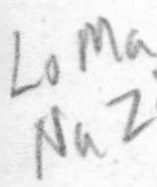

没谈到建立根据地的问题。这是1927年10月中央在上海召开扩大会议时，苏联人罗明纳兹提出的一套办法，根本反对部队转入农村，还是要攻打城市，所以牺牲了许多干部。而且他还对我们党中央采取组织处理，进行干涉，把谭平山开除出政治局，警告毛主席和周恩来。

1928年，我们党在莫斯科召开的六大是根据共产国际第九次扩大会议的决议召开的。参加会议的代表有70多人。因为罗明纳兹在中国的时候，主张发展工人党员，提拔工人干部，所以参加六大的代表，从国内去的人大部分是工人代表，70多个代表中有40多个是工人。后来革命困难时期叛变的代表有40多人，其中有10多个是工人。向忠发就是当时共产国际捧上去的，当了中央书记。六大的代表到现在只剩下周恩来、邓小平、蔡畅和刘伯承四个人了。当然还有王明，他现在住在莫斯科，不回国了，说是"治病"。

在六大期间，因为在苏联有斯大林同托洛茨基的斗争，所以在六大代表中派别斗争也很厉害。大体上瞿秋白同志是一派，张国焘是一派。立三同志是站在瞿秋白同志一边的。会议是由共产国际派来的布哈林领导，但是实际工作是由一个叫米夫的人负责，他也提出增加工人成分的中央委员。王明就是这时被提拔为中央委员的。这个时候王明非常活跃，搞宗派活动，反对中共驻共产国际的代表团，实际上是反对中共中央。

六大的主要功绩在提出土地革命的任务，但具体的阶级分析和其他政策还有许多"左"的成分。因为当时苏共在反对右倾,反对托洛茨基,后来又反对布哈林,所以也要在中国反右,在中国发展"左"倾路线。

李立三同志回国以后,在1930年6月间领导中央做出决议,要发动全国革命,要争取一省或少数省胜利,来推动世界革命,并要在各大城市中搞暴动,要打长沙,打南昌。他错误地认为,现在革命高潮已经到来。但当时斯大林还比较冷静,他曾说过,不要让红军去打大城市,现在还不能打城市,打下来也守不住。他的这个观点还是对的。但是在中国的共产国际代表没有听斯大林的,李立三当然也不听。所以在半年时间内仍然搞全国暴动,企图夺取大城市。

1930年9月,党六届三中全会召开,传达共产国际的指示,批评了立三同志。但是国际代表是用共产国际六月决议来批评立三同志的,而六月决议恰恰是反右,认为立三同志"左"得还不够,认为他是半托洛茨基主义,结果犯了更严重的"左"倾机会主义错误。在这个时候,王明、博古利用这个机会,利用共产国际的支持大反中央,认为三中全会是调和路线,要搞更加"布尔什维克化"。王明的意见得到共产国际代表米夫的支持,结果召开了四中全会。

四中全会是1931年初开的。会议的决议完全是由米夫起草的。决议指责中央,并且改组了中央。王明和博古篡夺了中央的领导权。

王明、博古路线从 1931 年到 1935 年为期四年多。王明到了共产国际，周恩来到了中央苏区，张国焘、陈昌浩到鄂豫皖苏区。开始时上海还保留一个临时中央，这个中央指责毛泽东和刘少奇右倾。后来博古到中央苏区夺权，剥夺了毛泽东同志对军队的领导权。在这四年多中，王明、博古路线对中国革命造成了极大的损失，使苏区损失百分之九十，白区（主要是城市地区，也包括农村）损失几乎达百分之百，只有少数地方组织保存下来。一直到 1935 年 1 月遵义会议，王明、博古"左"倾路线的错误才得到纠正。

第三个时期是共产国际后期，从 1935 年到 1943 年它解散的时候为止。这个时期，因为中央和共产国际联系比较少，所以影响也比较小。这时中央正在长征路上。后来红军到了陕北，中央跟共产国际联系也比较少。当时完全靠电台联系，电台设备又差，联系不好。同时，共产国际七大以后，路线还比较对头，一般不干涉各国党内部的事务。最重要的原因是中国共产党在毛主席的领导下，独立自主解决中国革命的路线和方针政策问题，使得共产国际对中国党的事情影响比较小。

但是，也不是一点影响没有。比如西安事变，共产国际在开始时的分析是错误的，它认为张学良代表亲日派，西安事变是汉奸发动的事变。后来它才改变这个观点，认为"西安事变"应该和平解决。抗战初期，王明从莫斯科回来，带来了共产国际的指示，要求建立全国统一的政权、统一的军队，这就是要求“一切通过统一战线”、“一切服从统一战线”。这就成了王明右倾机会主义路线的一个根据。王明这次右倾路线同共产国际的领导有关。但是这个路线没有能够在中央取得优势。以毛主席为核心的党中央不同意这种做法，而且还批判了这种一切通过统一战线、一切服从统一战线的右倾思想。当时还没有提出路线问题，直到 1938 年六届六中全会，才严肃地批判了这种丧失党的独立性的、投降主义的倾向。

第四个时期是从 1943 年共产国际解散以后到 1953 年斯大林去世为止，就是斯大林晚年时期。这个时期虽然共产国际解散了，但是苏共在过去长时期养成的一种习气，一切以它为中心、一切以它为转移、以它为首的大国主义、大党主义思想，这种习惯越来越严重，要求世界各国党都服从它的对外政策。在第二次世界大战中，斯大林考虑，要同英、美成立反希特勒同盟。他为着表示他是真正要跟它们搞同盟，不在它们国家内搞共产主义，所以他在这个时候宣布解散共产国际。

我们历史地看问题，从共产国际的本身来说，应该说它已经完成了它的历史任务，各国党已经建立起来，可以而且也应该独立自主地解决本国革命问题，无需在他们之上还有一个共产国际来越俎代庖了。因此解散共产国际是对的。但是，当时斯大林那种要国际共产主义运动

服从他的外交政策的想法是不对的。当时跟随英、美搞同盟是正确的，联合一切力量反对当时最凶恶的敌人德、

意、日法西斯轴心，总的来讲也是对的。

这种情况对中国也是有影响的。

第一件事情是美、英、苏三国首脑的德黑兰会议和雅尔塔会议。1943 年 10 月的德黑兰会议上，苏联承认，除东北三省外，中国是美、英的势力范围。1945 年雅尔塔会议上，美、英承认：蒙古独立，中国东北归苏联，北朝鲜也归苏联，以换取苏联在打败希特勒以后参加太平洋战争打败日本。苏联答应给国民党一切道义的、物质的援助。这就是一个很重大的问题，他们达成了这么一种瓜分中国势力范围的协议。后来苏联跟国民党政府缔结的友好条约就是在这个背景下签订的。

第二件事情是，日本投降以后，斯大林不让我们革命，不许我们反击国民党发动的内战。这也是苏联在上述的背景下向我党提出的意见。日本投降以后，苏联对我们进军敌占区采取消极的态度。特别是我们进军东北时，苏联驻中国大使曾经通过我们驻南京的代表团，要我们在东北不要前进。后来更进一步，8 月 22 日，斯大林用苏联中央委员会的名义，打电报给毛主席，要求我们对蒋介石发动的内战不要进行自卫反击，否则中国民族要毁灭。斯大林还要毛主席到重庆去跟蒋介石谈判，订立停战协定，成立联合政府。

当时中央在讨论斯大林的意见时，没有一个人赞成毛主席去重庆。因为那个时候，打了十年内战的蒋介石在抗战八年中间一直搞摩擦，掀起三次反共高潮，在大敌当前的情况下还千方百计地要消灭共产党。与这样一个蒋介石谈判和平,那等于与虎谋皮。但是苏联当时要我们服从他的外交路线,生怕跟美国发生冲突,生怕中国内战打起来会引起又一次大战,所以斯大林用很严厉的口气要我们去重庆谈判,不要打内战,否则中国要毁灭。其实,内战并不是我们要打,而是蒋介石进攻解放区,我们不能不自卫,不能不反击。

后来斯大林又来了一次电报,仍然强调上述意见,一定要我们去重庆。他认为如果我们要对国民党进行自卫反击战争,美国就会用飞机、大炮、海军帮助国民党,苏联也得受中苏友好条约的束缚,在道义上支持国民党政府。他就是给我们这样大的要挟,硬是要压我们同意接受和平谈判。

中央反复讨论以后认为,苏联这样做是没有道理的,但是也要考虑到中国已经打了八年抗战,人心向和,希望能够有一个和平环境建设国家,医治战争创伤,人心思和。在这种情况下,我们如果拒绝和平谈判,很显然是不策略的。所以中央,特别是毛主席,经过再三考虑,认为可以去谈判。毛主席说,不怕,可以到重庆去,可以谈判。我们利用谈判表示我们对和平建国的诚意。谈得成谈不成,责任在国民党。我们可以通过这个机会揭露国民党,揭露国民党不要和平,要打内战。同时要通过我们驻重庆的办事处跟美国方面交涉,要毛主席到重庆去,就要保证他安全去安全回。

当时美国驻中国大使赫尔利一口答应，而且说，他将亲自同国民党将领张治中一起到延安来，接毛主席到重庆去。这样去的安全有了保证，但能不能安全回来还是一个问题。赫尔利答应他能保证这一点。所以后来赫尔利要蒋介石亲自写一个保证书，保证毛泽东安全返回延安。这是后来赫尔利离开重庆回国之前，拿到蒋介石亲笔写的保证书对周恩来讲的。

毛主席、党中央灵活运用策略，把这个坏事变成了好事，后来签订了《双十协议》、《停战协定》，为我们准备自卫战争争取了时间，也揭露了国民党假和平真内战的阴谋。

第三件事情是，日本投降以后，苏军本来可以晚一点撤出东北，可以把收缴日本的武器交给我们。但是当时苏联对我们取得解放战争的胜利没有信心，生怕卷入中国内战，所以很快就撤退了，把机器都搬走了，连哈尔滨的大炮、炮弹都炸掉，只给我们步枪和子弹。其实，美国人是怕苏联的，怕在东北触犯了苏联。美国空运国民党军队到沈阳以后，国民党军队就向北进，打四平街。我们狠狠给它一个阻击战，国民党才知道我们的厉害。后来因为我们整个战线过长，兵力不够，决定收缩防线。国民党到了长春以后，苏联很怕国民党再往北进，美国也怕国民党再往北进惹了苏联，所以代替赫尔利到中国当大使的马歇尔就要求蒋介石保证不再往北进。蒋介石的夫人宋美龄代表蒋介石写了一封信给马歇尔，保证占领长春以后再不往北进兵了。从这件事情可以看到，苏联对美国估计错误了，对我们也估计错误，对我们赢得胜利根本没有信心。苏联驻南京的大使跟随快要垮台的国民党政府从南京撤到广州，离开南京的时候对我们代表团说，很担心你们要吃败仗，打不过国民党。而美国大使司徒雷登却留在南京没有去广州。

第四件事情是，蒋介石大规模发动内战后，一边进攻陕甘宁边区，一边进攻山东，东西夹击。我们为着消灭敌人有生力量、保存我们的力量，主动从延安撤退。当时苏联来电报要毛主席到苏联去。毛主席硬是坚持在陕北，连黄河也不过，只叫书记处五位书记中的少奇同志和朱总司令两位过黄河，到平山一带；而他跟另外两位书记周恩来和任弼时一直留在陕北，直到把战局扭转后才于1948年初离开陕北过黄河，同少奇同志为首的中央工作委员会会合。在我们打到长江边的时候，苏联驻中国大使又想为宋子文求和，向我们进行试探，被我们拒绝了。

第五件事情是，三大战役之后，我们党中央在西柏坡的时候，苏联对我们解放全国信心仍然不大。斯大林在1949年1月底派米高扬坐飞机来西柏坡。那个时候国民党的行政院长孙科带领一班人马搬到了广州，随行的只有苏联大使罗申一人，其他国家的大使都留在南京，因为当时李宗仁作为代总统还在南京。米高扬来的时候很怕我们提出外蒙古（即蒙古人民共和国）问题，其实我们根本没有打算要提这个问题。我们要求在全国解放后，苏联援助我们四亿美元搞建设，米高扬答复只给三亿美元，答应给专家，派苏联内务部负责人科瓦廖夫以中长路苏方代表的资格到东北。米高扬还要毛主席到苏联去，毛主席说战争还在继续进行，北平还没有解放，离不开。

第六件事情是，北平解放以后，1949 年 6 月少奇同志和高岗一起到苏联去，见了斯大林。斯大林当时很高兴，因为我们已经解放了北平，长江以北也都解放了。斯大林比较含蓄地承认他在中国问题上的错误。他暗示说，不许中国革命，说中国不能赢得自卫战争胜利，都是不对的。当然他讲的是比较含蓄的。他在祝酒的时候说，你们胜利了，对胜利者是不能裁判的，为中国党的胜利干杯！当时少奇同志不肯干杯，说，不行，要干杯就要为中苏两国的胜利，为中苏两国人民、两党的胜利干杯。相持了好一会儿斯大林才同意为中苏两党喝这杯酒。后来少奇同志说，看来这次斯大林还有点自我批评精神，承认他过去做错了。

第七件事情是，1949 年底到 1950 年初毛主席访问苏联，斯大林对毛主席的接待是冷落的，还不如接待少奇同志那样热情，那时候差不多每天都有宴会。本来毛主席这次访问苏联，一是为斯大林祝寿的，二是要跟苏联订立友好同盟条约。但是祝寿完了以后，苏联对订立条约不理会。后来毛主席发了脾气，说我现在没有事情干，一天只有三大任务，吃饭、拉屎、睡觉，大骂了苏联联络员一顿，这时苏联也看到英国带头，印度、缅甸都先后承认中国，与中国建交。而我们对英国说要谈判，谈判以后才能建交。这个时候苏联才着慌,才同意签订条约,于是就把周恩来找到莫斯科去商谈订约。

但是,在商谈订条约过程中,苏方提出中苏共管中长路,要我们同意在新疆设立三个中苏合营公司。所谓中苏合营,实际上是苏联出机器,把我们的矿产挖出来,运到苏联去抵债。苏方还要我们同意不让第三国的人到东北和新疆去,这样他们才答应把东北的财产交还给我们,才落实给我们三亿美元贷款。我们当然不能答应这样的交换条件。最后经过多次商谈,互相让步,才达成妥协。

第八件事情是,关于抗美援朝问题。1950 年朝鲜战争爆发后,我们一方面增加中朝边境军队,一方面公开警告美国,要它不要过三八线,过了三八线中国不会置之不理。这个时候美国人认为中国不会抗美援朝。杜鲁门又发表一个声明,说台湾是中国的,要我们不要支援朝鲜。我们没有理会。美国越过三八线以后,我们就断然出兵抗美援朝了。

我们决定出兵朝鲜后,周恩来到苏联去,要求苏联援助我们军火。苏联答应援助,但是要我们出一半价钱。原先还答应用空军援助我们,第二天就不干了。

我们出兵抗美援朝后,斯大林对我们的态度才发生变化。他看见我们真的抗美援朝了,才承认中国不是民族主义,不是半个铁托,而是真正共产主义。苏联援助我国的 156 项建设项目也是在我抗美援朝之后才落实下来的。

在整个斯大林时期，应该说斯大林在对中国的关系上，在十年间有错误的，有正确的，但最后还是正确的是主要的。当然，斯大林对中国问题出的主意，不仅仅是1943年到1953年这十年，在列宁逝世以后，在斯大林打倒托洛茨基和布哈林以后，在中国第一次大革命失败以后，在立三路线、王明博古路线时期，共产国际对中国指导的错误的根子，应该说也是出自于斯大林。但是中国党历来采取的态度是，共产国际的错误归共产国际的错误，我们党的错误由我们自己负责，不能因为有共产国际的错误指示而推卸我们自己的责任。我们向来是批评我们自己的，批评我们党内领导，并没有把责任推到共产国际。但这些错误本身是来源于共产国际，来源于斯大林。这是历史事实。所以毛主席多次说过，一提起斯大林就有气，从感情上讲很不平静，但从理智上讲应该承认斯大林对中国做了很多好事，主要的还是做了好事的。

第五个时期是赫鲁晓夫时期。

在这个时期有几个阶段。从1953年到1955年是第一阶段，赫鲁晓夫对中国党的关系还是比较正常的。因为当时赫鲁晓夫刚任苏共第一书记，他要巩固他的地位，要扫除从贝利亚一直到莫洛托夫，和后来的朱可夫的障碍。所以他当第一把手初期，对我们还是采取比较友好的态度。我们纪念国庆五周年的时候，他到中国来签订了增加援助中国建设项目的协议。

但是，在这个阶段已经可以看出，赫鲁晓夫的思想方向是不大对头的。他一上台就急急忙忙要结束朝鲜战争。斯大林去世以后,周恩来率领代表团到苏联去吊唁。在葬礼结束以后,赫鲁晓夫就提出,要马上停止朝鲜战争,不管怎么样都得马上结束,不再提出原来的要求。原来我们计划在夏天再打一个战役,突破沿三八线的几十公里防线,威胁汉城东北的战略要地。这样做对停战谈判有利。赫鲁晓夫急于停战,我们只好同意,很快就同美国人签订了停战协定。从这里就可以看得出,赫鲁晓夫很怕美国人,要讨好美国人。

当时他也很想和铁托修好,这样做当然是对的,但是他好像认为过去一切都错了,连铁托的一些错误的观点也认为是对的,简直是称兄道弟了。

在东方,他说一些新独立国家都是搞社会主义,到处封号许愿,无原则地追求人家跟他友好。同时在朝鲜问题上,搞得更不像话,除了要赶快停战以外,他又否认美国搞细菌战,说朝鲜控告美国搞细菌战是假的,还要我们也否认。我们请了国际专家到朝鲜和我国东北实地调查,证实美国的确是搞了细菌战。我们不但没有否认,还正式发表声明证实这一点,各国专家都在这个声明上签字。

赫鲁晓夫在国内大权独揽,在国外也突出个人。他是党的书记,不是政府人员,但是他陪部长会议主席布尔加宁访问英国的时候,突出他个人,把布尔加宁撇在一边。当时西方舆论觉得这是很奇怪的事情,认为共产党不懂礼节。

第二阶段是1956年到1957年，这一阶段从苏共“20大”开头，到莫斯科兄弟党会议结束。开头赫鲁晓夫就闯了祸，全盘否定斯大林，引起世界性的反共高潮，给兄弟党特别是资本主义国家的兄弟党造成了极大的困难。在社会主义国家连续发生了波兰事件、匈牙利事件。

波兰事件是苏联大国沙文主义的表现，他要对波兰动武，因为我们坚决反对，才没有敢干。对匈牙利，他原来是要出兵援助的，后来在西方国家的反对下他害怕了，反过来要撤兵。我们劝告他不要撤兵，要帮助匈牙利人民平息暴乱。第一天他无论如何也不同意我们的意见，到晚上他们主席团开了一个通宵的会。第二天，少奇同志和小平同志带领的代表团离开莫斯科回北京的时候，在去飞机场的路上他才告诉少奇同志，他们主席团整夜讨论，同意中国同志的建议，还是继续增兵到匈牙利，帮助匈牙利人民保卫住社会主义江山。

因为我们在波兰事件、匈牙利事件和整个世界性反共高潮中间，是支持苏共的，维护苏联的，所以赫鲁晓夫感到对他有帮助。毛主席到莫斯科参加1957年莫斯科会议时真心诚意帮助他们跟波兰党和其他兄弟党搞好关系。我们不仅在国际问题上支持了赫鲁晓夫，而且在他在党内清除所谓“反党集团”时也支持了他。因为这是他们的内部事务，他们中央已作了决定，我们除了支持以外没有办法干涉。我们也搞不清楚他们内部究竟怎么样。

所以赫鲁晓夫从这一系列情况中，觉得我们对他还是不错的，对他是有帮助的。

第三阶段是从 1958 年到现在（1960 年）。这个时期是赫鲁晓夫的修正主义的成长发展的时期、大肆放毒的时期。首先他出版了关于马克思主义哲学的基本原理、政治经济学、苏联党史等五本书，公开修正列宁主义。这样才使我们不能不写三篇文章。他们除了出版这几本书以外，在报刊上发表文章，从害怕美国到羡慕美国，从惧美到媚美，不惜牺牲盟友的利益来讨好一些民族资产阶级。比如对中国，在西藏叛乱问题上是这样，在中印边界上也是这样，在中国同印度尼西亚关系上也是这样。更加严重的是他企图控制中国，控制不成就公开反对中国，亲自出马反华。

这是因为在 1956 年、1957 年这两年中间，中国明确支持以赫鲁晓夫为首的苏共中央，但是对他的错误也是有批评的。比方说，在波兰问题上，开始苏联准备要出兵波兰，镇压波兰共产党，要把哥穆尔卡搞掉，这件事情受到我们强烈的反对，而且我们还严肃地警告他，如果你这样做，我们就要发表公开声明来谴责你。这样他才不敢动手。在匈牙利问题上，我们也批评了他。在他准备放弃匈牙利，不再援助匈牙利人民反对反革命时，我们很严厉地批评了他，说将来历史要追究你们的责任。对这些他是很不高兴的，再加上中国的威望日益增大，赫鲁晓夫忌妒怨恨我们的那种仇视的心理、恼羞成怒的心理，明显地增加了。

从 1958 年开始，赫鲁晓夫就企图控制我们，首先要我们跟他们共同建立长波电台，共同使用，共同拥有。我们反建议中国自建自有，苏方可以利用，他们不干。我们曾经要求他们帮助我们建设海军，而他却提出要搞共同舰队。那时我们根本没有舰队。所谓共同舰队就是苏军的舰队，他所建议的共同舰队就是苏军的舰队，他所建议的共同舰队驻扎在我们沿海港口，实际上就是要把我国沿海口岸完全控制起来。另外，他还想派空军或导弹部队驻扎在福建前线。这些要求都被我们顶回去了。

由于这一切，他对我们的批评总是耿耿于怀，特别是周恩来 1956 年 12 月到 1957 年 1 月访问匈牙利、东德路过苏联的时候，也对苏联进行了访问，并跟他们中央会谈，给他们讲道理，指出他们过去的一些做法是不对的，是大国主义的。当时毛主席在北京给总理打电话说，你要狠狠地捅他一下，统统给他讲，让他们感觉到疼，这些人你不把他刺疼，他是不会觉悟的。其实，刺疼了他还是不觉悟，反而怀恨在心，多少年以后还念念不忘说“周恩来给他们上大课”。

赫鲁晓夫对中国的强大，不仅不感觉到高兴，反而感到害怕。后来我们发现一个材料，就是在 1954 年西德总理阿登纳访问莫斯科的时候，赫鲁晓夫跟阿登纳说，中国人强大起来了不得呀！你们还记得历史上的黄祸吗？接着他讲了成吉思汗是怎样打到欧洲去的。从这里可以看到，赫鲁晓夫把中国当成是“黄祸”，他的那种欧洲第一主义、大国沙文主义思想是根深蒂固的。

赫鲁晓夫1958年要搞共同舰队没有搞成以后，到1959年6月他就宣布不供应我们原子弹样品，不供应我们制造原子弹的技术资料，单方面撕毁中苏两国政府1957年签订的协议。他采取撕毁协议的这个步骤，不是在布加勒斯特会议之后，而是在布加勒斯特会议之前，在1959年赫鲁晓夫动身去美国和艾森豪威尔举行戴维营会谈之前，他是把它作为给艾森豪威尔的见面礼之一。他给艾森豪威尔的另一个见面礼是1959年9月9日发表的塔斯社声明，这个声明偏袒印度，责备中国。他是把这两个东西作为他拜会艾森豪威尔的见面礼。

赫鲁晓夫访美结束马上到中国来，为美国人做说客，要我们放弃台湾，要我们释放在中国的美国罪犯。这就很明显地可以看出，他是想牺牲中国，讨好美国。在1959年我国国庆十周年的时候，他在访美后急忙到中国来，跟我们中央领导同志大吵一顿不是偶然的。因为那个时候他的屁股已经坐在美国一边了，不是把美国看作是他的最大的、最危险的敌人了。而对我们，他从中国回去以后，就大骂我们“公鸡好斗”，大骂我们是“不战不和的托洛茨基主义”等等，甚至在华沙条约国首脑会议中恶毒地攻击毛主席，一直到布加勒斯特会议时对中国进行围剿，采取高压手段，企图把我们压服。这是赫鲁晓夫背弃马列主义和无产阶级国际主义的历史发展。

以上是周总理用三个半天的时间，对我们跟共产国际、跟苏联、跟斯大林、跟赫鲁晓夫的关系所作的系统的历史回顾。它使全党高级干部都增加了对这些历史的了解。总理的记忆力特别强，有好多事情讲得很细，许多细节都清清楚楚地讲到了。以上所述，只介绍了一个概要。（按：1984年出版《周恩来选集》，只摘要发表了这次讲话的若干部分。）

总理在最后结束他这个回顾的时候说，我们跟赫鲁晓夫的路线斗争不是偶然的，要充分认识这个斗争的长期性和复杂性，这个斗争会高一阵低一阵。我们现在在内部把整个过程说清楚，但在公开讲的时候，特别是发表文章的时候，应该十分谨慎。我们现在还是要高举团结的旗帜，不仅在很快就要在十月革命节召开的兄弟党会议上，而且从长远来看，我们绝不先发制人，而是采取后发制人的方针。我们始终要高举团结的旗帜。斗争是为着团结，不是为着破裂而斗争，但是也要准备赫鲁晓夫要搞破裂。我们的目的是争取团结，争取能够拖延、推迟分裂的时间，这对中国有利，对世界革命也有利，对苏联人民也有利。总理说，1959年中苏两党在中南海游泳池会谈的时候，赫鲁晓夫说你老是给我花园里边丢荆棘。毛主席就跟赫鲁晓夫说，我们不是给你丢石头，而是给你撒金子。主席说的意思是我们给你说道理，给你讲马克思主义，指出你的错误，希望你改正错误，这是丢金子，而不是打石头。我们现在还是坚持这个原则。

14日到16日总理做了三个半天的报告以后，17日开小组会讨论了整整一天。其实在那三个半天里大家也是议论纷纷，三五成群地议论。大家认为，从历史上来看，我们今天跟赫鲁晓夫的争论是有它的必然性的，从此也看到了斗争的长期性和复杂性。

第四节　顶住压力

毛主席在18日的北戴河会议上讲了一番话。他说，现在全世界反华的最多只有10%的人，这里面包括反动派、半反动派、帝国主义、修正主义、半修正主义。90%的人是同情我们的，因为他们要革命。尽管一个时期好像是满天乌云，全世界都反对中国，好像跟1947年3月国民党进攻延安时一样，那个时候也是满天乌云。我们不要被这种假象吓倒了。当时谁如果给吓倒了，那就要站在蒋介石一边去了。现在呢，从去年以来反华表面化了，就是9月9日塔斯社声明发表以后就表面化了。依我看，越表面化越好，他放毒越多越好。多行不义必自毙，“多”是数量，“毙”是质量，到一定数量以后他就垮台了。所以我们不要被暂时现象吓倒。现在我们先把这个问题搁一搁，还是搞我们自己国内问题要紧。从今天起转到讨论国内问题。

主席这么宣布以后，接下来李富春同志讲话的时候，先讲的还是国际问题，其他同志发言的时候，也还是讲国际问题，这样下来，会议就成了国际问题、国内问题一起讨论的状况。

富春同志在讲到赫鲁晓夫在布加勒斯特会议整我们的时候，特别强调我们要坚决实行自力更生、勤俭建国的方针。这时，毛主席说，我们不要忘记苏联党和苏联人民在历史上给我们很大帮助。现在不帮助了，我们只能采取自力更生、勤俭建国这个方针。非这样不可。不是可以这样，可以那样，而是非这样不可。我们既不能向赫鲁晓夫乞求，也不能向美国乞求。他说，十月革命以后，没有什么别的国家，更没有社会主义国家援助苏联，可是列宁就是开始领导苏联党和苏联人民进行建设。斯大林搞工业化也是依靠自己的力量。现在我们可能而且必须搞自力更生。这是列宁主义的道路。一国可以取得无产阶级革命的胜利，可以建设社会主义。为什么非要外国援助才行呢？我们要走列宁、斯大林的道路，一国建设社会主义的道路。

毛主席所以在 18 日这一天这么强调自力更生的问题，一国建设社会主义的问题，是因为这个时候我们已经收到了苏共中央 16 日交给我们的信，他们在信里提出要在 7 月 28 日到 9 月 1 日期间全部撤走在中国的苏联专家。这就是说，苏联把中苏两党在意识形态上的分歧扩大到国家关系，全部撤退专家，实际上是等于全面撕毁中苏过去签订的所有合同。

按照过去的合同在斯大林时期苏联援助我们的项目有156项，在赫鲁晓夫时期又增加了148项，一共304项，到1959年底已经完成了109项，1960年将要完成48项，合在一起一共有157项，剩下来还有147项要在1960年以后完成。

苏联给我们的这些援助并不是无偿的，而是要钱的。所谓“援助”，实际上是他们供给我们设备，我们向他们出口东西来偿还。折合卢布的费用，这304项一共152亿卢布。到1960年，我们已经还了72亿卢布，还剩下79亿卢布。苏联撕毁这些合同，就意味着这近80亿卢布他们要赖账了，还没有完成的147个项目要全部作废了。

根据这些项目，苏联派到中国来的专家一共1299人，另外有家属1700多人。在这些专家中有些不完全属于援助项目的，比如文教方面、军事方面的顾问。但大部分是经济援助项目的，包括国防工业。他们把将近1300名专家全部撤走，设备就安装不了，究竟以后他们还来不来设备也说不定，也可能一风吹了。

当时，中央政治局在北戴河开会讨论了这件事情。中央认为，我们应该把决心下在他们把专家统统撤走、所有援助的设备统统都不给、条约统统撕毁上。当然，估计他们还是想做生意的，因为中国有些东西他们还是需要的，特别是矿产和轻工业产品。我们要认真算一算账，我们欠他的债怎么办？他们赖账怎么办？

周总理把账算出来了。他说，按80亿卢布算，过去我们每年还他5亿左右的样子，如果按5亿左右算，我们要16年才能还清。如果提高一点，每年按8亿算，那我们要10年才能够还清。政治局会议讨论后决定，要争取5年还清。要号召各部门、各省勒紧腰带，要争这口气，要尽快把欠苏联的债全部还清。其实我们欠苏联的152亿卢布里边，真正属于经济上援助的只占四分之一，其他四分之三的债务都是抗美援朝中苏方以半价卖给我们军火的钱。

毛主席在政治局会上说，不管怎么样，过去我们答应买武器弹药按半价的，现在我们还是按半价还债，一个钱也不赖。经济建设的设备也是一个钱不赖，欠多少还多少。因为这是苏联人民的钱，我们要对得起苏联人民，在我们困难的时候他们帮助了我们。现在他们领导这么反华，但是钱是苏联人民的钱，还是全部还清。各地方、各部门要下决心把东西挤出来。延安时期那么困难，我们吃辣椒也不死人，现在比那个时候好得多了，要勒紧腰带，争取五年内把债务还清。

政治局会议决定：成立中央外贸小组，挤出东西来还债；各地方也成立一个外贸小组，把钱挤出来还债。毛主席说，中国人不信邪，不怕压，也不怕逼债，就是要有这么一个志气。

7月31日，周总理在会上把苏联专家的情况、苏联援助我们项目的情况和我们外贸的情况、欠债的情况都向大家讲了，而且强调要对苏联专家多做工作，要相信专家大多数还是搞国际主义的,是好人。凡是有苏联专家的单位,要由单位负责人亲自找专家谈话,要感谢他们对中国的帮助。如果他们有意见,可以听他们的意见,做适当的解释,不和他们争论。同时地方上的各单位、厂矿企业单位,要组织小规模的欢送会,要热情欢送他们,因为他们做了有益于中苏友谊的工作,给中国的社会主义建设很大的帮助。不管他们的态度怎么样,我们都要以诚相待、热情欢送。将来在北京再集中欢送一次。

后来事实证明,我们对在中国的苏联专家采取这样的方针完全正确。许多苏联专家在撤走的时候非常激动,在我们欢送和告别的时候,他们许多人都流了泪,跟中国人热烈拥抱,对我们这样的热情欢送非常感动。

苏联 7 月 16 日发出的照会,是在 7 月 13 日至 16 日举行的苏共中央全会批准赫鲁晓夫在布加勒斯特会议的活动时决定的。苏共中央的这次全会不仅批准了赫鲁晓夫在布加勒斯特会议上对我们采取高压政策,也批准了赫鲁晓夫把意识形态的分歧扩大到国家关系方面的措施。

这件事情等于苏联全面地撕毁跟中国签订的所有关于经济援助、国防工业援助的协议和合同,这是一个严重的步骤。但是,对这件事情,我们党中央有充分思想准备,决心顶住这个压力,把重点放在搞好国内工作上,坚持自力更生、勤俭建国、艰苦奋斗。北戴河会议后期集中讨论了国内问题,特别提出要把农业搞好,要大办粮食,要千方百计地挤出东西来还债。会议号召全党和全国人民下定决心,千方百计,还清外债。

8月10日,毛主席在会议结束时讲话。他说,中苏关系的问题不大也不小,天不会塌下来,也不必无穷忧虑。无非是不给设备,把中国共产党逐出教门,中苏友好互助同盟条约一风吹,对中国实行军事威胁,甚至同美国人一起来打我们,极而言之,无非如此。中国这个地方历来是不好惹的,进得来就出不去。美国人曾经说过,在朝鲜打仗是在错误的时间,在错误的地点,向错误的对象,实行错误的战略。现在再来,他要打就打嘛。中国地方大,有西南,有西北,蒋委员长就躲在那个地方,日本就打不到他。我们不相信美国就能打得进来,能够占领整个中国。应该相信苏联老百姓的90%以上是好人,工人、农民、知识分子中也许有些人暂时被蒙蔽,但是最终是会明白过来的。也应该相信90%的苏联专家是搞国际主义的,是好同志。我们要相信他们,要好好欢送他们。什么叫孤立呢?讲不清道理就叫孤立。我们把道理讲清楚,使得人家了解了,我们就不会脱离群众,就不会脱离大多数,就不会孤立。

毛主席说,这次苏联在布加勒斯特会议后这么迫不急待地撤退所有专家,看来是有一种什么需要。听说苏联通过一个法律,反对领导要判六至七年徒刑。我们对右派都没有这样做,看起来他们有些惊慌失措,所以这么着急,这么迫不及待,看来是害怕,是心虚。我们不急,无非是那么几手,要硬着头皮顶它10年,如果太长了,缩短5年也可以。如果5年不行,还要顶,就再顶5年。当然,我们希望时间越短越好,但是要做越来越长的准备,有长期打算,硬着头皮顶着。首先要县一级的干部知道这个道理,然后让12万个乡的乡一级干部懂得这个道理。听说苏联已在全党都传达了,我们现在只传达到12万干部。这叫留有余地,那么急不必。苏联是急于作决议,中央全会作了决议,急于往下传达。看起来这里面有什么名堂,有什么需要,说穿了就是怕。布加勒斯特会议把我们骗去,搞了两天的突然袭击。我们要修改,他不赞成,修改一个字都不行。代表团说要请示中央,他也不赞成。世界上哪有这么蛮干的,还像共产党吗?列宁在搞第三国际的时候,开会开一个月都有的,因为有理不怕辩论,真理越辩越明。他害怕辩论急于作决议,说明他心虚,说明他有弱点。我就不相信这种状况能够长久。

主席讲完以后,小平同志也在会上讲了话。小平同志说,对赫鲁晓夫,我们有两个办法,一个办法是照他的办,跟着他搞修正主义;一个办法是顶住,坚持原则,即使只剩下我们一家,也坚持到底。因为孤立的不是我们。历史的发展不是跟他走的,他的指挥棒越来越不灵了。在布加勒斯特会议上就不灵了。阿尔巴尼亚就不跟他走,英勇得很,这么一个小国硬是顶住了庞然大国的赫鲁晓夫。我们党坚持原则是正确的,也只有我们党有力量坚持,我们不坚持就不得了。我们党在国内实行的一系列路线、方针、政策,没有一件是赫鲁晓夫同意的。如果我们听他的,承认错误,那我们现在就要下台。

小平同志还说,我们坚持马克思主义是有信心的。尽管现在面临着很紧张的局面,但是这些都是局部性的、暂时的问题。我们国内的事情搞好了,我们反对修正主义斗争的腰杆子就粗了。其他兄弟党也不会给赫鲁晓夫帮什么忙的,对我们影响也不会大。我们要做最困难的准备,这样有好处,要加紧工作。要从现在起用一年的时间缓过气来,要下决心明年出口20亿卢布来还债。要硬着头皮顶着,从各方面挤,努力尽快把债还清。这是政治问题。事实上是可以挤出来的,留点尾巴也没什么关系。现在大家情绪很高,都要勒紧腰带还债。大家对苏共这种做法义愤填膺,这就产生干劲,就可以想各种办法来渡过这个难关。我们一定要把工作做扎实,从今以后要坚决反对共产风、浮夸风、瞎指挥风。在今后一年内要把困难估够,把干劲鼓足,共赴国难。小平同志还宣布:为着加重地方的责任,让中央腾出更多的时间考虑全局性的问题、世界性的问题,中央决定成立中央局,把全国划分为六大区,成立六个中央局,来代行中央职权,作为中央的代理机构。

接着少奇同志也讲了话。少奇同志说,现在修正主义成为一种国际潮流。这次大暴露,究竟是好是坏?列宁讲过,修正主义是一种国际现象,它暴露出来是好事。发生不发生修正主义不由我们主观来决定,因为修正主义有客观的基础,是必然发生的,不可避免的。与其迟发生,不如早发生好,脓包以早些放出来为好。修正主义出现是列宁主义发展的重要条件。没有修正主义,列宁主义就不会这样的大发展。现代修正主义的出现,我们可以大大发展马列主义,可以组织马列主义的队伍。这是一个很好的机会。能够担当起这么一个任务是非常光荣的。马克思、恩格斯搞第一国际的时候,反动派猖狂进攻,发生了机会主义。恩格斯再组织第二国际,又有很大发展。可是恩格斯一死,修正主义又抬头,因为资本主义和平发展。列宁当时是很孤立的。后来列宁组织了第三国际,把国际工人运动推向前进。列宁死后又发生修正主义,因为整个欧洲、美洲产生了工人贵族,而且在社会主义国家产生了高薪阶层。苏联的高薪阶层是斯大林30年代肃反以后产生的。1930年我在苏联的时候,苏联的工资最高的是300卢布,1932年肃反以后,提高了工资,叫做物质刺激,这样就产生了高薪阶层。有了高薪阶层就有产生修正主义的可能。至于是谁,是张三还是李四,那是一种偶然性,而产生修正主义是一种必然性。

少奇同志说,如果我们中国搞不好,也会产生修正主义。所以我们提倡干部要参加劳动,每年要进行一次整风,要教育好后代一定要坚持马克思列宁主义。我们对反对修正主义的斗争是一定会胜利的,要有这个信心,因为多数人是可以争取的。世界上90%以上的工人、农民、知识分子都是好人,即使他一时受了蒙蔽,最后还是会觉悟过来的。我们要准备硬着头皮顶十年，像主席所讲的那样，用十年发展我们自己的力量，壮大自己的力量，到那个时候就比较主动了，事情就比较好办了。欧洲一些资本主义国家的党，很可能成为新的社会民主党，这恐怕不是十年就能够解决的问题。也可能发生分化，可能出现列宁主义的派别。甚至社会主义国家，也可能出现好几种类型。南斯拉夫是一种类型，苏联又是一种类型，而我们又是一种类型。这不是十年就能够解决的。但是，只要我们能够硬着头皮顶上十年，我们经济发展了，粮食过关了，钢多起来了，那就比较主动了。

北戴河会议就是在这种自力更生、艰苦奋斗、奋发图强的气氛中结束的。

第七章 斗争与妥协

第一节 胡志明劝和

在北戴河会议快要结束的时候,越南党胡志明主席直接来到北戴河。随行的只有黄文欢和阮春水。他一来到就声明说他是来做说客的,是来劝和的。

中央决定先由恩来同志、小平同志和他谈,谈了两次。胡志明提出一个想法,说他们越南党准备开党的代表大会。在开会之前,他要到苏联去,征求苏共的意见。他可以趁这个机会对赫鲁晓夫做一点工作,希望中苏的分歧能够通过谈判加以解决。胡志明说,中苏两党的分歧在布加勒斯特会议上公开化以后,兄弟党都知道了。接着苏联又宣布从中国撤走所有专家,撕毁全部合同。这是一件大事。据他得到的消息,兄弟党都很焦急。他这次到中国来,先同中国同志商量商量,然后再到苏联去。他说,他劝和,希望社会主义国家的共产党团结,共同对付主要的敌人美帝国主义。他还建议开三个会:先由中苏两党会谈,谈好了以后再开起草委员会。像1957年莫斯科会议那样,各个洲都派出一些代表参加起草委员会的工作,具体商量起草一个宣言。起草以后再开第三个会,就是全世界的共产党工人党会议,通过宣言,团结起来对付美帝国主义。他希望听听中国同志对他这个建议的意见。

恩来同志、小平同志跟胡志明谈的时候,首先讲了从斯大林去世后,从苏共"20大"开始,中苏两党在重大原则问题上发生分歧。然后又讲到中苏历史上的问题,讲到斯大林在世的时候,苏共对中国革命的指导有错误,斯大林不许我们革命,斯大林不相信我们是真正的共产主义者,说我们可能是半个铁托,以及1949年毛主席到莫斯科时在商订中苏友好同盟互助条约过程中苏联所表现的大国沙文主义等等。

胡志明听了以后,觉得中苏分歧不简单。但是,不管怎么样,他还是希望中苏两党团结,以大局为重,共同对敌。

在北戴河会议结束的那天(8月10日),毛主席通宵没有睡觉,他一清早就想跟胡志明谈话。在知道胡志明已经到北戴河海边去以后,毛主席也来到海边,跟胡志明一起游泳。两个人在游泳前谈了一阵,游泳之后又谈了一阵。毛主席到海边不久就叫人请少奇同志、恩来同志、小平同志到海边来一起谈。

毛主席对胡志明说,你们是好心。你们的意见我看基本上是好的。我不说它是完全好的,只说它基本上是好的。你们想要加强团结是好的。你们提出要反对以美帝国主义为首的帝国主义和它们的走狗,这是我们的共同任务,这也很好。但是,究竟谁是朋友,谁是敌人呢?这个问题要分清楚。在这个问题上,我们跟赫鲁晓夫早就有分歧。赫鲁晓夫现在是修正主义的代表,向马克思列宁主义进攻,向社会主义阵营和国际共产主义运动进攻。对于帝国主义和各国反动派,他表示很亲热,同他们站在一起。毛主席说到这里,胡志明显得非常紧张。

但是,毛主席又说,我们还是赞成采取共产党内部解决问题的办法来解决中苏两党的分歧。在内部讨论,不公开去争论,不把分歧暴露在敌人面前。其实,赫鲁晓夫早就把分歧暴露在敌人面前了。在印度挑起中印边境冲突期间,赫鲁晓夫叫塔斯社发表了一个声明,偏袒印度,谴责中国。但是我们还是不愿意把这个分歧公开化。毛主席说,中苏不和后果是严重的,所以我们赞成你们劝和,赞成你们当和平使者。

这时胡志明就问毛主席:我们到苏联以后,赫鲁晓夫会问我们中国同志讲了些什么,我是不是可以把谈过的问题都给他讲呢?

毛主席说,这些问题我们过去都同赫鲁晓夫谈过,我们刚才跟你说的话，你完全可以对他讲。

胡志明说，我打算跟赫鲁晓夫讲中国在四个问题上不同意苏联的意见。第一是关于我们的时代和帝国主义问题，第二是关于和平和战争问题，第三是关于和平共处问题，第四是关于和平过渡问题。他说，我还准备讲，中国同志主张用解决兄弟党之间分歧的正常方法，即从团结的愿望出发，通过讨论，进行批评和自我批评，解决中苏两党的分歧，达到在新的基础上的团结。你看这样可不可以？

毛主席说，完全赞成你的打算。我们的这些意见他们都是知道的。你现在做和事佬，以第三者的身份去说一说也好。

这时胡志明又提出一个想法。他说，我们还有一个想法，就是第一步中苏两党派代表会谈；做好准备后，第二步毛泽东同志和赫鲁晓夫亲自会谈。我们这个想法行不行？

毛主席说，现在人家把我骂得狗血喷头，我去谈什么？而且，在我们党内还有很多人，少奇同志、小平同志，还有彭真同志，他们都可以去谈。我现在不讲话，再过一两年可能讲。赫鲁晓夫本人不知道讲了多少次话，甚至讲到要把斯大林的遗体搬到中国来。他在布加勒斯特会议期间对中国代表团说，中国那样喜欢斯大林，老讲我丢掉一把刀子，那么，把斯大林的遗体搬到你们那里去好了。毛主席问胡志明：你赞不赞成把斯大林的遗体搬到中国来？胡志明说，还是在苏联好，怎么能搬到中国来呢。

最后，胡志明表示，他同意中国同志上面所讲的几个重大问题（就是他讲的四个问题）的意见，对中国提出的批评原则也完全赞成。但是，胡志明说，中国同志是不是对西方同志的性格不太了解，有时候采取的方法效果不大好。毛主席说，可能有这种情况，我们要注意批评的方式。接着，胡志明打个比方说，请人抽烟是把烟递过去，而不是把烟丢过去，递过去人家就接受了，丢过去人家就说你太不礼貌，接受不了。毛主席说，主要是原则，我们要用科学的语言表达意见，发表评论，像马克思、恩格斯、列宁那样，这是主要的。当然，方式也要注意。批评要具有准确性、鲜明性、生动性。胡志明说，是不是还可以加上同志式。毛主席说，也要看对什么人，对一时糊涂受骗的人，对一般中下层干部可以作同志式的谈话。列宁对伯恩斯坦就不把他当作同志了。胡志明说，那当然，应该是义正词严。

谈过一阵之后，毛主席建议去游泳。他说，我一夜没睡觉，很疲劳，游泳一会儿可能好一点。于是他们两个人就下海去游泳了。

在毛主席和胡志明下海游泳的时候，少奇同志、恩来同志、小平同志和尚昆同志都来到了浴场。毛主席和胡志明同志上岸后，大家在海滨浴场一起吃午饭，饭后又继续会谈。除了对前面谈过的问题又进行比较详细的讨论以外，胡志明还希望少奇同志最好在明年春天气候好的时候去越南访问，那时气候适合一点，欢迎规模也可以搞得大一些、热闹些，像过春节那样。

胡志明去了苏联以后，8 月 19 日又从莫斯科回到北京。当天晚上，毛主席就在中南海勤政殿会见了他，听他谈他见了赫鲁晓夫以后苏方有什么反应。

据胡志明说，他在那里把意见都跟赫鲁晓夫讲了。赫鲁晓夫说，对中国同志谈的一些问题，在主要点上意见是一致的。比方说，消灭帝国主义、搞无产阶级专政、搞无产阶级革命、搞共产主义，等等。胡志明说，可是当深入一点谈时，意见就不同了。比方对当前的国际形势的看法，对战争与和平、和平共处、和平过渡等问题的看法，他们对中国同志有一大堆意见，这是中国同志都知道的。特别是在谈话中间，苏联方面指责中国从 1958 年起在许多事情上都不给苏联打招呼，不跟苏联商量。比方说，提百花齐放，办人民公社，搞大跃进，提出东风压倒西风、纸老虎，还要修成吉思汗陵墓，等等。他们说，这些都表示中国另搞一套，要跟苏联过不去。他们特别抓住成吉思汗这个问题做文章。

毛主席说，成吉思汗的陵墓是日本人破坏的。蒙古人很尊重他的祖先成吉思汗，所以把他的陵墓重修了。苏联人不也在列宁格勒重修了彼得大帝的陵墓吗？而且赫鲁晓夫还想在中国的旅顺把日俄战争时两位沙皇将军的塑像重新修起来，只因我们不同意才作罢。

毛主席讲,赫鲁晓夫说1958年起中苏之间谈不拢的事多起来了。的确是这样,在1957年莫斯科会议的时候,以至早在1953年斯大林去世以后的一段时间内,1954、1955年,双方还好谈,1956年虽有争论也还好谈,但是1958年起就不好谈了。他们提出要搞中苏共同舰队,要在中国搞长波电台,要派空军驻在我们国家里,这些我们都抵抗了。就是说,他们想要控制我们,我们不受控制,他们就不高兴,就打击我们,就要整我们。实质就是这么一个问题。他们要把他们的意见强加给我们,要把我们管得死死的,要搞大国沙文主义。我们不抵抗行吗?意识形态的争论,可以争个面红耳赤,也可以从长计议,让实践证明谁错谁对。但大国沙文主义非抵抗不可,没有谈判、妥协的余地。

毛主席说,至于人民公社、大跃进、百花齐放,这是中国式的香肠,我们不准备向外国推销。在布加勒斯特会议期间,赫鲁晓夫都提到这些问题,惟一新的是成吉思汗这一条。赫鲁晓夫1954年见阿登纳的时候曾提到成吉思汗,说要提防中国的“黄祸”,可见这个人不是马克思主义者。成吉思汗是征服了俄国之后才征服中国的,并不是先在中国称王然后打到欧洲去。我们并没有因为这样就埋怨俄国人。赫鲁晓夫这种颠倒历史的说法很可笑。

胡志明说,他同赫鲁晓夫还谈到了中苏两党中央见面的事情。赫鲁晓夫表示同意并说苏联将尽力而为,但要看中国的态度。他还表示希望起草委员会能够开好,能够为世界共产党工人党会议做好准备。

毛主席对胡志明说，会议可能开成，可能有希望，但是我们不能松懈。你们是12日到苏联的，14日他们就给我们两封信，一封信提到两党见面，大家讲团结；另一封信把我们大骂一顿，是回驳我们在布加勒斯特会议上的声明的。毛主席说，看了后一封信，我很担心，究竟他们心里想些什么，会议能不能开好。看来我们得有思想准备，斗争是不可避免的。究竟怎么样答复苏联，我们中央在几天之内再讨论作决定。现在是8月19日，8月份还有12天，9月份还有一个月。他们提出9月29日或是30日召开起草委员会会议，看来要在这个时间之前半个月左右举行中苏两党会谈。1957年在莫斯科的时候，我们中苏两党开了五天会，这次有半个月，时间比过去长，但是问题很多，究竟是开得好开不好，再看。胡志明表示希望两党会谈越早越好。

不仅胡志明有这个意见，而且波兰党和匈牙利党也向我们表示了这个意见，所以我们党中央常委经过讨论，在9月初答复苏共中央同意先举行两党会谈。

第二节　对苏共的《答复书》

北戴河会议后，中央政治局常委在北京开了几次会讨论中苏两党会谈问题。会议同意举行两党会谈，为起草委员会做准备，同时还确定，在会谈之前我们要对苏共中央在布加勒斯特会议上散发的《通知书》作全面的、系统的批驳，发出我们的《答复书》。

本来，在这之前，按照中央常委会的决定，在北戴河会议期间，我们这些秀才的主要工作是准备《答复书》，批驳苏共中央在布加勒斯特会议上所发的《通知书》。在这个《答复书》中，我们对国际形势和国际共产主义运动中的一系列重大原则问题，特别是我们和苏共有分歧的重大原则问题，也包括苏共《通知书》里所谈到的七个问题，系统地阐述了我们的观点，同时联系苏共的错误观点，全面地、系统地对苏共歪曲事实、歪曲我们的观点、对我们进行无理的攻击，逐一加以批判。

《答复书》有 12 部分，其中着重讲了五个问题：第一，赫鲁晓夫在布加勒斯特会议上对我党突然袭击，组织围攻；第二，赫鲁晓夫在布加勒斯特会议之后，把意识形态领域的分歧扩大到国家关系，撕毁中苏两国政府签订的援助中国建设的所有协议，撤回派到中国的所有专家；第三，赫鲁晓夫在中印边境冲突中偏袒印度，指责中国，把中苏分歧公开化；第四，赫鲁晓夫吹捧艾森豪威尔，美化美帝国主义；第五，赫鲁晓夫公然对西德总理阿登纳宣传所谓“黄祸”，并要阿登纳帮助他对付中国。

由于我们在前一个时期，特别是在撰写《列宁主义万岁》三篇文章时，对苏共的修正主义观点进行了系统的批驳，所以苏共在《通知书》里面东补一点，西补一点，但是依然贯彻他们的修正主义路线。因此,《通知书》中矛盾百出。一会儿说时代的性质、帝国主义的本质没有变,不能对帝国主义抱不切实际的幻想;一会儿又说国际形势发生了根本的变化,不能按老眼光对待帝国主义,艾森豪威尔和我们一样爱好和平;一会儿说如果不肯定裁军的可能性就不能够动员群众,一会儿又说裁军不是短期内能够实现的;一会儿说苏共对帝国主义从来是不抱任何幻想的,但又无法解释为什么赫鲁晓夫说艾森豪威尔"和我们一样爱好和平"。总之,这样不能自圆其说的地方在《通知书》中俯拾皆是。

《通知书》对我们的观点,却极尽捏造、歪曲之能事。例如,我们认为战争打不打不是由我们一方面决定的,我们不是帝国主义的参谋长;他们就说,我们低估了和平的力量。又如,我们说原子弹是纸老虎,帝国主义是纸老虎;他们就说我们低估了帝国主义的力量。其实我们早就讲清楚,我们是在战略上把原子弹、帝国主义看作纸老虎,不怕它,但在战术上要认真对待它,讲究同它进行斗争的方法。毛主席早在1957年莫斯科会议上就是这样讲的,后来又多次进一步讲清楚这个问题,但他们头脑里辩证法太少,形而上学太多,就是蛮不讲理地指责我们。

在《答复书》里,我们责问苏共,既然你们承认帝国主义本质没有改变,战争的根源是帝国主义,不能放松警惕,不能麻痹,为什么赫鲁晓夫又大肆鼓吹"没有武器、没有军队、没有战争的世界"?这如何解释呢?关于和平过渡的问题，我们说，你们明明知道在 1957 年莫斯科会议上，我们对你们的观点是有不同意见的，所以特别写了一个备忘录给你们。可是你们在《通知书》中却说我们完全同意你们的观点。苏共以为这个备忘录只交给他们，别的兄弟党不知道，可以蒙混过关。所以我们在《答复书》里特别指出，我们同意《莫斯科宣言》的提法是一个妥协，是有保留的，所以才写了那个备忘录。我们的观点就表现在备忘录里。这次我们就把 1957 年莫斯科会议时我们交给苏共中央的这个备忘录，作为附件放在《答复书》后面，让兄弟党都知道。

苏共《通知书》里还讲到，在和平共处的条件下革命可以取得胜利，并举例说日本、南朝鲜、土耳其等国家群众运动兴起，15 年来有 27 个国家取得独立。他们把这些算做是和平共处的结果，说和平共处能够促进革命的胜利。我们批驳他们这种说法是牵强附会的诡辩，指出，这些胜利从根本上说是这些国家人民反对帝国主义和新老殖民主义斗争的结果，是人民革命运动，特别是民族独立运动的胜利，怎么能算在苏共的“和平共处”总路线的账上呢！

他们攻击我们反对谈判，我们在《答复书》里指出，我们跟美国谈判，从朝鲜战争时就谈，一直谈到日内瓦会议，现在还在华沙谈，谈的时间比任何一个社会主义国家跟美国谈判的时间都长。我们是主张谈判的，但是我们不能把谈判作为我们主要的斗争手段，更不能在谈判中间放弃原则立场，作无原则的让步。

在《答复书》里，我们对赫鲁晓夫在布加勒斯特会议上那种像泼妇骂街的谩骂没有理睬，比如他说什么“民兵是一堆肉”、“可以把斯大林的尸体搬到北京去”；说我们是“不战不和的托洛茨基主义”；说“中国快要出匈牙利事件”，等等。但是，对他指责我们老是批评赫鲁晓夫是“挑拨”苏共中央和赫鲁晓夫的关系，我们就回答说，这是因为这几年来攻击中国最多的就是赫鲁晓夫本人，他一共发表了一百多次讲话。我们不驳他驳谁呢？谁叫他讲那么多攻击中国的话呢？赫鲁晓夫要控制中国，搞什么中苏共同舰队，是他搞大国主义的暴露。苏共在《通知书》里对此讳莫如深，我们在《答复书》里把此事拆穿，指出赫鲁晓夫就是因为中国抵抗他的大国沙文主义，所以才攻击中国。《答复书》中对赫鲁晓夫攻击我们在 1957 年莫斯科会议上提出“以苏联为首”的问题也做了回答。赫鲁晓夫在华沙条约国首脑会议期间的宴会上，大骂我们提出“以苏联为首”，说“为首顶个屁用，等于一个公共痰盂，谁都往里面吐痰”。我们在《答复书》里明确指出，“为首”不等于当老子党，不等于不能批评，不等于一定要跟着你的指挥棒转。

由于我党中央确定中苏两党会谈以便为 1960 年十月革命节后召开兄弟党会议做准备，因此我们的《答复书》就不能只限于回答苏共中央的《通知书》。我们在批驳之后，还提出了以团结为重、通过协商解决分歧等五项建议。这五项建议是：

第一，马克思列宁主义的根本原理和1957年莫斯科会议两个宣言的原则，是中苏两党和所有兄弟党团结的思想基础，也是判断是非的准则。

第二，社会主义国家之间和兄弟党之间的关系，应该严格遵守莫斯科宣言所规定的平等的、同志式的国际主义原则。

第三，对于社会主义国家之间、兄弟党之间关系中的所有争论，必须根据莫斯科宣言规定，通过同志式的、从容的讨论来求得解决。中苏两国、两党在一切重大的、共同有关的问题上，都应当充分协商，从容讨论，以便取得一致。如果争论一时不能在两党商谈中求得解决，应该继续从容讨论。

第四，中苏两党应该珍惜友谊、共同对敌，而不应当有任何足以破坏两党、两国团结的言论和行动，给敌人以可乘之机。

第五，中苏两党应当在上述基础上，同各国共产党和工人党一起，经过充分的准备和协商，开好今年11月的各国共产党、工人党代表莫斯科会议。

这五条原则针对性是很强的，主要就是在兄弟党、兄弟国家之间，不能由苏联一个党说了算，要经过协商，有分歧要从容地协商；一次协商不成，再次协商，以达到协商一致；不能采取表决的办法，不能采取少数服从多数的办法。一定经过充分协商，大家同意了才能做决定。这就是说，各兄弟党是独立、平等的，相互间不是依附的关系，而是平等的关系。这是当时跟苏共关系中的一个要害问题。在布加勒斯特会议上，赫鲁晓夫挥动指挥棒指挥一切，我们提出需要时间请示中央也不允许，我们提出要修改一个字也不能。这种横蛮的、霸道的作风不是兄弟党之间应该有的。所以我们抓住这个问题，有针对性地提出这五条原则。

这些意见都是9月7日在毛主席那里开政治局常委会的时候一致强调的，而且根据这些意见在会上就把《答复书》修改定稿了。定稿以后，由专家翻译组把《答复书》全部校译好。在10日由小平同志和彭真同志约见苏联驻中国大使契尔沃年科，把这个《答复书》交给他；同时通知他，我们中国共产党代表团准备在15日动身去莫斯科，跟苏共代表团进行谈判。

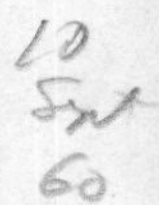

第三节　中苏两党会谈

参加中苏两党会谈的我党代表团，由小平同志任团长，彭真同志任副团长，一行有几十人，代表团成员中包括联络部和外交部的负责人，还有一批秀才，因为要准备可能有激烈争论，准备进行针锋相对的斗争，需要准备材料。这次我没有去，因为毛主席交代要留些秀才在北京做后方支援。

代表团出发之前,中央政治局常委 9 月 13 日晚在毛主席家中开会讨论中苏两党会谈的方针。会议估计,这次会谈一定会争论激烈。我们代表团这次去莫斯科是试探苏方态度,究竟他们想搞好团结,还是像布加勒斯特会议那样采取高压手段想把我们压服。毛主席和少奇同志都认为这两种可能性都存在。赫鲁晓夫之所以同意在莫斯科会议之前举行两党会谈,为莫斯科会议做准备,是因为除了越南党以外,还有不少兄弟党都有这种愿望,希望不要再吵下去,还是要团结。他就是在这种压力下同意举行中苏两党会谈的。所以他不一定真的要搞团结,很可能是要压服我们。因此代表团要做好充分的思想准备。

代表团是 9 月 15 日分乘两架飞机离开北京的。因为从安全考虑,如果同坐一架飞机,万一发生事故,那损失就太大了。小平同志和定一同志等坐一架飞机,彭真同志和其他同志坐另一架飞机。小平同志乘坐的飞机当天就到了莫斯科,而彭真同志乘坐的飞机飞到斯维尔德洛夫斯克以后,因为天气不好不能直飞莫斯科,只好改坐火车,第二天(16 日)才到达莫斯科。

中苏两党正式会谈从 9 月 17 日开始。苏方代表团是以苏斯洛夫为首,包括新到苏共中央工作的科兹洛夫,还有安德罗波夫、波斯别洛夫。我们参加的是小平同志、彭真同志、定一同志和康生。

第一天会谈开始,苏斯洛夫抢先讲话,一方面说表示愿意消除分歧；另一方面又说，初步研究了我们的《答复书》以后，认为分歧不是缩小而是扩大了。他指责我们在《答复书》里面讲了很多反马列主义的观点，不考虑苏共的意见，是20年代托洛茨基事件以来对苏共最严重的攻击。

接着他就对我们的《答复书》作长篇大论指责，说我们这也不对，那也不对。这是我们原来估计到的。我们代表团在出发之前就估计他们看了我们的《答复书》后是咽不下去的，可能在会谈中直接就我们的《答复书》进行争论。我们做好了应战的准备。鉴于苏共在布加勒斯特会议时向所有兄弟党散发了他们的《通知书》，我们的这个《答复书》也准备要发给所有兄弟党。

苏斯洛夫这么抢先讲了一大套以后，气势汹汹地说，这还是对中共《答复书》的初步评价，他还有话要讲。当然，最后他也说了一些希望能够消除分歧、加强团结的套话。

苏斯洛夫抢先作长篇讲话，实际上是因为他们看到我们没有屈服于他们在布加勒斯特对我们施加的压力，没有屈服于他们撤退专家、撕毁协议的压力。他还振振有词地对我们在《答复书》里批判苏共的违反马克思列宁主义和1957年莫斯科会议宣言的一系列错误观点，一一加以狡辩。

针对苏斯洛夫的长篇讲话，小平同志作了答复的答复。小平同志说，你们那个《通知书》性质是很严重的，我们的这个《答复书》是由你们那个《通知书》引起的。你们不仅有那个《通知书》，而且还把我们之间的分歧扩大到国家关系上，采取撤退专家、撕毁合同一系列严重的行动，所以我们的《答复书》不能不提这些问题，不能不就这些问题做出回答。现在你们看了我们的答复，但并没有一点自我批评。我们的代表团感到十分遗憾。在会议快结束的时候，小平同志质问他们：你们究竟要把中苏之间的意识形态的分歧引到什么地方去？希望你们慎重考虑，做出认真的答复。

第二次的会谈在19日举行。这次又是苏共方面先讲，但不是苏斯洛夫讲，而是由科兹洛夫讲。科兹洛夫原来是列宁格勒的书记，在苏共“21大”时才提升为政治局委员的。

科兹洛夫同样是指责我们的《答复书》，认为我们的《答复书》是严重的，是不能接受的。他说，分歧并不是苏共引起的，而是中共引起的。中共在布加勒斯特会议之后不指名地指责兄弟党，攻击苏共。他举例指出《人民日报》的一些文章，《贵州日报》一篇《边干边学》的文章和《红旗》杂志刊登的《思想解放》的文章。其实这些文章并没有指名兄弟党，只是正面讲一些道理，当然其中有些观点是与苏共不同的，并非有意同苏共论战。

科兹洛夫还讲到，中国党为什么把过去的分歧又提出来，为什么要挑拨苏联跟波兰、匈牙利的关系。因为在我们的《答复书》里面讲到，我们过去在苏共困难的时候，本着团结的愿望，为着整个社会主义阵营的团结，曾帮助苏共解决这些问题的。但是科兹洛夫却把我们讲要跟波兰搞好关系和不能抛弃匈牙利的意见，看成是挑拨他们跟波兰、跟匈牙利的关系。这完全把事实颠倒了。

科兹洛夫还讲到苏共“20大”的问题。苏共“20大”之后，我们《人民日报》编辑部发表了《关于无产阶级专政的历史经验》和《再论无产阶级专政的历史经验》两篇评论文章。我们在《答复书》里批评他们对待斯大林是违反辩证唯物主义的，没有分析，一棍子打倒斯大林，造成了很严重的后果，使亲痛仇快。科兹洛夫在讲话时就为这个事情辩解、抵赖。他说这跟批判斯大林没有关系。其实，苏共中央自己后来也发现继续那样大反斯大林不妥，所以1956年7月间苏共中央全会做了一个决议，纠正赫鲁晓夫在苏共“20大”的反斯大林秘密报告的一些错误。科兹洛夫要赖账，认为是我们对他们的攻击，还说是我们制造思想混乱，诋毁他们党的领袖赫鲁晓夫。

最后他提出，希望中国共产党代表团要改变过去的做法，要谈问题的实质，如时代、战争与和平、裁军、和平共处等等。其实我们的《答复书》正是就这些问题批评他们的，其中列举很多具体事情证明他们是违反1957年《莫斯科宣言》，违反马克思列宁主义的基本原理。

科兹洛夫这么长篇发言后，小平同志和彭真同志做了针锋相对的发言，反驳科兹洛夫。他们一致指出，不要诡辩，不能逃避事实，必须面对事实。苏共中央犯了错误，错了就是错了，应该承认。他们分别就科兹洛夫提出的一些具体问题逐个地给以回答。这时，苏共方面沉不住气了。安德罗波夫、波斯别洛夫都起来插话，苏斯洛夫也面红耳赤，七嘴八舌，你一句我一句，轮番辩驳。最后，小平同志提出，今天会谈休会，对苏方两个发言，我们将做系统的答复。19日的会谈就此结束。

9月20日举行第三次会谈。小平同志做系统的发言，主要是批驳苏斯洛夫和科兹洛夫在前两次会上的长篇讲话。主要讲两个问题，一个是敌我关系问题，另一个是兄弟党的关系问题。

小平同志从历史上讲到苏共中央在朝鲜战争以后，在刚果问题、阿尔及利亚问题、匈牙利事件等一系列问题上颠倒敌我关系，以敌为友、以友为敌的错误，特别强调了在塔斯社声明之后美化反动派，攻击兄弟党。在对美国的态度上更是这样，赫鲁晓夫大捧艾森豪威尔，骂中国"要试探资本主义稳定性"，说中国是"不战不和的托洛茨基主义"，等等。在一系列问题上颠倒了敌我关系。

小平同志指出，在兄弟党的关系上，他们搞的是父子党，要各兄弟党都得听苏共的。中国不听，他就要控制中国。小平同志在发言中列举了共同舰队的问题、长波电台的问题、撤专家和撕毁全部协议的问题、封闭《友好》杂志苏联发行的问题、要挑起边境纠纷的问题，还讲到在华沙条约国首脑会议的宴会上赫鲁晓夫大骂中国党、大骂毛主席，等等，统统讲出来了。

小平同志声明说，苏联撤专家、撕毁协议，给我们造成严重的损失，即使这样，我们也绝不屈服。我们要自力更生,用自己双手来弥补这些损失。小平同志在发言中一直没有提出要苏联赔偿毁约的损失问题,只强调我们要自力更生弥补这些损失,而且要还清欠苏联的债务。

小平同志还义正词严地责问苏方:你们究竟要把中苏关系引到什么方向去?小平同志列举出一系列事实责问苏方的时候,苏方无人回答,苏斯洛夫脸都红了。最后,小平同志表示,希望苏联能够改变态度,能够坐下来好好谈我们之间的分歧。

苏方原来准备一个共同声明草案,但会谈了三次,整个气氛非常紧张,他们不敢也没心思拿出这个声明草案来讨论。

第三次会谈以后,我党代表团觉得在当时的形势下,会谈实在很难继续下去。代表团认为,既然现在苏联没有准备冷静地坐下来讨论问题,不妨把问题推迟到起草委员会会议上去讨论。经过请示中央后,在21日的会谈中,我代表团提出:在目前情况下,中苏两党的分歧很大,一时也难得谈妥。现在离起草委员会开会日期不远,可以考虑两党会议就此告一段落。没有解决的问题到起草委员会开会时再谈。苏方代表团在交头接耳商量一阵之后,也表示同意。看来他们也并没有准备在这次两党会谈中达成协议,仍想在更大范围的会议上以多数逼迫我们屈服。9月22日我党代表团启程回国。这样,9月间的中苏会谈,在大吵一顿之后,无结果而散。

代表团在莫斯科的时候,每天都把会谈的情况用电报发回来。毛主席曾多次主持常委会议，讨论代表团的报告和请示，并电复。代表团回国后，9 月 24 日向中央常委作了扼要的汇报。

在汇报会上，毛主席讲了一番话。他说，中苏两党还是应该团结的，这是没有问题的。问题是如何达到团结，我们需要团结，苏共也需要，因为分裂对他们也是不利的。因此我们要争取在马列主义基础上同苏共达成协议，也只能在这样的基础上达成协议。这次中苏会谈有好处，因为苏方习惯于以老子党自居，训斥兄弟党，像老子训斥儿子那样，不习惯在兄弟党之间进行民主讨论。这次中苏两党会谈不是布加勒斯特那种一面倒的方式，只有他们讲的机会，没有我们讲的机会。这次你讲我也讲。争是争了，但问题没有解决。在布加勒斯特，他是要把中国孤立起来，但是没有达到目的，因为中国党不屈服，别的一些党也不赞成。

毛主席说，全世界共产党像十个手指一样不是一般齐，估计有相当多的党希望能够调和、妥协，能够达成一个大体上过得去的协议。即使如此，苏共还是要继续孤立中国党。对此我们不怕，要做最坏的准备，准备他们采取 1948 年对待南斯拉夫党那种办法，把中国逐出教门。当然，估计他现在还不敢，因为中国不同于南斯拉夫。但现在这种斗争是很难避免的。因为修正主义的这种思潮是不可避免的，它要泛滥一个时期。当然，它也不会永远这么下去，会发生变化。我们对马克思列宁主义胜利的前途还是有信心的。我们的方针是从团结出发，经过斗争，达到新的基础上的团结。要放手斗，但以不破裂为原则。将来在26党的起草委员会上，我们也要采取这样的方针，在召开全世界共产党工人党会议时也采取这个方针，争取达成协议，但也不怕分裂，准备苏共要分裂。我们的方针是坚持斗争，以不分裂为限度。如果他硬是要分裂，那我们也没有办法。但是我们的方针还是争取达成一个过得去的协议。放手斗争这一点毫无疑义，但斗是为的达成协议，而不是为的要分裂。如果赫鲁晓夫要分裂，那就充分暴露了他，责任在他们方面，不在我们方面。因此我们总的方针是坚持原则，坚持团结，坚决斗争，留有余地。

少奇同志和恩来同志也觉得代表团在莫斯科斗得好，抓住要害，猛攻一顿，最后双方还是同意以后继续谈，没有破裂。但是，要准备在26党的会上斗争会更加复杂、更加激烈。

第四节 起草委员会争论不休

有26国共产党、工人党代表参加的起草委员会从10月2日开始在莫斯科召开，主要是讨论为全世界共产党工人党代表会议准备一个声明草案。

会议讨论的声明草案是由苏共准备的。由于我党给苏方《答复书》中和中苏两党会谈中，批评了苏共的不少错误观点，所以苏共提出的声明草案修修补补，加了一些合乎马克思列宁主义基本原则的观点，也删去了一些有明显错误的观点。但是，这个草案仍然包含了许多错误的观点。

起草委员会上争论很激烈。争论的问题大致同中苏两党会谈时争论的问题差不多，还是围绕那些问题如何修改苏方草案的问题。凡是我们坚持删改的，苏共就力争保留，而且动员他们的党羽帮腔。当会上有几家支持我们的观点时，苏共才不得不修改，但又经常在修改中玩文字游戏，似改非改。经常是一次修改不满意，我们再攻，苏方再做第二次、第三次、第四次修改。起草委员会的工作进展很慢，声明草稿改动非常多。对于有重大错误的观点，我们据理力争修改。但是苏共仍然坚持。

特别是赫鲁晓夫从参加联合国大会回来以后，苏方更加坚持他们的错误观点，而且把他们过去已经同意修改的也推翻了。苏方在草案里安了不少针对我们的“钉子”，主要有四个：第一，肯定苏共“20 大”路线是完全正确的；第二，不指名地攻击“派别活动”，这是苏共指责所有不听从它的指挥棒的兄弟党的借口；第三，谴责个人迷信，这是苏共干涉兄弟党内部事务的借口，引起了许多兄弟党的反对；第四，鼓吹世界战争可以避免，这是苏共认为时代已变、帝国主义本性已变的逻辑结论。

赫鲁晓夫是 10 月中旬到联合国去的，他不仅自己去,而且还纠合了东欧六个国家的首脑去。他在纽约两次要求会见艾森豪威尔都遭到拒绝,所以他在联合国大会上大闹一场。

起草委员会开了三个星期,始终未能达成一致同意的声明草案。许多兄弟党的代表提出要向他们的党中央报告,才能决定最后的态度。会议于是决定告一段落,把修改过的稿子和争论中还没有解决的问题,一起提交 11 月间召开的全世界共产党工人党代表会议。

中苏两党会谈,特别是起草委员会会议,我们代表团去的人比较多,因为估计文字工作任务很重,所以大部分秀才都去了。这两次我都没有去,我跟陈伯达留在北京,主要任务是根据代表团从莫斯科发回的电报,商量哪些需要修改,并提出修改意见,经中央常委讨论后再发电报给在莫斯科的代表团。当时我看出陈伯达有点不高兴。他说陆定一、胡乔木、康生他们都去了,他留下来没有什么搞头。他对代表团报来的意见特别挑剔,提了很多很琐碎的意见,但在毛主席召开的会议上被删改了许多。中央给代表团发去的电报只提一些比较重要的、带原则性的意见,对那些比较琐碎的意见就不提了,有些还授权代表团酌情处理,不一定按电报写的那样做。

起草委员会由于苏方代表出尔反尔,争论不休,因而直到十月革命节前夕仍然不能就 80 多个兄弟党的代表大会的共同声明草案达成一致的协议,只好在举行大会的同时继续召开起草委员会会议。

第五节　大会首轮较量

我党出席81党莫斯科会议的代表团是一个庞大的代表团。少奇同志为团长，小平同志为副团长，正式成员包括政治局委员彭真、李井泉，候补委员陆定一、康生，书记处候补书记杨尚昆、胡乔木，还有三位中央委员，他们是刘宁一、廖承志和我国驻苏联大使刘晓。除了这些正式成员以外，还有一大批顾问，包括冯铉、我、乔冠华、熊复、姚溱、张香山、王力等。另外，还有一些工作人员，主要是一批翻译人员，俄文翻译、英文翻译都有好几个，还有法文、德文、日文、朝文和西班牙文、葡萄牙文的翻译，为的是便于在会议期间和各兄弟党交换意见。

刘宁一和廖承志两位经常参加国际群众组织的活动，跟亚、非、拉和西欧、北美许多党的同志比较熟悉。冯铉同志过去是驻日内瓦大使，经常和欧洲和拉丁美洲的兄弟党有来往。原先决定我留在北京的，在后方支援前方，出发前由于确定少奇同志在会议后以国家元首身份在苏联作正式国事访问，要发表几次重要讲话，人手不够，最后还是要我也去了。

代表团出发前，中央政治局和政治局常委开了几次会议，对当前局势作了分析。大家认为从中苏两党会谈和26党起草委员会的情况来看，赫鲁晓夫仍然顽固地要贯彻他的修正主义路线，仍然坚持要把我们压服。在81党会议上，他更可能凭借更众多的所谓多数，对我们进行轮番围攻，力求把我们压服。但是，他是否准备破裂还很难说。因为中国党不是小党，不是可有可无的党，而是在国际共运中处于重要地位，有广泛影响。同中国党决裂，社会主义阵营的力量会大大削弱，国际共运对亚非拉的影响也大大削弱，因为这些地方的兄弟党中许多比较重要的党的立场都是同中国党接近或者基本一致的。而西欧、北美的兄弟党虽然有许多观点同苏共一致，但在是否同中国党决裂这一点上是不会随便附和赫鲁晓夫的。至于赫鲁晓夫本人他也不能不考虑苏共党内和苏联人民中对中国人民的传统友谊。因此，赫鲁晓夫不敢至少很难下决心在81党会议上决裂。毛主席强调指出，81党会议会有一番恶战，辩论会非常激烈，甚至可能发展到破裂边缘，因此我们要有破裂的思想准备，但是也不一定就会破裂，仍有可能争取达成一定的协议。我们的方针应当是坚持原则，坚持团结，放手斗争，不怕破裂，以斗争求团结，力争达成一定的协议。会议同意毛主席的意见，并要求代表团本此方针，相机行事，重大问题电报北京请示中央，并授权代表团在情况紧急时先行处置，事后报告。

少奇同志是11月5日早上乘坐苏联图-104飞机动身的，跟他一起的有小平同志、尚昆同志、乔木同志、定一同志，我和乔冠华也跟他们同机。因怕气候不好，在少奇同志动身之前，由彭真同志带领代表团其他人员在4日先行飞莫斯科。

少奇同志到达莫斯科的时候，赫鲁晓夫和勃列日涅夫都去迎接了。这是例外的，也是赫鲁晓夫仅有的一次出面迎接外国党的代表团。勃列日涅夫去迎接是因为少奇同志是国家元首，当时勃列日涅夫是苏联最高苏维埃主席。

代表团到了以后，分住在列宁山上的三栋别墅里。苏联接待外国国家元首、兄弟党的第一把手，一般都是安排在列宁山的别墅区，惟一例外的是1957年毛主席访苏的时候住在克里姆林宫里面。

从开头的情况看，苏联方面还是很客气的样子，让我们住三座别墅，少奇同志、小平同志、彭真同志三人分别各住一座。

苏联的这些别墅很特别，也反映了苏联的首长制问题很突出。团长是第一位的，住的房子有卧室、起居室、会客室、弹子房、电影厅，还有餐厅，这样一幢两层楼的别墅被这些房子占去了大部分，其余的房子都是很简单的，只有一个卧室、一个洗澡间，是给代表团的第二把手、第三把手住的。其他随员只能在楼下几个人挤在一个房间里，而且楼下也只有两个洗澡间和厕所，很不方便。

开始分配我跟陆定一同志住在少奇同志那里，甚至要陆定一同志和我两个人合住一个房间，陆定一同志的秘书住在楼下。我觉得很不妥，向代表团的秘书长尚昆同志建议，我们这些工作人员尽可能住到大使馆去。因为当时我们的大使馆除了主楼以外，还有两个配楼，是刚建起来，准备接待过往客人，当招待所用的。另外，苏联的宾馆都有窃听装置，住在那里非常拘束，讲话很不方便，代表团商量问题都不能在别墅里。我们住到大使馆去，就可以在使馆里另辟一个房间，安装保密装置，在那里议事也比较保险，而且活动也比较自由，还可以吃中国饭菜。尚昆同志觉得这个主意好，他同小平同志商定，代表团的正式成员和必要的翻译住在别墅，其他顾问、秀才和翻译都住到大使馆去。

我们住在大使馆里，对大使馆大师傅烧的猪蹄子特别有兴趣。因为这个东西苏联人不吃，市场上价格特别便宜。我们大使馆大师傅买来做成红烧猪蹄子，非常可口。晚间秀才们聚到一起，喝两杯，吃猪蹄子，作为夜宵，也怡然自得。当然，有时候我们想吃点西餐、喝点洋酒，或者想多吃点水果、糖果，或者想吃苏联特别招待贵宾的东西时，就到少奇同志和小平同志那里去。少奇同志和小平同志他们平常也觉得冷清，吃晚饭老是那么几个人，多一些人也热闹一些，所以我们有时候到那里吃晚饭或者吃中饭，热闹非常。

在我们代表团到达莫斯科以后的开头几天，苏联方面还制造了一些假象，外表上好像对我们代表团非常客气、要讲团结的样子。

少奇同志到达莫斯科的时候，勃列日涅夫致欢迎词并不怎么热烈，但是在少奇同志致答词时热烈鼓掌达四次之多。特别是少奇同志讲到中国和苏联共有八亿六千万人口,是强大的社会主义力量的时候,欢迎群众鼓掌非常热烈。这反映了当时他们的心理,就是说他们既要整我们,又不想破裂,至少在开始的时候表现是这样的。

我们代表团一到莫斯科,少奇同志对苏方迎接人员表示,我们来是为着开好莫斯科会议,是为着要加强中苏团结。如果会议开得好,少奇同志还准备作国事访问。少奇同志到莫斯科第二天去拜会赫鲁晓夫的时候,赫鲁晓夫也大讲中苏团结。他说我们两方谁也离不开谁,争吵是免不了的,有时候也会抓掉几根头发,但总还是要团结的。可是,他一转话题就大骂阿尔巴尼亚。他说苏联丢掉阿尔巴尼亚没有什么损失,中国得到阿尔巴尼亚也收获不大。他还讲了一些很恶劣的挑拨离间的话,而且大骂斯大林。少奇同志回答他说,你们这样一个大国,对阿尔巴尼亚那样一个小国,一点肚量都没有,怎么能以你为首呢?你是老大哥,应该宽宏大量一些,何况阿尔巴尼亚并不是错了呢!赫鲁晓夫不仅讲了阿尔巴尼亚,还公开表示不赞成我们的百花齐放、大跃进、人民公社,并说希望"你们不要强加于我"。少奇同志说,这些事情我们在国内正在试验,说完全成功还早,说完全不成功也太早。我们没有一点意思要强加于人,这完全是我们中国的事情。但是,你们实际上是公开批评了我们,你们在这个问题上是很不慎重的。这样,少奇同志把赫鲁晓夫驳回去了。从这次谈话里面看,赫鲁晓夫的表现是要挑起争论的。

在晚上宴请中国代表团的时候，赫鲁晓夫又大谈斯大林，谈得眉飞色舞。他说，列宁是圣人，斯大林是强盗，列宁是我们苏联人的，斯大林不是。他还说，有人说我赫鲁晓夫很孤立，说苏斯洛夫和米高扬都是我的敌人，这完全是造谣。赫鲁晓夫在宴会中讲这些话，说明他们在开始欢迎我们代表团比较热烈是一种假象，在他的心里还是要整中国，还是要挑起争论的。他甚至可以把假象做到公开给外国人看的程度。在红场举行庆祝十月革命节阅兵和游行的时候，他让少奇同志首先登上列宁墓，他自己走在第二，并且把少奇同志放在勃列日涅夫和他之间。在庆祝大会上，科兹洛夫做报告时，既没什么新的内容，也没有什么带刺的东西。这些假象意在给人造成一种好像苏方还是要团结的。但是，从赫鲁晓夫在会见和宴请我们代表团的那两次谈话中，可以看出他们是心怀鬼胎的。果然，到庆祝活动完了以后，苏斯洛夫对小平同志说，他们将要答复我们的《答复信》。他还说其中有些辣椒，因为中共的《答复书》中间有许多辣椒。

红场阅兵式以后的当天下午，安德罗波夫(他当时是苏共中央的联络部长)把苏方的《答复信》送来了。他还解释说，《答复信》是一回事，开各国共产党会议又是一回事。其实，两回事是一回事，他们《答复信》中对我们的攻击，也就是后来他们在兄弟党大会上对我们的围攻。7日晚上我们跟阿尔巴尼亚代表团接触的时候，他们告诉我们，苏联组织人向他们轮番围攻，首先是12个社会主义国家党中几个同苏联站在一边的东欧兄弟党，先后拜访他们，轮番围攻。阿尔巴尼亚党代表团表示，他们决不屈服。从这里可以看到，开头的这些征兆说明，一场激烈的斗争是不可避免的了。

从整个会前情况，特别是他们交出的《答复信》来看，我党代表团估计暴风雨即将来临。

收到苏共送来的《答复信》以后，我党代表团立即组织翻译，翻译一页大家传看一页，工作非常紧张。苏共对我们《答复书》的《答复信》，一方面是采取防御的姿态，为自己辩护，并对他们自己说过的话进行抵赖，说他们没说过这样的意思；另一方面是对我们大肆攻击，特别是攻击毛主席，也攻击少奇同志。它还挑拨我们跟兄弟党之间的关系，说我们对阿尔巴尼亚怎么样，对波兰、对匈牙利怎么样，对其他党的内部纠纷（比方对澳大利亚党、美国党内部的纠纷）怎么样，等等。总之，说我们在兄弟党间制造分裂，挑拨我们跟兄弟党的关系。在他们的《答复信》里还特别着重攻击阿尔巴尼亚，其实矛头也是对着我们的。整个《答复信》态度非常恶劣。他们在各国共产党、工人党莫斯科会议前夕散发这样一封《答复信》，就是要制造紧张气氛，对我们施加压力，要我们在会议中向他们屈服。

代表团看了苏共的《答复信》以后，就确定要加强我们原来准备好的在大会上发言稿的内容，把调子提高，同时要回答他对少奇同志的攻击。少奇同志过去在讲到毛泽东思想时曾经说过毛主席把马列主义中国化。苏共《答复信》不指名地攻击少奇同志,说马列主义中国化就是搞民族主义。这显然是他们知道少奇同志率领我党代表团参加会议后有意的挑衅。

代表团确定,我们在会议上的讲话,针对他们的《答复信》,应着重讲四个问题,虽然这些问题在我们原来的稿子上都有了,但要加强。第一,讲中苏之间的争论从何而来;第二,讲争论的性质是马克思主义和反马克思主义、修正主义、机会主义的争论;第三,讲中苏关系时,既要表示我们的团结愿望,又要说明中苏两国关系、两党关系发展到今天如此恶化地步,首先是由苏共挑起和造成的;第四,要强调兄弟党关系的原则是平等的、独立的、协商一致的,不是父子党,不是指挥棒一统天下。发言的整个调子要采取哀兵的方针,着重说明我们是受攻击的,我们是受欺负的。我们本来是为团结而来开会的,但是就在开会前夕,苏共制造了这么一种空气,使我们心情很沉重,处境很为难。我们认为,苏共在会前散发这样的《答复信》,是破坏这次会议的恶劣手段。

代表团确定对发言稿要作修改后,秀才们就连夜分头修改,每人改一段,最后由乔木同志统改一遍,然后在赫鲁晓夫发言之后,再根据他发言的情况加以修改。

到达莫斯科以后,我们代表团成员和顾问分头同各兄弟党广泛接触。看来不少兄弟党是不赞成苏共那一套的。他们也收到苏共给我们的《答复信》,有些兄弟党明

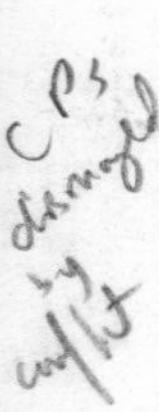

确表示支持中国党,并希望我们在会议上有针对性地批评苏共的错误,更多的兄弟党表示不赞成双方互相指责,既不赞成苏共这样指责中国党,也劝中国党不要以牙还牙。我们问他们,苏共已经先对我们发动攻击了,怎么办?他们说,你们做一些必要的解释就算了,还是团结合作把这个会开好。一些党表示,会议通过宣言时,一定要一致同意才能签字,不一致同意就不签字。

从这几天和各兄弟党接触中得出一个印象,虽然情况比较复杂,但是相当多的党都希望团结,希望开好这次会议,不要再像布加勒斯特会议那样大吵一场。当然也有不少党在苏共指挥棒指挥下,准备跟中国党大吵。

在开会的前一天(11 月 9 日),苏联方面还要了一个花招,想麻痹我们。那天下午,苏斯洛夫和科兹洛夫、米高扬三个人一起到我们代表团住处来。小平同志、彭真同志和他们谈话时,他们说,赫鲁晓夫明天在大会上的讲话是强调团结的,口气是友好的,不涉及中苏争论的问题,只谈声明草案中间的有关问题和苏联的国内问题。他们三人反复讲这个意思,并且表示,苏共不希望在会议上挑起争论,从现在起就转向团结,向前看,不向后看。他们的复信是了结过去的事,现在会议是另外一回事,不要把开会和他们的《答复信》这两件事情连起来,应该共同对敌,通过会议文件。苏共也愿意跟阿尔巴尼亚党改善关系。希望中共了解苏共这样的愿望。更为恶劣的是,米高扬在最后还说,我们开完这次会议以后就专门来谈中苏两国之间的贸易问题、援助问题、专家问题，要好好把这些问题解决。苏联还是要继续援助中国建设的。停止石油供应的事情苏共主席团并不知道，很快就可以恢复供应。只要中国不再向苏联专家散发反对苏共中央的文件，苏联可以继续派专家。

他们这么说是想把我们骗住。但是，小平同志很明确地跟他们说，我们原来就是要团结的，我们是带着团结的愿望来的，希望能够消除过去的分歧，能够开好这次会议，能够达成一个在马克思列宁主义基础上的协议。但是，你们11月5日的复信毒化了会议空气，是苏共首先发难的，所以我们不能不在会上作答复。你们不援助我们，你们不派专家，我们还是跟你们讲友好。我们要依靠我们自己的力量来建设我们中国的社会主义。

同苏斯洛夫等谈话以后，代表团齐集我们的大使馆开会。估计苏共可能感到他们散发给我们的《答复信》反应不太妙，引起了兄弟党的不满。他们有点恐慌，想来哄骗我们吞下他们的复信。代表团研究了这种形势以后，认为我们不要上当、不要受骗，既然他们挑起争论，我们就乘势反攻，把争论端到大会上去，这样有利于团结左派，争取中派，孤立右派。代表团确定采取攻势，把整个发言的调子提高，要在大会上跟他们论战，要使赫鲁晓夫下不了台。

这就是会议之前的状况。

有81个共产党和工人党参加的莫斯科会议，1960年

11月10日下午在莫斯科克里姆林宫乔治大厅开始。

会议首先由苏斯洛夫讲话。他说他是代表起草委员会向大会报告起草声明的经过。但是,他在报告里面只谈苏方的观点,不谈或者少谈不同意苏方的观点,特别是中国代表团的观点。他在讲话中只说苏共方面认为,或者笼统地说“我们”认为应该怎么样怎么样,“我们”不同意什么什么的观点,“我们”的理由是什么什么。而且他在报告中甚至把已经达成协议、后来又被他们推翻了的东西又提出来,并只讲他们一方的理由。他讲到起草过程中有分歧,但他又不说那些有分歧的问题是什么,不同的意见是什么,双方的理由是什么。他的这种做法,是企图给人造成一种印象,似乎只有少数、几个、个别的不赞成声明草案。对于苏共有意安在声明草案里面而争论最激烈的几个大“钉子”(就是上面说到的四个大钉子),他却用完全肯定的口气来讲,似乎可以照草案的写法通过。

苏斯洛夫汇报后宣布休息15分钟,然后复会。第一个发言的是赫鲁晓夫。他一共讲了两个多小时。他发言的基调根本不是要缩小分歧、寻求团结,而是借题发挥,不指名地对我们进行一系列的攻击。赫鲁晓夫的发言一共讲了11点。

第一,他说,现在的时代不能只说是帝国主义和无产阶级革命的时代,不能只说帝国主义的本性没有改变,这都不符合当代的实际。

第二,他说,社会主义国家应该搞分工协作,单独建设社会主义是不成功的，单干是民族主义。

第三，他说，苏联在处理社会主义国家相互关系中有个别错误，有粗糙的现象。赫鲁晓夫在这个问题上作的自我批评只说到这个程度。看来在这个问题上他是不能不说的，因为他对波兰也好，对其他国家也好，都存在这么一个问题。他这么说是为着消那些党的气，拉他们一把，同他一道攻击中国党。

第四，他说，帝国主义的局部战争、解放战争可能发生，但是不能因此就认为战争不可避免。他一方面说不能说不要害怕战争，一方面又大谈核战争的恐怖。

第五，他坚持说社会主义国家对外政策的总路线是和平共处。这样，他就把支持殖民地半殖民地独立运动、支持各国工人运动、社会主义国家之间的互助合作，都排除于社会主义国家对外政策总路线之外。

第六，他坚持裁军是防止战争的根本道路，是反映人类的最高理想。

第七，他强调新独立国家向非资本主义发展的可能性。

第八，他强调和平过渡的可能性，说现代有可能使资本主义国家的议会变成为人民的议会。

第九，他强调在国际共产主义运动中反对民族主义越来越重要，说南斯拉夫的主要特征是民族共产主义。

第十，他不顾 1957 年莫斯科宣言指出当前主要危险是修正主义，硬说教条主义、宗派主义也会成为主要危险，特别是极端革命性、“左”倾冒险行动等等。他还特别强调要反对派别活动，不仅在各个党内部，而且在国际共产主义运动中要反对派别活动。

第十一，他还提出不要再写以什么“为首”，并说苏共当不了头。但是他又提出，在国际共产主义运动中各国党之间应该“对表”，就是说要同苏共“对表”，跟它保持一致。

赫鲁晓夫讲了这么一大堆意见，很明显是要挑起争论，要组织听他指挥棒的党在这些问题上围攻中国党。

我党代表团当天晚上在大使馆商量，一致认为赫鲁晓夫在报告里面讲的差不多大部分都是攻击我们党的，虽然他没有指名，但是大家都是知道的。因为苏共11月5日散发的《答复信》和布加勒斯特会议散发的《通知书》中指名攻击中国党的，就是赫鲁晓夫发言中不指名攻击的那些问题，谁都明白赫鲁晓夫指责的是中国党。因此代表团决定，我们在会上的发言调子要再提高，要公开指名跟赫鲁晓夫展开争论，要让到会的兄弟党都知道我们的观点立场是怎么样的。代表团还根据在国内中央政治局常委会确定少奇同志在第二线，小平同志和彭真同志在第一线的方针，决定我代表团第一次发言由小平同志来讲。由我们的副团长对付他们的团长也很有意思。发言的稿子还是在我们修改过的稿子的基础上，增加赫鲁晓夫在讲话中提到而我们原来的稿子没有触及的那些问题，针锋相对地回答赫鲁晓夫。

11日大会继续进行,有11个党的代表在会上发言。12日上午大会也继续进行,有7个党的代表发言。其中荷兰党的总书记鲁克曼旗帜鲜明,尖锐地批评修正主义,主张维护团结。

从12日下午大会休会,13日又休会一天。14日复会的时候,上午,金一同志代表朝鲜党发言。他的发言和别的代表不同。他在发言中两次提到中苏为首,两次提到中国对朝鲜的援助,强调中国革命和建设具有重大的历史意义,中国的经验对落后国家有重大的意义,确信中国党是忠于革命和忠于国际主义的。然后,他详细讲到他们国内建设中反对照搬外国经验的教条主义。他在谈到国际共产主义运动时,强调主要危险是修正主义,反对提出宗派主义,强调各兄弟党之间是平等的,要实行协商一致的原则。金一的长篇发言占了整整一个上午。

按原来议程安排,我党代表团在14日下午发言。这天下午开会的时候,整个乔治大厅坐得满满的。苏联方面除了他们的代表团成员以外,苏共中央主席团所有成员都到会了。在小平同志的整个发言过程中,会场的空气非常紧张,鸦雀无声。

小平同志发言的内容主要是我们在9月10日给苏共《答复书》里的内容,一共讲了十几个问题。其中讲到:中苏两党的分歧首先是由苏联挑起的;把中苏分歧拿到国际会议上并组织对中国的突然袭击的也是苏共搞的;把中苏意识形态的分歧扩大到国家关系,撕毁中苏签订的所有协议、合同,从中国撤走全部苏联专家的,也是苏共;把中苏之间的分歧首先公开在全世界面前的,也是苏共。小平同志接着指出:赫鲁晓夫搞什么分工协作完全是假话,搞什么平等协商也是假话,他就是要大家听他的指挥棒,不听的他就打击你,压迫你。

小平同志在讲话中还谈到苏波关系和匈牙利事件。小平同志说,1956 年苏联准备出动军队压服波兰,干涉波兰共产党内部事务,要波兰党听从莫斯科的决定组织政治局。当时我们坚决反对,后来跟苏联党和波兰党在莫斯科分别会谈,才解决这个问题。本来我们是帮助苏联做好这件事情,推动他们搞好跟波兰的关系的。但是他们却反过来恨我们,一直恨到现在,就是因为我们严肃地批评了赫鲁晓夫的大国主义。小平同志还谈到了匈牙利事件。他说,苏共原来是要从匈牙利撤兵的。当时以少奇同志为首的中共代表团在莫斯科调解苏波纠纷,知道此事后劝苏联不要抛弃匈牙利人民不管,不能置匈牙利这个社会主义阵地于不顾。当时他们不听,说什么也要从匈牙利撤兵。只是到了第二天,他们才接受我们的意见,重新派军队帮助匈牙利人民平息暴乱。

小平同志说,这两件事情我们都是帮了苏联同志的,但是赫鲁晓夫同志一直到现在还怀恨在心。他多次说我们给他上大课,特别是咬牙切齿地讲周恩来同志 1957 年 1 月间访问苏联、波兰、匈牙利时在莫斯科给他们上大课。这实际上就是他在兄弟党之间所采取的大国沙文主义、老子党的态度，挥动指挥棒要大家都服从他，就是他说的所谓"对表"。试问，这能"对表"吗？能够跟赫鲁晓夫一起走吗？小平同志说，我们曾经想过，他怎么说我们就怎么跟他走吧。但后来考虑，不能跟他走，跟他走我们就对不起世界各国人民，我们就要违反马克思列宁主义基本原则、违反国际主义，同时我们也对不起苏联人民呀！小平同志讲得很恳切，会场上静悄悄的。

小平同志还讲到，赫鲁晓夫对我们这么恨，可是他对美帝国主义却那么爱，对我们的敌人极尽美化之能事。小平同志列举了赫鲁晓夫在戴维营和艾森豪威尔见面前后大肆吹捧艾森豪威尔，说他（艾森豪威尔）"跟我们一样爱好和平"。小平同志还提到，赫鲁晓夫对敌人的这种观点早在1955年9月跟阿登纳会谈的时候就表现出来了。他当时对阿登纳说，中国人口太多，发展起来不得了，那样就会发生"黄祸"。他要阿登纳帮助他解决这个问题，对付中国。小平同志说，他这种认敌为友，以友为敌，跟敌人坐在一条板凳上对付自己的朋友，对付自己的同志、兄弟，我们能够跟赫鲁晓夫同志"对表"吗？

小平同志把这些问题都公开摆出来之后，还说，还有别的问题，要讲还可以讲，但今天不想讲，以后有机会再讲。事情多着呢。赫鲁晓夫的错误多得很，搞大国沙文主义的东西可多啦，不止这些。

小平同志所以这么讲，是因为在出国之前，毛主席交待这次莫斯科会议不要把所有子弹都打完，要留一手。

有一些事情先不要讲，比方抗美援朝的问题、共同舰队的问题、长波电台的问题、要在中国驻扎苏联空军的问题等等。所有这些，小平同志发言时都没有讲。

小平同志的发言对会议震动很大，这是因为我们的调子比赫鲁晓夫高八度，他没有指名，我们公开指名，把问题揭开了。所以各代表团反应很强烈，中立倾向的非常担心，左派认为讲得好，就是要这样攻他。其实赫鲁晓夫早在布加勒斯特会议上就指名攻击中国，我们这次在莫斯科只不过是照样回敬而已。

15日上午继续开会，有些党的代表听从赫鲁晓夫的指挥棒，在会上公开指名攻击中国党。在15日发言中六个党的代表指名批评我们。

16日大会继续发言，有八个党的代表发言。其中阿尔巴尼亚党的霍查发言时，列举了一系列事实，充分揭露赫鲁晓夫搞大国主义，干涉阿党内政，搞颠覆活动。他指出：苏共中央违背国际主义的原则，以断绝对阿援助相威胁，对阿党施加压力，背弃列宁主义，背叛十月革命。他讲得非常激动，列举苏共的错误事实非常具体，也是放了一个大炸弹。苏方也非常紧张。

还有一些兄弟党的代表在跟我们接触时，纷纷表示一定要搞一个一致协议的宣言，如果不是一致同意的他们就不签字。这样一来，会议空气就非常紧张了。

在第一个回合的斗争中，我们把问题全摆到大会上去，充分揭露了赫鲁晓夫的修正主义面目，让大家来评

论，在气势上占了上风。尽管在赫鲁晓夫的指挥棒下，有不少人攻击我们，但是讲来讲去没讲出多少道理，等于谩骂，以致引起一些立场处于中间状态的代表团不满，要求不要再采取这种方式开会，要真正协商解决问题，要好好协商，搞一个一致同意的协议。总的看来，第一个回合我们打了胜仗。

第六节　压服与反压服的斗争

我党代表团在 14 日晚上和 15 日晚上接连开会分析了第一个回合的斗争。根据当时的情况可以看出，苏共仍然坚持采取压服的方针，想造成多数压少数的这么一种气势，逼使我们屈服。在赫鲁晓夫发言后，许多跟着他指挥棒转的兄弟党代表发言，都蛮不讲理，乱骂一阵。甚至有些过去对苏联意见很大、得到我们帮助的兄弟党的代表发言时，也跟着起哄。代表团认为，这一方面由于苏方的压力，另一方面也因为他们在思想上有共同点。看来苏共的方针是要压服我们。这可能是他们错误地估计形势，以为可以重演去年布加勒斯特的故伎，利用更大范围的多数，以达到在布加勒斯特没有达到的目的。

代表团还注意到，一些态度处于中间状态的兄弟党很担心，很忧虑，他们生怕会议破裂。他们对苏共指挥的一些党的代表在会上根本不讲道理，采取肆意谩骂、乱扣帽子的做法，很不以为然。有些党的代表向我们表示，不能用这种方式来开会。苏共越是这么搞越引起他们不满。这是一个情况。

代表团还注意左派兄弟党的反应。有些党一方面感到我们指名批评赫鲁晓夫很痛快，替他们出了气，另一方面又感到事情发展下去不好办，如果会议破裂，后果是严重的。他们对这一点思想准备不足，希望中苏两党能够妥协。

根据这些情况，代表团考虑下一步应该怎么办。代表团经过充分讨论，一致认为，现在斗争已进入指名攻击我们党的关键时刻，许多党的代表已指名说我们党搞教条主义、冒险主义、民族主义，搞宗派活动、分裂活动。声明草案中间虽然没有指名，但都提到这些指责，很显然是针对我们党的。因此代表团作出两项决定：

第一，在起草委员会中，我党代表团要公开宣布，我们代表团绝不在指责我们党的声明上签字。声明草案上虽然没指名，但是会议上一些党的代表在发言中还是把声明草案中提出的罪名加在我们党头上。如果不删掉这些指责和罪名，不拔掉这些“钉子”，我们党绝不签字。我们要通过各个联络员分头把这一决定正式地公开地向各兄弟党代表团讲明，宣布我们的坚决态度。

第二，代表团要准备会议破裂，因为如果苏联坚持不拔掉这些钉子，我们不签字，会议也就破裂了。所以我们要有破裂的充分思想准备，而且要把一切活动放在不怕破裂的基础上进行斗争。用少奇同志的话来说，这是置之死地而后生，背水一战，不怕破裂。

代表团认为，我们只有采取这两条鲜明的、坚决的方针，我们才能够争得主动，才能够给苏方施加压力，也才能够争取中间派，坚定左派对苏方进行斗争。如果不是这样，我们自己动动摇摇、态度不鲜明、害怕破裂，那我们就不能进行坚决的斗争，中间派就会倒到右派那边去。右派就会更加嚣张，左派也不敢进行坚决的斗争。但是这两项决定事关重大，要请示中央。所以代表团在 15 日晚上急电中央，请示是否可以采取这样的方针。

第二天上午，周总理从北京直接打电话到我驻苏大使馆找杨尚昆同志（他一直呆在大使馆等候中央复电），先询问代表团的生活状况，然后只说一句话："已商量过，同意你们的意见。"在电话里只能这么简单地说，因为苏方肯定在窃听。

得到中央批准后，代表团决定代表团中所有人员，在 16 日、17 日、18 日分头同西欧的、拉丁美洲的、亚洲党以及东欧兄弟党的代表团接触，向他们宣布我们的坚决态度。我代表团中那些过去同一些党比较熟悉的廖承志、刘宁一等同志，还有联络部的过去在世界学联、青联、工联工作过的同志，以及我们的各种语文翻译同志都纷纷出动。经过三天的活动，左派态度更加坚决，他们说要坚决把声明草案中的钉子拔掉；中间派也考虑劝说苏共让步，跟中国党协商，取得一致意见；那些跟随赫鲁晓夫走的右派也没有那么神气，表现得很沉闷，可能是他们也考虑会议破裂的后果。至于苏共方面，他们的代表团成员和工作人员，连续几天脸色阴沉，似乎心事重重，碰到我代表团人员都装着看不见，既不打招呼，更不谈话。

81党会议，从11月10日到11月22日，除13日和20日休会以外，每天上午、下午都开会，各个代表团的团长或者他的代表轮流上台做或长或短的发言，表明他们的立场。据统计，包括苏共和中国党在内，一共有77个党的代表在会上发了言。在这77个发言中，完全站在赫鲁晓夫一边的、包括赫鲁晓夫本人在内，一共有51个党的代表；态度中间的有15个党的代表；基本上反对赫鲁晓夫观点的有11个党的代表，包括我党在内。跟随赫鲁晓夫的那50个党的代表在发言中，有些态度非常恶劣。

我代表团开会讨论在会议上作第二次发言时决定对这些发言中所有造谣诬蔑和极其错误的观点，统统都要驳回去，但除点赫鲁晓夫的名外，其他人一概不点名。其实，其他人的观点，也就是赫鲁晓夫的观点的翻版。批驳这些观点，也都批到赫鲁晓夫头上，虽然他在会上第一次发言中没有提出来。

代表团还决定，我们第二次发言也要排在赫鲁晓夫的第二次发言之后。代表团估计，小平同志在第一次发言中批驳了赫鲁晓夫，而且列举了很多属于他本人的错误言论和错误行动，赫鲁晓夫吞不下去，他还会像布加勒斯特会议上那样作第二次发言。所以我们的第二次发言要安排在赫鲁晓夫发言之后，看看他还有什么新东西，以便我们在第二次发言的时候再把他驳回去。

代表团还决定，我们的第二次发言仍然由小平同志来讲。苏方什么事情都由赫鲁晓夫亲自出面，嬉皮笑脸的是他，泼妇骂街的也是他。现在我们的团长不出面讲话，留有回旋余地，比较主动，而用副团长来同他们团长对阵，也包括藐视他的意思。

在这个期间，苏共代表团也加紧活动。他们派出大批研究各国情况的科学院院士，分别向各国党代表团做工作。谁态度模糊一点的就找谁，搞车轮战。谁不赞成他们意见的就找谁，纠缠不放。美国党的狄克逊给他们纠缠得病倒了，进了医院。澳大利亚的夏基也给他们纠缠烦了，最后只好说：我要休息，你们别再来缠我了。这样才把他们赶走。他们就是这样厚着脸皮四处做工作。

代表团估计，苏方除了准备赫鲁晓夫的第二次发言外，还可能酝酿什么新的行动。

果然，20 日休会一天，21 日重新开会的时候，匈牙利党代表团提出一个所谓关于兄弟党关系的决议草案，要求大会通过。匈牙利代表解释说，这是一个内部决议，不公开发表，但要在会议上通过。这个决议草案一共有六条，主要的一条居然规定国际会议要少数服从多数，要根据多数意见来做决议。还有一条更荒唐的是，两个党有意见分歧不能解决的时候，请第三党来仲裁，再不行就提交国际会议，按少数服从多数的原则表决。这个决议草案实际上是一个类似国际组织的章程、法规性质的东西。苏共想把它作为各国共产党相互关系的一个章程，这显然是违反兄弟党独立平等、协商一致的原则的，是针对不同意苏方意见的那些兄弟党的。

我们代表团21日晚讨论匈牙利党代表团提出的这个决议草案。代表团估计，匈党的这一行动，显然是苏共策划的，这可能表明苏共下决心向我们施加最后压力，把它作为悬在我们头上的一把剑。因此我们代表团决定，坚决反对讨论这个决议草案，如果要讨论，我们决不参加。代表团这个决定，等于向苏方发出警告，我们不怕破裂。由于此事突然发生，关系重大，当天晚上代表团就把这个情况和代表团的意见向中央报告。

第二天，我代表团收中央复电，同意代表团坚决打掉匈方提案。于是代表团把我们的态度通过各联络员通知各兄弟党。各代表团十分震动。许多人说，中国党不参加讨论那就等于破裂了。我们对匈牙利党代表团说，我们过去在你们十分困难的时候支持你们，想不到你们竟然提出这样的决议草案。匈牙利代表团的一个团员耸耸肩膀，什么话也没说。很显然，他们自己也感觉到很为难，是苏方指派下不得已而为的。

22日上午大会发言完了以后，第一轮发言告一段落。在大会快结束的时候，主持人宣布第二天赫鲁晓夫要讲话。

22日大会结束以后，我们代表团开会讨论，觉得我们对匈牙利提出的决议草案表示了坚决反对态度以后，大家都已经知道，而且也很震动。在这种情况下，赫鲁晓夫第二天（23日）的发言会怎么样呢？当时代表团估计有两种可能：一种可能是他大骂我们一顿，再对我们施加压力，坚持要在会上讨论匈牙利提出的决议草案；再一种可能是他把调子降低，装作和解的样子，骗我们在声明上签字。因为他看到我们态度这么强硬，如果我们不参加讨论匈牙利决议草案，那就讨论不成了，等于破裂了。他是不是完全下了承担破裂后果的决心，还很难说。所以他有可能假装好人，客客气气讲一通友好，劝我们接受声明草案。

同时我们也估计，赫鲁晓夫对小平同志在第一次发言里面批评他的那些问题是一定要回答的。他的回答可能很激烈，也可能含糊过去，讲一些模棱两可的话。多数同志认为，我们下这样大的决心，宣布要对匈牙利决议草案斗争到底，不怕破裂，估计赫鲁晓夫可能会把调子降低，对我们采取又哄又骗的办法。

所以代表团决定，把小平同志的第二次发言的调子也降低一点，不要太尖锐，不必回答其他兄弟党的反华观点，主要是按照声明草案中提出的争论较多的几大问题，结合赫鲁晓夫上次发言和他们的《答复信》中我们还没有详细回答的重要观点，阐述我们的立场。至于匈牙利的决议草案，态度要坚决，但语气要平和些，采取“哀兵”的姿态，申述我代表团处境困难，只能采取不参加讨论的办法。

代表团决定以后，我们几个秀才又忙了几天。因为原来大家意见比较激烈，特别是匈牙利决议草案出来以后，大家不约而同地在起草发言稿过程中把调子提高八度。现在代表团作出这样的决定，我们又分头修改降温。

一般情况下，我们把稿子写好交到乔木同志手里以后，我们便去参加大会。稿子没有写好，我们就不参加大会。所以我们几个秀才参加大会比较少，都集中力量搞发言稿。熊复同志的主要任务是修改在北京草拟的少奇同志访问苏联时的几次讲话稿。当时还很难确定少奇同志是否访问，因为如果会议破裂，那当然访问不成，但是如果会议达成协议，那么少奇同志的这次正式访问，对表达我们对苏联人民、对十月革命、对列宁党的传统友谊和深厚感情，无疑是一个很好的机会，是做群众工作的很好的机会。所以代表团认为也应该把这些稿子准备好。

11 月 23 日，赫鲁晓夫作第二次发言。他首先表示支持跟着他指挥棒走的、攻击中国党的那些人的发言。他说什么会议是在“很高的水平”上进行，绝大多数代表的发言“对共同事业做出了贡献”。接着他说，只有中国和阿尔巴尼亚两党坚持自己的意见，在一系列问题上不同意其他党的意见，走不健全的路子。总的看来，他的这个说法调子比较低。

然后，他对时代问题、战争与和平问题、和平共处问题、和平过渡问题、民族解放运动问题、批判斯大林问题做了一些辩解。在这些问题上,他也说同意我们的一些观点。但是一说到他的观点时还是重复老一套。比如对战争问题,他说,他同意要制止帝国主义侵略战争,只有依靠社会主义和全世界人民革命运动。但是他又说,不同意我们说他害怕战争、害怕帝国主义。又比如和平过渡问题,他说他不同意我们说他是走议会道路,和平过渡的可能性的确越来越大,但是他又说,他同意有两种可能性,有和平过渡和非和平过渡的可能性,并说"20大"就是这么说的,1957年宣言也是这么说的。他就是采取这么一种含糊其词的辩解态度。

他还讲了斯大林问题。他说批判斯大林个人迷信是十分必要的,1957年莫斯科会议就肯定反对个人迷信。他又说不能责备苏共事先没有跟其他兄弟党商量,因为那个时候时间很紧迫,来不及。后来苏共对斯大林的评价作出了详细的全面的决议。他就是采取这种办法来弥补他过去的漏洞,装着他也接受一些正确观点的姿态。

在赫鲁晓夫的全篇发言中,有两点值得注意,一点是恶毒地攻击中国、阿尔巴尼亚搞派别活动走错误的道路,凭空臆造一些不符合实践活动的理论观点。另一点是不指名地攻击所谓个人迷信。他说,有人把自己看做圣人,不能跟他谈话。很显然,他是指中国党,是攻击毛主席的。

最后他讲了这么一段话,他说,对这些争论应该向前看,不要向后看,不能争论不休,可以让步,但苏共不能做无原则的让步。我们不怕斗争，但是我们坚持要团结，社会主义国家的党、整个社会主义阵营、国际共产主义运动要团结。他讲了这么一些要团结的话来收场。很明显，他的意思是说他可以让步，但我们也要让步。

赫鲁晓夫一共讲了 1 小时 20 分钟，好像是做总结的样子。他讲完以后没有人要发言。主持人宣布休会，明天再开。我们代表团已经预先报名准备第二天发言。

代表团从会场回来后研究赫鲁晓夫的发言，一致认为他发言的调子比较低，因此我们明天的发言也应该温和一些，但是原则要鲜明，要揭露赫鲁晓夫修正主义的实质，要点一点态度最恶劣的人的名，比如哥穆尔卡、多列士。因为这两个人，一个是社会主义国家的党，一个是资本主义国家的党，又是大党，都比较有影响，他们的发言都不好，特别攻击阿尔巴尼亚党。

代表团决定，把原先准备的稿子再降一降温，虽然不是降八度，也要降三四度。这样，秀才们当天晚上轮番作业，搞好一部分送出一部分，先经过乔木同志看，再送代表团几位成员看，最后少奇同志、小平同志跟我们一起研究定稿。当天晚上定稿以后马上组织翻译。由于原来准备的稿子已经有了初步译文，所以定稿后翻译时只需略加修改就行。修改好的翻译稿当夜打印已来不及，于是决定第二天小平同志发言时先同声传译，讲完以后再印发。翻译同志很辛苦，忙了一天一夜，第二天又作同声传译。

第二天(11 月 24 日)上午,小平同志代表中国代表团作第二次发言,一共讲了 50 分钟。小平同志的发言除了重申我们对关于时代、战争与和平、和平共处、和平过渡、支持民族解放运动等问题的原则性意见,不同意苏共在这些问题上的错误意见外,着重讲了两个问题:一是着重揭露了赫鲁晓夫实行的路线实质上是屈服于帝国主义和国际资产阶级的压力,违背了马克思列宁主义的基本原则,从自己不革命到反对人家革命的错误路线;二是回答了赫鲁晓夫在发言中对毛主席的攻击,驳斥他攻击毛主席著名的"东风压倒西风"、"纸老虎"、"我不是帝国主义参谋长"这几个论点,指出他根本不了解毛主席所讲的是什么,完全是从形而上学的观点出发,采取不分是非曲直、谩骂一顿的态度对待毛主席的重大理论问题。

因为阿尔巴尼亚霍查在 16 日讲话以后即回国,没有机会回答其后会上一些党的代表对阿党的攻击,所以小平同志在发言中批评法国党和波兰党的代表对阿尔巴尼亚党不公正,他们的无理指责和恶毒攻击,不仅污辱阿尔巴尼亚党,也污辱了他们自己的党。

然后,小平同志郑重宣布:中国党根本反对匈牙利提出的决议草案,中国党绝不参加这个草案的讨论,我们要为反对这个草案斗争到底。这样会场上更加震动了。小平同志指出,苏共采取的还是布加勒斯特会议的方法,以老子党的态度,想用多数压服不同意它的意见的党。他指出,策动提出这个草案,就是要在共产主义运动中实行大国沙文主义、大党主义。小平同志问道:难道各国党吃大国主义的苦还不够吗?小平同志进一步质问:共产国际17年前已经解散,情报局也早不存在,究竟什么时候兄弟党召开过什么会议同意设立一个国际组织?究竟什么时候兄弟党同意在国际会议上少数服从多数?谁能够回答这个问题?此时会场死一样静寂。

大概是按照苏共预先的布置,在小平同志发言之后,有10多个党的代表上台发言,肆意谩骂、乱扣帽子、拍桌子、跺脚,态度非常恶劣。但他们这样做反而引起许多人的不满。印尼、印度、巴西等党代表上台发言,反对他们对中国党的攻击。荷兰党总书记鲁克曼最后走到讲台上非常激动地说,这不是兄弟党之间、同志之间讨论问题的方法。他呼吁多数党(是指赫鲁晓夫和他的一帮人)放弃那种不正确的方法,希望结束这种讨论,会下举行协商,并建议首先由中苏两党进行协商,取得一致的意见,然后再来开会。

鲁克曼讲完以后就没有人再要求发言,大概都不愿意参加这种起哄、谩骂。会议主持者宣布暂时休会,并说26党参加的起草委员会从明天(25日)起继续开会。因为对声明草案还有一些分歧意见没有解决,还需要讨论修改。看来,这大概也是苏共预先布置的。

第二个回合的激烈斗争是在我党代表团公开宣布决不在不指名的攻击我党的声明草案上签字,并声明决不参加讨论匈牙利党代表团提出的少数服从多数的决议草案之后展开的。这场斗争使得会议的空气极度紧张。小平同志第二次发言以后，许多代表都到我们代表团来，有的表示支持，有的担心破裂，也有的劝我们让步，但都一致希望会议经过协商达成协议，表达了多数党要团结不要分裂的普遍心情。苏共在第二回合中对我们的攻击，并没有像他所想像的那样把我们压服，反而造成一种紧张的空气，使中派、右派都怕会议破裂，都要求达成妥协。我党代表团贯彻执行不怕破裂、坚决斗争的方针，把赫鲁晓夫组织的围攻瓦解了。

第七节　调解与妥协

从25日起，起草委员会继续开会。第一天开会的时候争论依然非常激烈，僵持不下，苏共方面毫不让步，继续坚持原来的错误观点，不同意对声明草案做任何修改。

起草委员会第一天会议之后，我党代表团从11月25日下午到晚上开会研究形势和对策。大家提出，会议已经到最后阶段，我们要进一步考虑应该采取什么方针。代表团分析了当时的情况后认为，由于我们在第二个回合中间坚决顶住了苏联的压力，不管赫鲁晓夫恫吓也好，劝降也好，也不管他做出破裂的姿态相威胁也好，或者是由匈牙利党提出少数服从多数的决议也好，都没有能够把我们压服，我们都坚决顶住了。我们这样做在各个代表团中间引起了很大的震动。左派长了志气,认为可以向苏共施加压力。占多数的中间派,包括资本主义国家的党,也包括个别社会主义国家的党,都相当恐慌,感到不达成一致同意的协议,就等于中苏两大国、两大党分裂,这对国际共产主义运动影响实在太大。而听命于赫鲁晓夫指挥棒的那些人也犹豫起来,他们也害怕承担破裂的责任。据此,代表团认为,形势对我们有利,我们应该继续坚持中央原定的方针,也就是坚持原则、坚持团结、放手斗争、不怕破裂,以斗争求团结,力争达成协议的方针。

这时还出现了一个新的情况,就是越南党主席胡志明向我们透露,他要组织请愿团向中苏两党请愿,要中苏两个党无论如何也得达成妥协。这个情况表明第三阶段形势发生变化,这就是左派和中间派要联合出面调解,做和事佬,要求中苏两党达成协议。

得到这个消息以后,代表团经过讨论,决定对策是:

第一,我们的决心还是要放在不怕破裂上面,如果不坚定这个决心,那么我们就会经常担心破裂,影响坚决斗争。

第二,要全部删除苏共安在声明草案里的"钉子"和不指名的对我们的攻击,只有全部删掉这些东西,我们才能签字。

第三,如果他们删掉了安在声明草案里的这些"钉子",但又想另外再搞一个决议,也就是匈牙利党提出的少数服从多数的那个决议，我们也不能签字。

代表团所以议定这三条，是考虑到：签订一个文件只是一个形式。而到现在为止，这次会议本质上是由赫鲁晓夫指挥的，是反华的，是应该受到历史谴责的。这个声明草案如果不加修改，那就成为一个反华的决议。所以我们不能仅仅着眼于这次会议，应该从长远利益考虑。如果他真的要破裂，那也只好破裂。

代表团还考虑到破裂的后果，一致认为，如果真的破裂，后果无非是：第一，苏共领头继续反华；第二，苏方断绝对我们的一切援助，东欧兄弟国家也照办；第三，苏共及其随从断绝同我党的关系；第四，外交上对我们实行封锁，国家关系破裂；第五，在国际组织里面把我们完全孤立起来；第六，对帝国主义、民族解放运动、国际工人运动各搞一套。这些后果并没有什么了不起，压不垮我们。事实上从目前的情况看，赫鲁晓夫已在相当大的程度上这样做，只是没有完全做绝而已。代表团在讨论这个问题的时候，大家一致认为，还是要坚持原则，坚持斗争，绝不能马马虎虎地让会议通过一个实际上包含着许多指责中国的“钉子”的决议。

代表团还考虑到万一赫鲁晓夫在各种压力下做一些让步，我们应该采取什么样的对策，他做些什么让步，我们才同意签字。

当时，在大会休会后的起草委员会中，争论很多，但主要集中在六个问题上，这比赫鲁晓夫原来安在声明草案中的四个“钉子”增加了两个。这六个问题是:一、兄弟党之间的关系是父子党的关系还是独立、平等的关系;二、国际会议中实行少数服从多数的原则,还是协商一致的原则;三、国际共运中什么是派别活动,谁搞派别活动;四、什么是民族共产主义,谁是民族共产主义;五、声明中是否肯定评价苏共“20大”和“21大”;六、反对个人迷信问题。

对于这些问题,哪些要坚决反对到底,哪些可以妥协,代表团把研究的意见用电报向中央请示,同时也请示中央授权代表团在什么情况下我们不签字,在什么情况下可以签字。请示电报在当天(25日)深夜发出了。

26日,越南党主席胡志明组织了一个请愿团去见赫鲁晓夫。请愿团中包括北欧一个党的代表、拉丁美洲一个党的代表,还有亚洲几个党的代表,由胡志明领头。当天晚上,越南方面告诉我们:请愿团跟赫鲁晓夫当面谈,主要是劝苏共让步。但是赫鲁晓夫态度非常强硬,毫无商量余地。赫鲁晓夫表示,“20大”一定要写,他本来坚持“20大”和“21大”都要写,这次他只提“20大”一定要写,就是说“21大”可以不写。第二,反对宗派活动一定要写,否则要做内部决议。从这里看,反对宗派活动他是要写的,匈牙利的决议草案则有可能要放弃,但是他没有明确说。第三,反对个人崇拜一定要写,因为1957年的《宣言》里已经写了。会谈中赫鲁晓夫又蛮不讲理地对纸老虎、双百方针、大跃进、人民公社大肆攻击。请愿团表

示非常担心，他们仍然希望中国党和苏联党协商，一定要达成协议。看来赫鲁晓夫是企图利用这个请愿团向我们施加影响。

26日，赫鲁晓夫又派米高扬和科兹洛夫两人到我们代表团住地来。小平同志和彭真同志跟他们谈。米高扬和科兹洛夫谈了以下几点意见：

第一，"20大"必须写，反对宗派活动可以考虑写法。（这表示稍有松动。）

第二，对匈牙利的提案要不要作内部决议，那要看我们的态度。（很显然他们想拿这个问题来对我们进行要挟，把剑悬在我们头上。如果我们接受他们的妥协，他们可以不提匈牙利决议草案；如果我们不接受他们的意见，他们可能要强行通过这个决议。）

第三，如果会议圆满结束，那么中苏两党的分歧也就结束，要向前看，搞好团结。（这就带有劝降的味道了。）

第四，他们还请中国代表团在会后访问苏联各地。原先议过少奇同志在81党会议后以国家元首的身份访问苏联，现在他们扩大成请整个中国党政代表团访问苏联。（这个意见就包含着他们希望能够达成妥协，以便好向苏联人民交代。因为如果破裂的话，我们当然不会访问苏联。）

米高扬和科兹洛夫谈完以后，小平同志回答他们说，这次会议实质上是由你们苏共策动的反华会议，我们对这一点表示极大的遗憾、极大的愤慨。第二，到现在为止，苏共仍然坚持错误路线，这样下去究竟是一个什么结果你们知道。第三，我们劝苏共不要做绝，要看得远一点，还是以大局为重。第四，只有把不指名攻击中国党的所有“钉子”拔掉，而且不做少数服从多数的内部决议，我们才能签字。

米高扬和科兹洛夫说他们不能接受中国党的意见，并说，请中国党考虑他们的意见，他们回去向苏共中央主席团报告中国党的意见。

他们走后，我们代表团马上到大使馆开会商议。大家认为，从米、科谈话看，他们主要是来劝降的。我们把他们顶回去了，但是他们也没有把口封死，还说回去后向他们中央报告我们的意见。看来在这个问题上他们还没有关闭妥协之门。形势对我们有利，我们还是要坚决斗争，要他们把声明草案中所有“钉子”都拔掉，不做谴责我们的决议，不做少数服从多数的内部决议，那样我们才签字。这时代表团还没有收到中央对我们请示的答复。

第二天(27 日)，胡志明主席率领请愿团到我们代表团来。从他们谈话的情况看，印尼党、朝鲜党、澳大利亚党的立场是比较坚定的，日本党的态度也还好，印度党的代表高斯表示希望达成协议，越南党更迫切要求中苏两党妥协。

我党代表团把昨天同米高扬、科兹洛夫谈的意见告诉了他们，并且强调这次会议实际上是一个反华会议，到现在为止苏共还没有放弃他们的错误路线，所以会议破裂不破裂就看苏共改变不改变他们的错误主张，是不是一定要把几个“钉子”钉在声明上，是不是一定要做出不指名地谴责中国党的决议和少数服从多数的决议。如果苏共不改弦更张，中国党决不在声明上签字。因此为了避免破裂，你们应该向苏共施加压力，要动员亚、非、拉、美一些党、西欧一些党向他们施加压力。我们的立场是明确的。我们已被逼到墙角。我们处境实在困难。如果我们签字，就无法向我们中央交代，无法向中国人民交代，无法向国际共产主义运动交代，无法向历史交代。我们已经仁至义尽，实在是退无可退了。别的问题我们已经做了很多妥协、让步了，苏共的一些提法已经写到声明里边，有一些是两方面的意见都讲，既讲他们观点，又讲我们观点。现在在最后六个关键问题上，我们实在是让无可让、退无可退了。

我党代表团这样耐心地向请愿团讲清楚我们的立场，并请请愿团向所有关心会议面临破裂危险的其他党的代表团，转达我们的意见。最后，胡志明还是表示：希望中共代表团再斟酌一下，考虑大家的意见，能够让步的还是让让步，他们对其他兄弟党也做做工作。

请愿团虽然没有达到他们要我们让步的愿望，但是他们听了我们解释以后，总的觉得我们说的还是有道理的。他们对中国代表团已经到了退无可退、让无可让的地步，印象很深。

第二天（11 月 28 日）起草委员会继续开会，在讨论

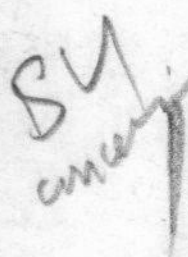

过程中露出一点迹象，即苏共感到实在坚持不下去，做出了一点让步的姿态。他们的代表在起草委员会表示同意删掉民族共产主义的提法。

这个提法是我们要拔掉的六个“钉子”之一，现在他们表示同意在声明里删掉，但其他仍要保留。他们特别坚持要保留反对派别活动，肯定苏共“20大”更不待说。

接着，我党代表提出反提议，建议一定要在声明里面明确地加上协商一致的原则，不能采取少数服从多数的原则。虽然这是针对匈牙利的提案说的，但不是讨论匈牙利的提案，而是在讨论声明的时候我们正面提出来的。当然又争论一番，没有结果。

这时，会议已经开了三个多星期，时间所剩无几，已到最后关头了。我党代表团在28日下午开会商量时觉得，苏共方面已经熬不下去，他们也害怕承担破裂的责任，于是开始松动，同意删掉民族共产主义的提法。从这点退却迹象看来，我们争取拔掉全部“钉子”的可能性增加了。同时也可以看到，许多党是不愿意破裂的，他们也对苏共施加了压力。当然，在起草委员会里，他们还是唯苏共代表团马首是瞻，还是围攻我们，逼我们让步。但是，从苏共同意删去民族共产主义这个提法，可以看到他们的阵脚开始动摇了。

代表团认为，在这场斗争中间，双方实际上采取的都是边缘政策。我们是摆出退无可退、不怕破裂的破釜沉舟的态势，在这种决心下硬是顶住苏共的强大压力和诱降，但也不是要求破裂，仍然是以斗争求团结。而赫鲁晓夫他们也摆出一副很吓人的姿态，毫无妥协可言，似乎我们不退让就导致破裂。所以那些跟着他走的一些党也狐假虎威，吵吵嚷嚷，开始时都非常嚣张。但是他们也不知道苏共的底牌究竟是怎么样的。所以，他们在起草委员会里，越到后来发言越是小心谨慎，不像开始时那样张牙舞爪，时时注意苏共代表的脸色，这对苏共来说也是压力。如果他搞得众叛亲离，不仅胡志明那个请愿团，而且其他党也会向他施加压力，要求他妥协、让步。苏共同意删除民族共产主义的提法，实际上是他退却的开始。我们现在不仅可以拔掉一个“钉子”，其他的“钉子”也有可能拔掉。所以代表团决定，我们还是跟赫鲁晓夫熬下去，看谁能熬得到最后。这个时候，代表团还没有收到中央对代表团 11 月 25 日请示的答复。但代表团已将这三天来的情况陆续电告中央。

28 日夜发生了戏剧性的事件，就是胡志明在深夜 12 点钟，打电话到我们代表团，要同少奇同志通话，请少奇同志到他那儿去，商谈一下究竟怎么办。当时少奇同志已经睡觉，起来后把小平同志和彭真同志叫到他那里去，商量此事。少奇同志说，三更半夜，这么突然要我到他那里去商量，他自己也不来，有什么事情这么急，究竟是什么意思？估计这里面有什么名堂。小平和彭真也怀疑其中有文章。因为按照我们同胡志明的关系和他本人的性格，他向来对我们是比较随和的，有事情大都是他来找我们的。为什么这次三更半夜要少奇同志到他那里去呢？实在有些反常。估计这同他策动劝和有关。最后少奇同志下决心不去，并在电话里面告诉胡志明，我们的态度昨天已跟你们讲清楚。我们就是那个态度。我们之间商量不解决问题，你还是跟赫鲁晓夫商量，把我们的意见转告他，要他下决心，是破裂还是不破裂。

这时胡志明才说明，他请少奇同志来他这里，同时也请赫鲁晓夫来，大家一起谈。

于是少奇同志又和邓、彭商量，认为还是不去为好。如果赫鲁晓夫真想解决问题，他可以到我们这里来，针尖对麦芒，吵也可以，和也可以，何必中间夹个第三者。于是少奇同志又打电话告诉胡志明说，现在没什么再商量的了，我们的态度就是那个态度，要谈赫鲁晓夫自己来谈。少奇同志这样的答复，不仅使胡志明感到和稀泥不行，也使赫鲁晓夫觉得局势严重。

（后来，莫斯科会议结束以后，胡志明到北京和毛主席见面的时候，他谈到这件事情。他说，他曾经约少奇同志到他那儿去跟赫鲁晓夫见面，这件事情是赫鲁晓夫提出来的，是他要采取这种方式见面的。毛主席跟胡志明说，当时不到时候，熬的火候还不够，还差一天 24 小时，所以当夜没有赞成你的意见，拒绝了你的邀请，很对不起。毛主席说，赫鲁晓夫这个人非被逼到墙角是不会认输的。）

我代表团当时并不了解这是赫鲁晓夫而不是胡志明

的主意。我们以为是胡志明又要做说客,并且得到赫鲁晓夫同意。我代表团是根据这种估计拒绝了胡志明的电话邀请。但胡志明约少奇同志去同赫鲁晓夫会谈一事,就足以表明:赫鲁晓夫熬不住了,想做最后妥协了。当时代表团认为,如果赫鲁晓夫想要妥协,也只能由他同我们直接谈,不需要别人做中间人。

少奇同志和中国代表团所以采取这样强硬的态度,主要是因为在午夜接到胡志明电话之前,28 日晚饭后不久,代表团收到了中央对代表团 11 月 25 日请示的答复电报。中央是两天中反复研究代表团的请示电之后才答复的。中央在这个电报里对形势做了分析,指示代表团在什么情况下可以妥协、可以签字,还讲到斗争中要注意策略。当时代表团成员和顾问们都集中在大使馆,中央复电译出一页就传看一页,然后研究了明天采取什么步骤来贯彻执行中央的指示。

中央的复电内容主要有三点:

第一,中央认为,当前情况是:站在马克思列宁主义立场上的兄弟党队伍还不巩固,一些采取中立态度的党摇摆很大,看起来全世界大多数党还没有要跟赫鲁晓夫决裂的思想准备。相反,在全世界所有要求革命的人,包括共产党、工会,也包括搞民族独立运动的人、得到我们支持的人和很多群众,他们都希望这个会议能够成功。应该看到,所有进步力量都不愿意这个会议失败,不愿意破裂,我们党也不例外。因此代表团现在的方针应该是力争达成协议，发表一个经过共同协商、达到一致的会议声明。中央要求代表团在最后阶段要把力量放在力争达成协议。因为会议已经到最后时刻，不能像过去那样采取不怕破裂的策略，而是应该采取明白无误的、力争达成协议的方针。

第二，中央列举了可能出现的四种情况，并要求代表团准备对付这四种情况：

第一种情况是，所有“钉子”，主要是声明草案中三个“钉子”（按：三个主要“钉子”是指苏共“20大”、派别活动、民族共产主义）全部删掉，也不搞内部决议，不管是谴责中国党的决议或者是少数服从多数的内部决议都不搞。这是最好的情况，当然我们可以签字。

第二种情况是，三个“钉子”都不删，又要搞内部决议，做谴责我们的或者是搞少数服从多数的决议。如果出现这种情况，那我们就坚决不签字。这样责任就很明显，破裂的责任不在我们，而是苏共不肯让步、不肯妥协，决心把反华的方针贯彻到底。历史责任由他们来承担。

第三种情况是，同意删掉三个“钉子”，但是却要搞一个谴责我们或者是少数服从多数的内部决议。在这种情况下，我们一方面可以在声明上签字，另一方面发表声明反对内部决议。

第四种情况是，删去声明草案中反对派别活动和民族共产主义，但保留苏共“20大”那一段，同时又搞内部决议。应该看到这种可能性很大，可以说这种可能是这几种可能性中间最可能出现的。那么代表团应该对会议声明草案中关于“20大”部分的措词作适当修改后签字。因为在他们原来的声明草案里的措词比1957年《莫斯科宣言》还要肯定,不仅要肯定苏共“20大”,而且还要肯定苏共“21大”,两个都要肯定。如遇到这种情况,可以在改变措词以后签字,这个由代表团掌握。但是,代表团在签字的同时应该发表声明反对内部决议。

中央的复电在列举上述四种情况后又指示:不论签字或不签字,代表团都要单独发表一个声明,就是说,遇到第二、第三、第四种情况,代表团都要单独发表声明。

中央复电还指示:除了会议声明以外,还要搞一个类似1957年莫斯科会议时搞的那样的《呼吁书》,呼吁全世界人民维护世界和平。这个《呼吁书》可以搞得简单一点,只讲当前的形势和任务,其他一些根本问题、理论问题,因为声明里面都讲了,《呼吁书》里可以不讲。因为只谈形势和任务,我们的要求可以宽一点。

代表团讨论了中央的复电后,当天晚上就作出四项决定:

(一)要准备好修改声明草案中关于苏共“20大”一段的文字措词,而且要准备几个方案。(后来我们起草了四个方案:一个是紧一点的,第二个是松一点的,第三个是再松一点的,第四个是照抄1957年《莫斯科宣言》的提法。)

(二)要准备好在各种不同情况下代表团要发表的声

明：第一个是不签字时（第二种情况下）的声明；第二个是在声明上签字、反对做内部决议时（第三种情况下）的声明；第三个是保留苏共“20大”、又搞内部决议时（第四种情况下）的声明。

（三）在第一种情况下，少奇同志在声明上签字以后，做一个表明我们鲜明态度的发言，呼吁加强团结、呼吁加强反对帝国主义侵略政策和战争政策，维护世界和平的斗争。少奇同志的这个讲话也等于是一个声明，只是形式不同一点。代表团考虑到，少奇同志从会议开始一直没有讲话，大会上的两次发言都是由小平同志出面讲的。少奇同志作为中国党代表团团长，签字完了以后发表一个讲话也是顺理成章的。

（四）代表团向苏共中央提出明天（29日）举行中苏两党直接会谈。在中苏会谈之前，代表团在起草委员会上采取以静观动的方针。因为29日起草委员会还要继续开会，所以我们以静观动，准备到中苏两党直接会谈时摊牌，互相妥协，达成最后协议。

第二天（11月29日）起草委员会继续开会讨论声明草案。起草委员会会议一开始，波兰党代表就提出声明草案中关于苏共“21大”可以删掉，但是苏共“20大”的措词要保留。波兰代表的这个提议说明苏共退却了。接着，那些跟着苏联指挥棒转的好些人就一个接一个地发言，逼我们接受草案中关于苏共“20大”的措词，但是没有讲出什么道理，只是乱说一顿。

这时又有人提出起草委员会中成立一个起草《呼吁书》小组委员会，来最后修改《呼吁书》的草稿。这时苏共代表就提出一个参加《呼吁书》起草小组成员的名单。我们建议增加一两个党的代表。他们蛮不讲理地拒绝了。苏共代表显得很威风的样子。

这天起草委员会是由彭真同志带领我党代表团成员参加的，少奇同志和小平同志都没有参加。少奇同志一直没有参加起草委员会的工作，小平同志也只是偶尔参加，一般情况下都是由彭真同志领头参加，加上代表团的其他成员和部分顾问。因为这些会大都是吵吵嚷嚷，最后由苏共代表拍板定案。这一天彭真同志看到苏共代表还是这样霸道，就抓住这个机会大发脾气，说你们这样霸道，小组委员会只能按你们的方案办，亚洲方面只要中国党参加，其他兄弟党一个也没有参加，这太没道理了。我们拒绝参加。

彭真同志来这一着，使得苏斯洛夫和科兹洛夫突然紧张起来，他们好像感到中国党准备破裂了！其实，彭真同志当时考虑趁这机会，再给他们施加压力。他们逼我们接受肯定苏共“20 大”，我们就采取这样一个姿态逼苏共摊牌。僵持了一会儿以后，彭真同志就在会上当着大家的面约科兹洛夫出去谈话。因为，从过去的开会情况看来，参加起草委员会的苏共代表中，苏斯洛夫虽然水平比科兹洛夫高一点，但是最后拍板的还是科兹洛夫。所以彭真同志就约科兹洛夫出来谈话，科兹洛夫非常紧张。

彭真同志和科兹洛夫到会场旁边另一个会议室以后，彭真同志责问科兹洛夫，说你们这样做是什么意思，是不是要使会议破裂？如果要破裂，你们就公开宣布，我们要发表声明谴责你们。这时候科兹洛夫一下子就软了下来，连声说：不是！不是！我们是想搞好这个会议。彭真同志于是提出，既然你们要搞好会议，那我们两个人是不是可以达成君子协议。科兹洛夫问什么君子协议？彭真同志说，第一，不做任何内部决议，不但反华的不能做，少数服从多数的也不能做。科兹洛夫说你再提吧。彭真同志又提出，第二，不但不能写反对民族共产主义，也不能写反对派别活动；第三，要写上协商一致的原则；第四可以同意写上苏共"20大"，但是措词要修改。

科兹洛夫听说我们同意写上苏共"20大"，马上松了一口气。大概他们内部也有一个底盘，苏共"20大"非肯定不可，因为这是他们的命根子，就像贾宝玉脖子上挂的那块通灵宝石是他的命根子一样。科兹洛夫一听到我们同意写苏共"20大"，只要求修改措词，马上就说，内部决议可以不做，反对派别活动可以不提，通过协商达到一致的原则也可以写入声明。他最后说关于苏共"20大"你们有什么措词希望提出来修改。同时他还表示同意我们对《呼吁书》中的部分意见。最后彭真同志说，我们两人达成一个君子协议：中苏两党刚才协商一致的几个问题，要拿到起草委员会上公开宣布并做决定。科兹洛夫表示同意。

就这样，会议中长期争论的几大问题，最后“一锤子交易”，我方摊牌，科兹洛夫都接受了。这可能是苏共中央内部事前曾讨论过这些问题，他们的底线就是苏共“20大”必保，其他可以让步。

彭真同志看到科兹洛夫同意，马上对他说，我们是在列宁像面前达成这个协议的，我们两个人要负责报告中央。彭真同志说，我是代表中共中央来跟你谈的，你是不是也可以代表你们中央达成这样的协议。科兹洛夫也表示，他也可以代表苏共中央达成这样的协议。但是他又说，他还要向苏共中央主席团报告，得到主席团的批准就行了。

这是一个戏剧性的转折。看来赫鲁晓夫也还是纸老虎，到最后他只好步步退却，只要能够保住苏共“20大”就可以了。因为苏共“20大”在1957年的《莫斯科宣言》上写过，所以我们可以同意写上，而且我们在这个问题上的最后底盘是照抄1957年《莫斯科宣言》的提法，这对我们的原则立场毫无损伤。

在彭真同志和科兹洛夫谈话期间，起草委员会停会一个钟头，大家休息、喝咖啡、吃点心。当彭真同志和科兹洛夫谈好后，双方都在会场上各自向代表团本部打电话报告。接着，声明起草委员会、《呼吁书》起草小组宣布休会。

第八节 胜利达成协议

29日傍晚，科兹洛夫打电话给彭真同志。他说，苏共中央主席团会议开完了。赫鲁晓夫主持了主席团会议，基本上赞成我们今天中午达成的口头协议，但是要求中苏两党代表团正式会谈，达成正式协议。他还说，苏方建议第二天(30日)上午10点钟，在列宁山会议厅会谈。他们出三个人，我们出三个人。彭真问他们三个人是谁，他说是赫鲁晓夫、苏斯洛夫和科兹洛夫。彭真同志同代表团商量后答复他，我们是由少奇同志、小平同志和彭真同志参加。我们代表团商量的时候，认为苏方提出三点建议，即三个人，10点钟，会谈地点在列宁山会议厅，我们不能完全照办，要做一点改动。于是要彭真同志告诉科兹洛夫，10点钟不行，改成11点钟。苏方也同意了。

这样，我们在当天晚上就把这个情况通报给阿尔巴尼亚、越南、朝鲜，以及一些资本主义国家跟我们观点相近的一些党的代表团。在这些党里，阿尔巴尼亚党和朝鲜党对拔掉几个“钉子”都表示赞成，认为取得了很大成功，但是还要求再拔掉几个“钉子”，特别是对草案里还写“反对个人迷信”有意见。朝鲜党的同志说，过去苏共在朝鲜党内策动人反对金日成，就是打的“反对个人迷信”

这个口号。阿尔巴尼亚党的同志说,他们党内一个女政治局委员在党内策动反对霍查时,说的也是“反对个人迷信”。所以他们要求反对个人迷信的提法要打掉,至少要修改措词。

第二天(11 月 30 日)上午 11 点,中苏两党各三人,如期在列宁山大会议厅会谈。那里一座大楼实际上是类似俱乐部,其中有会议厅、游泳池、娱乐宫、健身房。后来 1963 年中苏两党会谈也是在这里举行的。

这次会谈是从上午 11 点开始,一直到下午两点。在会谈过程中间,赫鲁晓夫表示同意彭真同志和科兹洛夫达成的协议。只是对“20 大”的措词还要商量。接着,彭真同志提出,有些兄弟党(他没有指明是谁)对反对个人迷信的措词也有不同的意见,希望也做一些修改。因为这两个问题在 1957 年的《莫斯科宣言》上都写了,现在只是改变一下声明草案上的措词。赫鲁晓夫表示,只要保留这两个提法就行。少奇同志说,苏共“20 大”你们批判斯大林的错误我们是赞成的,但是不赞成你们全盘否定斯大林,不赞成你们不跟兄弟党商量就采取这样的重大决定。我们历来是反对个人迷信的,我们党的八大也是反对这个东西的。我们还没有进城,早在 1948 年的时候,我们就做过决议,不给个人祝寿,不以人名命名地方、街道和广场,还做了其他反对个人迷信的决定。这些都比你们早得多。但是,既然兄弟党有意见,我们就应该考虑,应该对原来草案上的措词作一些修改。

赫鲁晓夫原则上也同意修改，但是他又大肆攻击阿尔巴尼亚党，说阿尔巴尼亚忘恩负义怎么怎么的讲了一大套。少奇同志这时劝他说，你们是大党、大国，对阿尔巴尼亚只有 100 多万人口这么一个小国、小党，你们应该有大党、大国的肚量，不计较小兄弟这点那点缺点，而且你们也不是没有过错。今天我们不谈这个问题，但是希望你们以大局为重，不要整阿尔巴尼亚。赫鲁晓夫对此不置可否。

接着，赫鲁晓夫表示同意结束争论，中苏两党恢复到 1957 年那个时候的良好关系，同时要求我们两个代表团一起尽快商量声明草案中关于“20 大”、关于“个人迷信”的措词，以便明天(12 月 1 日)签字。

这时少奇同志提出，希望赫鲁晓夫以后少说一点话，如果有不同意见，希望不要站在第一线，亲自出来争论。否则我们也感到为难。我们给你们的《答复书》，好多地方都引你的话，点你的名，但是没有办法不这样。我们想找其他人的话，他们都没有讲过这样的话，只有你讲了那么多的话。少奇同志对赫鲁晓夫说，中国有句成语，叫做“言多必失”，希望你以后少讲话，不要站在争论的第一线，不要公开出面争论。有话我们在内部商量。对一些问题有不同意见，我们两党先协商达成一致，然后再提到国际会议上去。少奇同志直接问赫鲁晓夫，这个问题彭真同志未和科兹洛夫谈过，你对这个问题是不是赞成？赫鲁晓夫说，赞成。以后有问题我们内部讲。但是他没有承认他讲话太多了。

这次会谈进行得很顺利，不像9月间两党会谈那样大吵一顿，而是实打实地在一些问题上达成了协议。同时，在会谈中间，双方再次肯定少奇同志在莫斯科81党会议结束以后在苏联进行正式国事访问。赫鲁晓夫表示，苏方一定热情接待，显示我们是团结一致的，向美国人示威。

少奇同志郑重地说，我们还是应该团结，不管有多大分歧。因为我们还是要搞社会主义、共产主义。我们共产党人要搞马克思列宁主义，马克思列宁主义就讲团结，国际无产阶级要讲团结。有意见分歧是很自然的、很难免的，因为不断出现新的问题。只有不断地交换意见，出现分歧就内部协商，不要搞公开论战，不要搞指名的或者不指名的那种指桑骂槐的论战。这一点希望赫鲁晓夫同志本人特别注意。

因为少奇同志1921年就到过苏联，同赫鲁晓夫比算是长辈。所以少奇同志说这些话的时候，赫鲁晓夫也没有说不同意，没有说任何反对的话。

这样，少奇同志就和赫鲁晓夫敲定了两点：一是希望他自重，不要在争论的第一线；二是在国际会议上一定要协商一致，包括兄弟党的国际会议、群众团体的国际会议，都要协商一致。当时除了对这两点敲定以外，双方还对声明本身的一些分歧做了一些妥协，苏联方面让步的更多一些，我们在苏共“20大”问题上作了妥协。

这次中苏两党三巨头会谈后照了一张像，就是后来12月8日在《人民日报》第一版登出的那张照片。这张照片不是六个人，而是七个人，多了一个人，多的一个人是米高扬。当时米高扬没有参加六人会谈，而是在会谈结束后，他跑进来说照个相吧。结果他也站在旁边，成了七人的合照。当时小平同志拿着手杖，是因为小平同志在1959年腿部骨折，接起来后还没有完全恢复，走起路来还需要手杖。

两党会谈结束以后，当天下午，我方由小平同志和彭真同志领头，苏方由苏斯洛夫和科兹洛夫领头各带几位助手对苏共"20大"和个人迷信的措词作最后的修改定稿。修定的声明草案中，对苏共"20大"的措词，我们退到最后一个方案，也就是维持1957年《莫斯科宣言》的提法，苏方接受了。对个人迷信的措词，基本上也是维持1957年《莫斯科宣言》的措词，但增加一个短句：一些兄弟党在反对个人迷信方面取得了成就。

个人迷信当然是要反对的，作为原则，我们没有不同意见。过去我们所以跟他们有争论，是因为他们指桑骂槐，骂我们也搞个人迷信。其他兄弟党也是因为苏共借口反对个人迷信干涉他们内政、搞反党集团、进行颠覆活动，所以才反对，并不是赞成个人迷信。

双方商量在声明草案中加上协商一致原则的过程中，苏斯洛夫提出，达成协议就行了，声明里不要讲协商一致了。实际上他是想在措词上搞得含含糊糊，可以做这样解释,也可以做那样解释。经过我们跟他争论,才确定在声明中明确地写上通过协商达到一致的原则。

中苏两党达成协议以后,起草委员会也好,《呼吁书》起草小组也好,很快顺利地通过了两个文件的修改草案。这时参加起草委员会的一些欧洲党、美洲党的代表和原来跟着赫鲁晓夫指挥棒转的、大喊大叫的人,都有点莫名其妙,都表示很惊奇、很愕然。他们说怎么搞得这么顺利呀?怎么苏共和中共没多大争论就通过了?这大概是由于苏共没有跟他们打招呼。苏共的一贯作风就是这样,他要怎么干就怎么干,很少跟别人商量,很少跟别人通气。而跟我们观点接近的一些党,由于我们事先跟他们打了招呼,所以他们都明白,中苏两方已经达成协议了。

经过三个星期的斗争,特别是经过起草委员会里的斗争,最后一致同意的莫斯科 81 党会议的声明,是一个比较好的文件。

从苏共方面来说,反映在他们最早提出的声明草案里的错误的、修正主义的观点基本上被否定了。比如,苏共原来认为资本主义总危机的新阶段的出现是由于和平共处、和平竞赛的错误观点被否定了;苏共关于和平共处和和平竞赛是社会主义各国对外政策的总路线的错误观点被否定了;苏共关于和平过渡的可能性越来越大的错误观点也被否定了。

又比如,关于和平过渡和非和平过渡的观点,我们原来对 1957 年《莫斯科宣言》中的提法就有不同的意见,认为在那个《宣言》里表述得还不够确切,不够鲜明。所以当时我们就给苏共中央写了一个关于和平过渡问题的备忘录,这个备忘录后来在 1963 年中苏公开论战的时候发表了。在这次会议上苏共提出的声明草案中,比 1957 年宣言又后退了一大步。我们党代表团因此在起草委员会中坚决要求修改。几经斗争,苏共才勉强同意维持 1957 年宣言中的提法。

又比如,苏共草拟的声明中关于反对民族共产主义、反对社会主义各国单干的提法也被删去了。苏共提出的反对社会主义各国单干,实际是反对社会主义国家以自力更生为主的建设方针。这样的错误观点当然不能保留在声明中。

又比如,苏共在原来的声明草案中,有好几个地方写着要反对集团活动、派别活动的观点。这种观点实际上是要兄弟党完全听从苏共领导的指挥棒,否定兄弟党关系中独立、平等、互不干涉内政的原则,所以这个观点也被否定了。

又比如,苏共原先想做一个在国际会议上要实行少数服从多数原则的内部决议,实际上这是要以多数压少数,否认兄弟党中间的关系是独立、平等的原则,借以干涉别党内部事务。但是,由于我党和好些党的反对,后来苏方再没有提它指使匈牙利党提出的那个决议草案。《声明》中不但把这样的观点删掉,而且还写明兄弟党、兄弟国家的关系应该是实行独立、平等,通过协商达到一致的原则。

从我们党和其他一些兄弟党的代表团方面来讲，我们和其他兄弟党提出的许多带原则性的重要意见写到声明里面去了，有些是原来苏共草案中没有的，有些是原来苏共草案里含含糊糊的。比如关于帝国主义本性没有改变这个观点，写到声明中去了。对这个观点，赫鲁晓夫一直到开会的第一天发言时，还认为说帝国主义本性没有变不确切，他反对这个观点。结果苏共的错误观点被否定了，我们的正确观点写进声明中了。

又比如，关于美帝国主义是全世界人民的敌人的论点，也写进去了。关于建立最广泛的反对美帝国主义的统一战线的观点，关于民族解放运动是防止世界战争的重要力量的论点，关于新独立国家彻底完成民族、民主革命的论点，关于社会主义国家有义务支持民族解放斗争的论点，都写入声明了。原来苏共草案里根本没有提出的关于处于帝国主义国家的工人阶级、人民群众的主要斗争锋芒是对着美帝国主义，同时也是针对出卖民族利益反动势力的论点，也写进声明了。

又比如，关于兄弟党应该通过协商达到一致的原则和召开多边会议、多边国际会议不能实行少数服从多数的原则，也写进去了。这个问题原来我们已经跟苏共达成协议，直到起草委员会最后一天的会议上，苏斯洛夫还不想用明明白白的文字写进声明，还想用错误的、含含糊糊的措词来代替。彭真同志指出，这个问题我和科兹洛夫当面达成过口头协议，而且也经过两党代表团一致同意，应该写上。由于我们的坚持，最后才把这个原则写上了。

又比如，关于反对修正主义阉割马克思列宁主义的革命灵魂的论点，也写进去了。

这一系列观点，都是中国党和其他兄弟党提出来的，是正确的，是符合马克思列宁主义基本原理的，这些观点得到了其他许多兄弟党代表团的支持，苏共代表团也被迫接受了。

当然，不能说只有上面讲到的我们否定了苏共的和苏共被迫接受我们的这两方面的情况，另外也还有第三方面的情况，这就是相互妥协、相互让步的方面。主要有两个问题我们做了让步。

第一个问题是苏共第20次代表大会的问题。原来苏共的草案里不仅充分肯定了苏共“20大”，而且还要肯定苏共“21大”，用了很多话来赞扬苏共这两次大会。由于我们坚决反对，最后他们不能不放弃写“21大”，但是还是坚持要写上“20大”。因为我们中央已经有指示，所以我们代表团对苏共原来声明草案的措词提出了四个修改方案。但是究竟怎么修改还没有最后定下来。所以起草委员会最后一天开会的时候就反复磨，开始我们提出几个方案，他们都不同意，最后我们退让到第四个方案，就是照抄1957年《莫斯科宣言》的提法，他们没有话说，只好同意了。他们同意之后，我们代表团声明：维持这个提法这是我们代表团的让步。为了照顾苏共，为了国际共产主义运动大局，我们党准备做这样的让步。但是，这是最后一次让步、最后一次照顾。从此以后，凡是有我们党的代表参加的国际会议中，我们坚决反对在共同文件中维持苏共“20大”的提法。当时会上没有人出来说什么。

第二个问题是关于个人迷信问题。个人迷信原则上要反对，我们也是赞成反对个人迷信的，但是苏共在原来的草案里讲了许多话，实际上是想把这个提法当做它干涉兄弟党的内部事务、在兄弟党搞颠覆活动的借口。我们是不赞成在声明里说那么多。这个问题是朝鲜、阿尔巴尼亚等一些党特别强调反对的。他们不同意苏共原来草案的写法。在中苏两党会谈中我们向苏方提出要修改措词。后来在起草委员会他们也同意修改措词。最后在声明里只保留了“不允许有束缚共产党员发挥创造性思想和主动性的个人迷信”这么一句话，而且把这句话同“严格遵守党内民主和集体领导的原则和领导机关和广大党员和人民群众加强联系”的提法并提。这样就大大减弱了原来苏共草案中间别有用心的写法了。但是朝鲜党和阿尔巴尼亚党的代表还是希望把反对个人迷信一词完全删掉，对保留反对个人迷信这一点他们还是不那么赞成，最后他们看到要再改有困难，要去掉也有困难，也就表示赞成了。会后，朝鲜同志还跟我们说，没有争取到把反对个人迷信打掉很可惜。我们向他们解释，说我们已经争取到取消了好多错误的观点了。总的来说，我们的斗争是成功的。朝鲜同志也觉得总的来说应该这么估计。

81党莫斯科会议最后通过的声明，基本上是好的，虽然某些问题可以做这样解释，也可以做那样解释，但是整个来讲还是一个好的声明。

12月1日在克里姆林宫圣·乔治厅举行81党会议全体大会，各党代表团团长在声明上签字。

按我们原来的计划，签字以后由少奇同志出面讲话。所以签字完了以后，少奇同志站起来说，中国代表团对这次81党会议取得成功表示祝贺。经过大家的共同努力，制定了一个一致同意的纲领和告全世界人民书（纲领是指《声明》，告全世界人民书是指《呼吁书》），我们想大家是高兴的，全世界人民是高兴的，国际共产主义运动、各国党是会高兴的，全世界工人运动是会高兴的。他们都会认为我们这次会议是成功的。少奇同志说，这是因为我们这次会议所达成一致协议的声明是符合国际无产阶级和世界人民的愿望的，是有利于争取世界和平的，有利于民族解放运动，有利于争取群众和社会主义民主，有利于争取民主和社会主义斗争，有利于国际共产主义运动的团结。这是符合当前国际无产阶级根本利益的，也符合全世界人民的利益的。

少奇同志说，会议表明，尽管我们之间有分歧，这种分歧是难免的，也是自然的，但是，我们是能够在马列主义的基础上，根据协商一致的原则，在解决共同有关的问题上达成协议。通过协商取得一致，这是我们解决共同问题的惟一正确的道路。

少奇同志还说，我们会议的整个进程一共开了三个星期，中间有曲折、有困难、有障碍，也有斗争，但是事实证明，我们是能够最终克服困难，能够取得积极的成果。我们相信，在 1957 年《宣言》的基础上和这次会议《声明》的基础上，今后国际共产主义运动的共同斗争也会能够走到一致的。中国共产党是抱这样一个愿望、抱这样一个信心的。中国共产党希望今后要加强团结，加强整个国际共产主义运动的团结，加强社会主义国家之间的团结，消除分歧，停止攻击，以集中力量反对我们的共同的敌人，发展我们共同的共产主义事业。

在讲到中苏两党关系的时候，少奇同志说，中苏两党、两国之间的团结具有特别重大的意义，因为这是两个社会主义大国、大党，负有维护团结的特别重大的责任。中国共产党一定要跟苏联共产党一起，为这个团结尽一切努力。

最后，少奇同志说，在马列主义、无产阶级国际主义的旗帜下，依靠社会主义阵营的团结、各国共产党的团结、全世界人民的团结，我们的事业一定能够取得新的伟大的成绩。

少奇同志这篇呼吁加强团结、愿为团结而尽力的讲话，得到大家的热烈反应，会场上多次响起了热烈掌声。

会议结束以后，苏共中央在克里姆林宫举行盛大宴会，招待各兄弟党代表团。招待会非常热烈，充满了一派团结的气氛。许多代表团经过三个星期的愁眉苦脸，现在也喜笑颜开，互相干杯。我们代表团的正副团长都坐在主宾席上，少奇同志坐在赫鲁晓夫和勃列日涅夫之间。这时候赫鲁晓夫也很高兴，跟少奇同志表示亲热。

从招待会的气氛和互相交谈的情况来看，有些代表团的确曾担心会议会破裂，希望无论如何要达成一个协议，宁可不讲那些不一致的问题，把有意见分歧的统统删去，也要达成一个协议，要不然就表示共产主义运动分裂，他们回去工作很困难，特别是资本主义国家的党回去后工作很困难。这个难题现在总算解决了。曾经在大会的发言中以及在起草委员会里攻击过我们党的一些党的代表，在招待会上对我党代表团的人员说，我们有过争论，也有过不大文明的地方，那都过去了。我们要向前看。他们做这样的表示，实际上是暗含着道歉的意思。而我们代表团成员，包括顾问们在内，在招待会上跟他们都很客气，都着重强调有争论是很自然的，各个党所处的情况不同，经历也不同，经验也不同，有不同意见是难免的，但是最后还是达成协议，这是大好事。

但是有一个情况也要说明，就是在 11 月 30 日同苏共双边会谈之后，晚上少奇同志亲自到波兰党代表团驻地拜访哥穆尔卡。因为在 1956 年苏联打算武力干涉波兰内政时，少奇同志曾率领我党代表团到莫斯科分别同苏、波两党代表团会谈，一面批评苏共，一面劝说波党。

当时率领波党代表团的就是哥穆尔卡。少奇同志对哥穆尔卡说，这次会议最后达成协议，争论已经过去，现在我们还是要讲团结，中苏当然要加强团结，中波也要加强团结。接着少奇同志就对波兰党、对哥穆尔卡提出了两点批评意见：

第一点，少奇同志指出，1956 年我们党曾促成你们同苏共友好，支持了你们党的正确意见。但波兰党代表团在这次 81 党会议中没有起到促进中苏团结的作用。对这点我们是不满的。少奇同志说，我们过去花那么大力量来帮助你们、支持你们。为着你们跟苏共的团结，我们做了很大的努力。而你们在这次会上，不管你是什么观点，你可以讲，但是你对促进中苏团结方面没有起应有的作用，或者坦率地说，没有起好的作用。少奇同志所以讲这一点，是因为哥穆尔卡在大会上发言的时候态度非常恶劣，不仅攻击我们党，甚至还攻击毛主席。

第二点，少奇同志批评波兰党对阿尔巴尼亚的态度不公道。少奇同志说，苏联采取那样霸道、那样蛮不讲理的做法欺负一个小党，在内部搞颠覆活动，你们一点也不说话。我们过去帮你说话了，你们这次对比你们更小的阿尔巴尼亚，你们不说公道话。相对而言，你们是大党，阿尔巴尼亚是小党，你们应该有大党的风度。对苏联搞大党主义的那种做法你们有体会，你们应该帮阿尔巴尼亚说些公道话。但是你们没有讲，反而谴责阿尔巴尼亚，用很粗野的语言骂霍查同志。少奇同志说，你这样做是很不公道的，我们很不满。

哥穆尔卡为自己的做法辩解，不过最后他说，这些都是过去，现在我们还是讲团结。对中国党对波兰党的支持我们是永远不会忘记的。

这次盛大招待会充满了融洽、欢乐的气氛。招待会还没结束，我就离开大厅到苏共《真理报》编辑部去了。这是为了落实小平同志和苏斯洛夫达成的协议。小平同志和苏斯洛夫的协议有两项：一是以后中苏双方不在报刊上论战，不管是点名也罢，不点名也罢。有不同意见由两党内部谈判解决。这个协议是30日上午中苏两党会谈时达成的。二是这次莫斯科会议声明发表时，《人民日报》写一篇社论，《真理报》写一篇社论，互相交换同时发表对方的社论。这个协议是30日下午小平同志和苏斯洛夫会商会议声明最后措词时达成的。

我预先和《真理报》总编辑萨丘科夫约定，晚上10点去《真理报》拜访他。萨丘科夫也参加了苏共中央的招待会，不久也离开了。我到真理报时，萨丘科夫和他们的全部副总编辑都出来会见我，一起交谈。我除了对莫斯科会议经过协商达成一致表示祝贺外，同时还讲了两点。第一点是今后《人民日报》和《真理报》相互之间不搞论战，这点我们两党代表团已经达成协议了。他们表示他们已得到苏共中央通知，他们将根据苏共中央的指示这样做。

接着，我说，第二点是小平同志和苏斯洛夫达成协议，中苏两党党报互相同时转载对方关于这次会议的社论。《人民日报》的社论我们在莫斯科写好，我带来了。我们只翻译了一个俄文草稿，你们看看该文有什么不妥的，请按照你们的语法习惯修饰发表。同时，我也希望得到你们的社论稿，俄文稿也可以，你们不用翻译，我们把俄文稿发到北京，由北京翻译。两篇社论同时在发表会议声明的同一天见报。当我说到这一点时，萨丘科夫和其他副总编辑表示很惊讶，说这件事情他们不知道，没有接到他们中央的指示。从这点也可以看到，苏联党办事并不是那么认真、那么讲效率的。于是我对他们说，请你们直接打电话跟你们党中央苏斯洛夫同志联系。他们说这个事情没有问题。萨丘科夫收下了我们的社论，同时我正式邀请他访问北京。

萨丘科夫在1956年我党召开八大时来过中国。那时我还没有到人民日报工作，是邓拓同志主持人民日报的。我1957年才到人民日报工作。萨丘科夫说，我访问过北京，可惜那次是参加你们党的八大，没有工夫到各地方去看一看，连北京也没有到过多少地方，都是在宾馆里。我很愿意再到中国去访问。他接受了我的邀请，同时他也希望我作为真理报的客人访问苏联。我说，我这一次是要访问你们国家的，我将随同刘少奇主席访问。他说，那请你以后作为真理报的客人单独来访问。我也表示希望有这样的机会。

后来两家报纸同时发表了对方关于莫斯科会议的社

论，表示了团结的气氛，团结的愿望。

第九节　刘主席国事访问

12月2日中共代表团结束了参加莫斯科81党会议的工作后，少奇同志以国家元首的身份和部分代表团成员正式对苏联进行国事访问。随同少奇同志访问的有中共代表团成员李井泉、陆定一、杨尚昆、刘晓、刘宁一，部分顾问包括我、乔冠华、熊复、浦寿昌，在当天晚上乘火车离开莫斯科到列宁格勒。中共代表团的其他人员，以小平同志为首，包括彭真、康生、胡乔木、廖承志等，也在当天晚上乘飞机离开莫斯科回国。

少奇同志在苏联的正式访问，一共访问了列宁格勒、明斯克和伊尔库茨克三个城市。在访问列宁格勒、明斯克以后又回到莫斯科，莫斯科举行了群众大会欢迎少奇同志，随后路过鄂木斯克到伊尔库茨克访问，然后回国。由苏联最高苏维埃主席、后来代替赫鲁晓夫任苏共第一书记的勃列日涅夫全程陪同，一直陪到伊尔库茨克。

少奇同志是12月2日晚上10点钟坐火车离开莫斯科前往列宁格勒的。这是一辆专列，前面有办公室、会客室、餐厅，然后是住宿的车厢。当晚上车后，勃列日涅夫陪同少奇同志坐了一会儿，没有说多少话就走了。看样子他不像是一个能言善辩的人。勃列日涅夫走后，少奇同志找我、乔冠华、熊复和浦寿昌一起商量修改第二天到达列宁格勒时在车站欢迎大会上的讲话，我们大概工作到午夜才休息。

第二天上午10点钟，专列到达列宁格勒，苏共主席团委员科兹洛夫原来是列宁格勒的市委书记，他从莫斯科先赶回来，带领列宁格勒市党、政、军领导人在车站迎接少奇同志，并在车站前广场举行群众欢迎大会。列宁格勒市委书记致欢迎词，接着是少奇同志讲话。

我们从旁观察，群众大会开始的时候有些冷清。原因是苏共一个月前散发了他们对我们《答复书》的答复，并在党内宣传说中国党如何反对苏联党，中国党如何错误。群众对现在居然举行这么盛大的群众大会欢迎中国的国家主席，迷惑不解。他们在市委书记讲话时情绪不热烈。但是，到少奇同志致词时就不一样了。特别是在少奇同志讲到十月革命是在你们城市的"阿芙乐尔号"巡洋舰上发出了第一声炮响开始，这炮声给中国人民送来了马克思列宁主义的时候，群众非常活跃，热烈鼓掌，长时间呼喊中苏友好。这个情况反映了苏联人民渴望中苏两党、两国团结，也反映了莫斯科会议的成功。少奇同志的访问是大受欢迎的。

在列宁格勒，苏联方面安排少奇同志住在过去沙皇的夏宫。这是一个布局非常讲究而典雅的别墅，里面有水池、喷泉、各种雕像，还有很大的一片森林，还有湖、游艇。因为当时正值冬天，湖面结冰了。少奇同志率领的代表团有 30 来人，全部都住下，而且房间很宽敞。

少奇同志在列宁格勒访问期间，参观了“阿芙乐尔号”巡洋舰、冬宫，还专程参观了十月革命时列宁指挥起义的指挥部——斯摩尔尼宫，并特别看了列宁的办公室和他的住房。晚上观看了苏联演出的芭蕾舞剧《宝石花》。第二天白天还参观了十月革命中发挥过重要作用、具有革命传统的基洛夫工厂。

12 月 4 日晚，少奇同志仍乘坐原来的专列离开列宁格勒，第二天上午到达明斯克。科兹洛夫也先期到达并跟白俄罗斯和明斯克党政领导人一起，在车站迎接少奇同志。然后少奇同志参观了明斯克郊区的一个农庄，晚上观看歌舞。

12 月 5 日夜，少奇同志率领代表团离开明斯克，6 日上午 10 点返回莫斯科。以米高扬为首的苏共主席团成员到车站欢迎。6 日下午，少奇同志专门参观了利加乔夫汽车厂，晚上在大剧院观看乌兰诺娃表演的芭蕾舞片断。7 日下午，苏共中央和苏联最高苏维埃联合在莫斯科中央列宁运动场体育宫举行群众大会，欢迎少奇同志。这是少奇同志访问苏联期间举行的最大一次群众大会，整个体育宫可以容纳 12000 人。座无虚席。

在开大会前一天，就是 6 日晚上看完乌兰诺娃的芭蕾舞之后，少奇同志把我们找到他的办公室去，商量修改第二天在群众大会上的讲话稿。其中有一些重要段落是少奇同志亲自动手改动的。这个稿子原来是由联络部的同志起草的,外交部的同志和浦寿昌同志参加了。后来到莫斯科以后,熊复同志又改了一遍。在从明斯克回莫斯科的路上,我、乔冠华、浦寿昌三人又从头到尾改了一遍,然后送给少奇同志,请他斟酌这样改行不行。

少奇同志看了我们修改的稿子,并自己改了以后,又把我们找去,批评我们的稿子只讲原则问题,只讲大道理,不具体、不生动。他说,他想在这个稿子的开头部分讲一讲他 1921 年到苏联来的情况。少奇同志说,那个时候他还比较年轻,受中共中央派遣来到莫斯科。他介绍了当时他们从海参崴到莫斯科一路上的艰苦情景。他说这一段路程一共走了三个月。他要我们在稿子里加一段那个时候的困难情景和苏联人民对中国同志的动人感情。我们根据少奇同志讲的意思,就在他的办公室里修改。少奇同志看完以后说,这样讲苏联人才感到比较亲切、比较感人。这的确也是事实。经过这么长时间,从 20 年代、30 年代、40 年代、50 年代,现在是 60 年代,近 40 年前的那个情景非常感人,今昔对比很有意义。

欢迎少奇同志的群众大会是在 12 月 7 日下午两点钟开始的。苏联方面参加大会的以赫鲁晓夫领头,勃列日涅夫、科兹洛夫、米高扬等苏共中央主席团全体成员都到了。大会开始先由莫斯科市委书记杰米切夫致欢迎词,接着利加乔夫工厂的工人代表、科学院一位院士和莫斯科大学的代表讲话,然后勃列日涅夫讲话。他们都讲了一些团结的话,莫斯科大学的代表和利加乔夫工厂的工人代表讲得特别热情、特别生动。

勃列日涅夫讲完以后，少奇同志才讲话。当少奇同志一走上讲台，群众频频欢呼“中苏友好万岁”，气氛既隆重又热烈。

少奇同志除了祝贺苏联人民取得的成就和莫斯科会议的成功以外，谈到他第一次到苏联的情景。他说，1921年春天他从上海到海参崴。当时海参崴还在日本军队占领下。他是从海参崴附近的一个小港登陆的，然后绕过海参崴城市，坐火车经过赤塔到莫斯科，一共走了三个月，而现在(1960年)坐火车从北京出发，九天就可以到莫斯科了。他说，那个时候因为没有煤，火车只能烧木头，乘客要沿路拣木头来烧锅炉。火车走走停停，一共走了三个月。苏联铁路工人看到是中国青年代表到苏联来开会，就帮助我们拣木头、修机车、修铁路，表示了热烈的同志般的感情。少奇同志说，那个时候，我们看到苏联人民在那样艰苦环境下同白匪军作战，同经济困难作斗争，努力克服经济困难的劳动热情，非常感动。我们对苏联人民在那种艰苦环境下所表现的对社会主义必胜的信心，非常感动。也正因为这样，我们同来的中国同志大大增强了对苏联建设社会主义的信心，也大大增强了对共产主义的坚定性。少奇同志说，那是我第一次到莫斯科来，是作为少共代表参加你们主持召开的国际会议的。会议结束后，我留在莫斯科，而且在这一年的冬天，我在莫斯科加入了共产党。我不是在中国加入共产党的，而是在你们国家加入共产党的。

当少奇同志说到这里的时候，会场上响起了长时间的掌声，这个掌声充分表现了苏联人民对中苏之间的历史悠久的传统友谊非常激动。

此外，苏联群众对少奇同志的讲话还有两个地方反应也特别强烈。

一个是少奇同志讲到，国际共产主义运动的团结、社会主义阵营的团结，是共产主义事业胜利的最大保证。团结就是生命。团结就是力量。团结就是胜利。帝国主义像它看不到太阳从西边出来那样，永远看不到中苏分离。这时会场上爆发出暴风雨般的掌声，大家不断欢呼中苏团结万岁，气氛非常热烈。

还有一个地方是少奇同志讲到，世界上没有任何力量能够破坏中苏两党、两国、两国人民之间的伟大团结的时候，群众也是长时间地鼓掌，热烈地欢呼："乌拉！乌拉！"

据我们当场粗略的统计，在少奇同志的整个讲话过程中，热烈鼓掌有36次之多，群众情绪始终非常高昂，特别是在少奇同志讲话完毕，全场一万多群众都站起来，台上台下，都举着手高喊："乌拉！乌拉！"少奇同志也跟赫鲁晓夫、勃列日涅夫、米高扬、科兹洛夫几个人手挽手向群众致意。

会场的这种气氛反映了苏联人民、苏联党内和在场的许多苏联高级干部都希望中苏友好团结。苏联人民、苏联党内这么一种强烈的愿望、这么一个强大的力量,足以说明以赫鲁晓夫为首的苏联领导集团为什么到最后只好一步步向后退却,同意达成协议,接受我们的一些重要观点。而这种愿望是有着悠久的历史根源、悠久的传统的,谁要是损害它那是要碰钉子的。可以说,这次群众大会也给81党莫斯科会议做了总结,反映了前一段赫鲁晓夫带头破坏中苏团结的所作所为终究是不能成功的。

第二天(12月8日)上午,少奇同志专程到苏共中央向赫鲁晓夫等辞行,简单地谈了一会儿,讲了一些加强团结的话,就直接到飞机场,乘飞机离开莫斯科,苏共中央主席团全体成员都到机场送行。少奇同志仍然由勃列日涅夫陪同飞往伊尔库茨克,路经鄂木斯克的时候停了一下,当天晚上10点钟到达伊尔库茨克。

第二天(9日)少奇同志参观了伊尔库茨克水电站,游览了贝加尔湖,最后出席了伊尔库茨克市委和州委举行的欢迎宴会,并在宴会上发表讲话,这是少奇同志访问苏联的最后一次讲话。

为了准备好这次讲话,少奇同志在8日晚上10点钟到达伊尔库茨克宾馆后,很快找我们商量修改讲话草稿。这个稿子是我和乔冠华、浦寿昌在莫斯科群众大会之后经过修改送给少奇同志的。大概在从莫斯科到伊尔库茨克的飞机上,他看了这个讲话稿,所以一下飞机就把我们找去,说稿中要增加一段。增加的这一段完全是少奇同志口授、我们记录下来加上去的。

少奇同志在伊尔库茨克欢迎宴会上的讲话虽然很短,但是含义很深。特别是少奇同志亲自口授增加的那一段,强调中苏两党、两国人民团结的重要性和必要性。他说,"这几天在苏联访问,使我得到深刻的印象,这就是苏联人民和中国人民一样,对增强两党、两国、两国人民之间的团结抱有强烈愿望。"他说,"任何损害这个团结的基础——马克思列宁主义的基本原理,在中国人民中间是通不过的,在苏联人民中间也是通不过的,而且我相信,在社会主义阵营人民中间也是通不过的,在资本主义世界占人口百分之九十的人民中间也是通不过的。"这是一段意味深长的结束语。

少奇同志这段话是有所指的。他特别强调任何损害这个团结的基础——马克思列宁主义的基本原理在中国在苏联都通不过。这表示我们是要坚持团结,坚持马克思列宁主义基本原理的。同时,从反面来讲也是暗含着一个警告,这就是谁要损害中苏团结的基础——马克思列宁主义的基本原理,谁也不会有好下场。

这是少奇同志在访问苏联的整个过程中讲得比较重的一段话,它暗含着遇到这种情况,中国还是要起来反对起来斗争的决心。所以当时我们听了少奇同志临时口授加的这段话后,感到很重要,非常必要。苏联方面对这段话也非常敏感。莫斯科《真理报》在转载少奇同志在伊尔库茨克送别宴会上的讲话时,恰恰删掉了少奇同志口授增加的这一段话。苏共方面不转载这段话,无视四个"通不过”，人们只能理解为他们并不想坚持马列主义基本原理，并不想坚持这个团结的基础，仍然要沿着他们偏离列宁方向的道路走下去。

当天下午，少奇同志乘飞机离开伊尔库茨克回北京。到达北京时已经很晚，但是，毛主席和中央几位常委、政治局全体同志，以及人大常委会委员长、副委员长，各民主党派主要领导人都到机场欢迎少奇同志胜利归来。

第十节　会后的评论

这次81党莫斯科会议的斗争空前激烈，情况也非常复杂。但是，由于我党坚持了原则，又采取了灵活的策略，会议得到了比较圆满的结果。中苏双方以及参加会议的所有兄弟党达成一致协议，具有重大的历史意义。

12月初，以胡志明主席为首，包括黎笋、黄文欢在内的越南党代表团，从莫斯科回国路经北京的时候，毛主席和我党中央领导同志同他们举行了会谈。毛主席总结这次莫斯科会议时说，这次莫斯科会议结果是好的，是协商一致，保持团结。大家都是共产党，一定要团结，争吵有时候是免不了的，但结果还是要团结，要和。终究是要和的。先和后吵，吵了又和，又和又吵，又吵又和，就是这么一个过程。

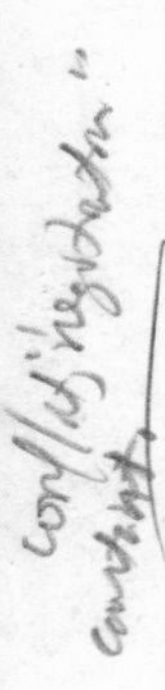

在宴会的时候，毛主席特别称赞胡志明起了和事佬

的作用。他对胡志明说,这次81党会议所以开起来是因为你做了说客。你当说客在先,后来又发起请愿,你当请愿团的团长。你是两重身份,既是说客,又是请愿团团长。这时胡志明大笑起来。毛主席又说,大家还是要建设社会主义,还是要反帝,天是塌不下来的。上一次(是指8月间胡志明到北戴河的时候)我在北戴河跟你们两人(指胡志明和黎笋)谈话的时候向你们交了底。我说,没什么不得了的事情,不要怕原子弹会落下来。现在我想起我们那次谈话还有点好笑。毛主席说,这次又搞了一个协商一致的原则,这是最重要的。按这个原则办,不一致的就不写,不论大国、小国,大党、小党,都不能不协商而强加于人。看起来还应该采取一些措施,双方都应该不强加于人。还有一点,就是我们跟苏方达成了君子协定,停止互相攻击。胡志明说,都不要丢香烟了(按:胡志明在8月间的北戴河会谈时说彼此不要"丢香烟",要"递香烟",意即要和不要吵)。毛主席说,到某个时候还可能丢呢,我不相信从此就不丢了,可能是丢一阵,递一阵,生活的规律就是这样。

小平同志说,苏共一开头就向我们发动进攻,散发对我们《答复书》的答复,在会上组织对我们围攻。所以我们一开始就对苏共方面讲,你们要压我们是不行的,我们要斗争到底,不怕分裂。毛主席说,如果他要分裂,我们有什么办法?苏共方面这次搞的是边缘政策,一步紧一步,先撤走专家,再来个经济封锁,破坏

团结还不够，还画漫画，指名公开批评中共。压的办法无非两条：一条是物质的，如经济封锁、撕毁协议等等；一条是精神的，就是谩骂。这是搞边缘政策。结果这次走到边缘又回来了。我们也是采取边缘政策，就是斗争到底。你不退让，你不接受我们的原则性的意见，不拔掉钉子，我们就不签字。这就是说双方都是采取边缘政策，结果双方走到边缘又回来了。也许将来又要走到边缘，又回来，我们准备着。

胡志明说，把辣椒都收起来。都多给点糖。小平同志说，光给糖恐怕不行，因为分歧还有。他挑起争论，他先丢辣椒，我们也得丢辣椒。双方的意见不会那么完全一致，还会有争论的。

毛主席说，有各种各样的社会主义，也有各种各样的“马克思列宁主义”。我们要的是真正的马克思主义。赫鲁晓夫曾经对小平同志讲，你以后不要带棍子来（小平同志因为腿摔伤后还没有完全复元，参加会时拿着一根手杖，赫鲁晓夫在中苏两党会谈时曾提出这个问题）。彭真同志说，小平同志的棍子是保卫马克思列宁主义的。毛主席对小平同志说，赫鲁晓夫很怕你这根棍子。小平同志说，我这根棍子挨了两千次骂，有的时候一回骂十几次还不够，再骂第二回，都是指名骂我的。毛主席说，你这根棍子出名了。我们党有九十几个中央委员，只有四个人出面和苏方对骂，这就是彭真、康生、胡乔木，加一个邓小平。我们党的五位副主席刘少奇、周恩来、朱德、陈云、林彪都没有出面，都没有指名批评，都留一手，更不要说我这位主席了。我现在不讲话，看他怎么样，也许几年以后我要讲话，到那时候再说。

小平同志说，赫鲁晓夫这个人到处带头讲话，都是他站在论战第一线，而且说话又那么粗野。有些问题我们这次会上回答了，有些过去已回答过，这次会上就没同他们纠缠。毛主席说，这是生活中间常有的现象。开一次重要会议只能解决当前的一些重要问题，还有一些不同的意见各党保留着。比如“纸老虎”，现在中苏无法达成协议，这并不妨碍两党团结。有一些问题还有不同意见，那就把这些问题保留下来，还是讲团结。我看这种办法还是需要的。这次会议能取得一致的意见，实现和解，比我们过去所预想的要早一点。本来我们是准备十年的，现在只争论了一年。以后是不是还有争论？也可能还有争论，我们准备着。这次会议取得的第一个胜利就是明确了革命路线，第二个胜利是肯定了协商一致的原则，用说服而不是压服的办法，压服不是列宁的办法，那是对敌人的办法。

胡志明提到他在29日那天打电话叫醒少奇同志，请少奇同志到他住的地方来，同赫鲁晓夫见面。少奇同志说，那时还不到时候。小平同志说，是早了，那个时候见面只能吵架，因为他们还没有下决心让步。周总理说，是早了一天，我们中央给代表团的电报也是准备让步的，但是要坚持到最后，要逼得赫鲁晓夫他们让步我们才让步，这样双方才能够互相妥协。

毛主席在这次会见胡志明和越南党代表团时的谈话，是对81党莫斯科会议结果的一个概括的总结。

1961年1月间召开的党的八届九中全会，肯定了81党会议的成果，并决定从1961年起集中力量搞好国内工作，实行调整、巩固、充实、提高的全面调整方针，不受任何国外事件和国内事件干扰。

会议讨论邓小平同志作的我们党参加81党会议的汇报时，大家发表了很多中肯的见解。

会议认为，这次81党会议规模之大、时间之长、斗争之激烈，是前所未有的。会议的结果是比较好的。在这次会议的过程中，以中国和苏联两大党为对立两方代表的斗争是非常激烈的，斗争的性质是坚持还是抛弃马克思列宁主义的基本阵地。

中苏两党在这个问题上有一系列的、重大的原则性分歧。这个分歧由来已久，从1956年苏共“20大”就开始了。而公开的争论，也就是两党分歧的表面化，是从1959年9月9日塔斯社发表关于中印边境冲突的社论开始的，一直到这次81党会议，历时15个月。斗争是在公开情况下进行的，81党会议达到顶峰。

我党代表团的成员在会上列举事例指出，苏共操纵81党会议的方式、手段非常恶劣。在会议开始的时候，他们就策动对中国党围攻，许多党就跟着他们跑。这个习惯势力很大，就是苏共说了算，就是圣旨。在会议期间苏共采取冷遇、监视、高压、围攻、疲劳战术等种种手法，要挟兄弟党，组织对我们的围攻。他们凭空捏造和歪曲我们党的观点，大肆攻击我们党。许多党在大会上的发言不讲道理，不分是非，不是谩骂，就是瞎说，或是乱扣帽子。在苏共看来，他们手中有两张王牌，一张是压力，就是毛主席讲的精神压力和物质压力，另一张是多数。用压力的时候，一方面毁约、撤退专家，一方面公开指责我们，但两方面都没有成功。他们在这次会议上，就想要用多数压少数的办法制服我们。他们使尽一切手段，组织多数党对我们进行围攻，一直到 11 月 29 日，都是采取这种办法。

小平同志评论 81 党会议过程时说，整个斗争过程都是赫鲁晓夫亲自领头的。我们刚到莫斯科的时候，两党会面时就是他领头发起攻击。大会开始的时候，又是他第一个发言领头组织对我们围攻，他第二次发言也是如此。当然，到最后也是他领头退却的，也就是到最后他节节败退，不得不跟我们达成协议。现在看来，苏共这样一个大党，以赫鲁晓夫为首的种种违反马克思主义基本原理的言论、行动在全世界发生那么大的影响，如果不是中国党站出来讲话，任何其他兄弟党都不可能起阻挡它的作用。在整个斗争过程中，我们党领头，左派高兴，中间派发生动摇，而以赫鲁晓夫为首的右派最后只好退却。

会上大家一致认为，我们代表团到莫斯科去参加这次会议，中央确定的方针是坚持原则、坚持团结、坚持斗争，以斗争求团结，在具体做法上讲究灵活性，留有余地。代表团忠实地贯彻了中央的方针。

小平同志说，应当指出，全世界的共产党都不希望中苏破裂，都希望中苏团结，包括苏共党内的情况也是这样，在他们党内也有很大一部分人希望两党团结。这是一个很重要的因素，也是对我们很有利的因素，也是促成这次会议最后达成协议的重要因素。

小平同志总结这次莫斯科 81 党会议的主要收获有四点：

第一，会议最后达成协议的声明是好的。

第二，这次会议揭开了盖子，破除了迷信，表明苏共也是可以批评的。过去那种苏共说了算、老子天下第一、只能跟着他指挥棒走的时代，已经一去不复返了。这种情况将会发生深远的影响。

第三，这次会议锻炼了国际共产主义运动中马克思列宁主义的队伍。在起草委员会的 26 个成员中有 7 个党是坚定的。在 81 个党里有 12 个党的观点也是比较一致的，除了亚洲的，还加上拉丁美洲的一些党。由于有这样一个队伍的团结斗争，最后把赫鲁晓夫的围攻顶住了、瓦解了。

第四，经过这次莫斯科 81 党会议，确立了兄弟党之间实行协商一致的原则。兄弟党之间的关系应该是独立的、平等的、平起平坐的关系。而且中苏两党之间还达成一个君子协议，就是对于重大国际问题，中苏两党一定要在协商一致之后才写到国际会议的共同文件中去。

小平同志最后说，看来 81 党会议这一场大斗争可以告一段落，但是不能说整个斗争就此完结了。赫鲁晓夫仍然保留他的机会主义的观点，而且这个人是善变的，他经常是临时应付，从一个极端走到另一个极端是一贯的。所以我们对整个局势应该谨慎对待，保持警惕。但是，既然有一个共同的文件，我们对苏共还是采取加强团结的方针，并且要采取一些具体步骤来加强团结。

在这次九中全会结束的时候，少奇同志、陈云同志和毛主席在讲话时都谈到了莫斯科 81 党会议。周总理聚精会神搞国民经济调整，在会上和会前会后做了大量工作，没有多谈莫斯科会议。

1月 18 日少奇同志讲话，他说，这次代表团由我担任团长，看来毛主席这个设想是恰当的，就是说毛主席不出面，由我来出面，而且我又不在会上公开地跟赫鲁晓夫争论，处在前线的第二线。因为我曾在 1921 年到莫斯科参加过少共国际的工作，在赫鲁晓夫面前可以摆摆老资格，看来这个老资格还是有点作用的。

少奇同志又说，这次 81 党会议上苏方形式上气势汹汹，实际上赫鲁晓夫心里是虚的，因为他理亏。在我们到达莫斯科那一天（11 月 5 日），他发表对我们《答复书》的答复，但是在 11 月 9 日他来跟我们谈 81 党会议如何开的时候，还说他们的《答复信》和这个会议没有关系，不敢承认 11 月 5 日的复信就是要在会议上发动对我们围攻的一个号令。他总是吞吞吐吐，而不是堂堂正正。这表明：他的修正主义的旗帜，反对中国的旗帜，不是那么堂堂正正地树起来的。这种情况和一年多以来的斗争有关。我们发表了《列宁主义万岁》三篇文章以后，他们不能不承认帝国主义的性质没有变，赫鲁晓夫虽然说这不确切，他并没有说我们的论点完全错了。我们说赫鲁晓夫在 1957 年莫斯科会议以后的一百多次讲话中，没有一句话提到 1957 年《宣言》，这个是他赖也赖不了的。他觉得理亏，所以后来就在 11 月 5 日的信里面他们赶紧抓 1957 年《宣言》，在起草委员会里面也不得不赞成写上反帝、支持民族解放运动等等，到最后他也只好接受签订一个要加强团结的《莫斯科声明》。所以说，一年多他们是被迫逐步地转，在莫斯科 81 党会议期间又被迫逐步地后退，就是说他们自己也觉得站不稳了。少奇同志说，11 月 26 日米高扬和科兹洛夫到我们代表团来找我们谈，那是在胡志明向他们请愿，要求中苏达成协议，要求赫鲁晓夫让步之后。米高扬和科兹洛夫来谈话，实际上是来摸我们的底，看看我们是压得了还是压不了；同时想用恢复援助做诱饵，看我们上不上钩。应该说，这个态度是很恶劣的，但是，从这里也可以看出，他们的阵脚开始动摇了。所以胡志明在28日约我去见赫鲁晓夫的时候，我们断然拒绝了，觉得还要搞边缘政策，还是要顶他，还是要采取强硬的态度。果然，其他兄弟党知道了胡志明约我们跟赫鲁晓夫见面没成功以后，都大为震惊，认为这个会非破裂不可了。少奇同志说，经过这个斗争，他们感到要压服中国党是不行了，除了让步妥协以外没有别的办法。因此最后他们就约我们开中苏两党会谈，达成了一揽子的协议。

少奇同志说，当然，不能说赫鲁晓夫以后就不来整我们了，斗争就此结束了。但是，应该说，最近一个时期斗争可能会缓和一些。缓和对我们有利，对整个社会主义阵营、国际共产主义运动有利，我们应该力争延长缓和的时间，把我们的力量集中搞好国内工作。我们国内积累问题很多，有必要狠下决心抓。中苏关系今后一个时期可能缓和，也为我们全力搞国内工作创造一个有利的国际条件。我们不去挑起争论，有争论也不要使国内工作受干扰。我们可以做一些基本理论的研究工作，对他们的修正主义理论进行深入的研究，同时对马列主义，包括斯大林在内的一些基本理论，结合当前的时代的特点，进行系统的研究，准备以后的斗争。

少奇同志说，苏方在我们代表团到莫斯科之前，邀请我访苏。这说明他们从一开头就害怕分裂，做出一个在莫斯科81党会议结束以后也讲友好、团结的姿态。

但是，我在伊尔库茨克讲话中间讲到：凡是不利于和有损于中苏团结和马克思列宁主义基本理论的都是通不过的，这段话他们在发表时删掉，不敢登。由此证明，事情并不是那么太平。（这时，毛主席插话：我们不怕登他们的东西，我们也不怕分裂，不外乎不做生意就是了。要准备文化、经济往来完全断绝，只保持外交关系，要做这样一个准备，他分裂也不怕。）

少奇同志说，经过这次会议，看来对付赫鲁晓夫这样的人，对付那些要搞修正主义的人，也不太难，比较容易对付。我们党战略上有一套，策略上有一套，我们讲团结是认真讲团结的，这方面他就比不上我们。我们讲坚持原则，他们也谈不上和我们对比。斗争并没有结束，很可能是高一阵、低一阵，至少还要斗争十年，要做这个准备。因为修正主义要改是不容易的，有些党已经成了新的社会民主党了。毛主席讲过，说社会主义国家没有复辟资本主义的可能是不对的，还是有这个可能的，因为有修正主义。斗争是长期的，经过十年、八年有可能争取到形势往更好的方面变化，但是现在要做一些基本理论工作。

陈云同志的发言主要是讲计划、农业等等问题。但也谈到了莫斯科 81 党会议。他说，莫斯科会议是成功的，代表团的工作是好的。国际上出现修正主义不足为奇，我们党这样坚决地跟它斗争是正确的，否则将来欠历史的账，辜负作为一个共产党人。这场斗争的实质是关系到全世界人民的命运的问题，影响是深远的。

毛主席在九中全会结束（18 日）前，做了长篇讲话，他主要谈了国内情况，也谈到国际情况。

毛主席说，比较起来讲，我们中央对国际情况调查研究比较充分，所以了解情况也比较充分，因此决心也比较大。开始，我就不了解赫鲁晓夫为什么那么急急忙忙要搞布加勒斯特会议，苏联共产党中央也急急忙忙地在布加勒斯特会议以后做决议，而且把决议下达到支部，攻击中国共产党，不知道他们用意何在。当时我曾讲过，他不这样做恐怕是考虑到不好办。现在看来，他们也估计错误，认为中国党是可以压服的。一个是他不这样做他不好办，一个是他们估计错误，这两个原因可能都有。因为当时赫鲁晓夫对我们非常害怕，对三篇文章非常怕，因而不能不为维护他的权威而斗争。而我们什么都不怕，他们的文章我们登，而且把他们的文章集中起来出书，公开发行，一共发了十几万本。赫鲁晓夫说我们闹宗派活动，说我们三篇文章和小平同志 11 月 10 日的讲话是纲领。从这方面来看，这三篇文章实在好，别的党也这么讲。三篇文章出来以后，赫鲁晓夫就急急忙忙搞了几手，就是搞布加勒斯特会议，搞撤退专家，搞撕毁合同等等，这就搞到国家关系上去了。他以为这样一来就可以把我们压倒。结果并不如他所想的，而是比较合乎我们所想的。我们对赫鲁晓夫的观点有研究，比较熟悉，所以能够对付，能够取得胜利。有调查

研究，有科学分析，才能情况明了，才能下决心，才能找到解决问题的正确办法。处理国际问题要这样，处理国内问题更要这样。

毛主席说，81党会议成绩很大，应该说取得伟大的成果，基本上把赫鲁晓夫发动的反华攻势打下去了。当然，这个反华浪潮也有来自以美国为首的帝国主义，也有来自于民族主义国家的反动派。印度反华，南斯拉夫也参加了反华，有些党的机会主义分子也参加了。但是最主要的还是赫鲁晓夫领头，在今后还会有反华浪潮，还会有起伏，不可能根除，因为修正主义有它的社会基础。

毛主席说，我们现在在党内要讲团结，在国际上跟苏联要讲团结，跟社会主义国家要讲团结，跟兄弟党要讲团结。在81党会议上骂过我们的党，我们也要同它们讲团结。我们应该有耐心等待他们自己觉悟。共产党人不挨骂就不是共产党人。不管他们怎么样，我们要采取团结的方针，这不是说要不要的问题，而是一定要采取这样的方针。同样，我们讲团结也不是说不要必要的斗争，但是不是现在这个时候。去年进行斗争是必要的，因为他们骂了我们一大堆，我们不能不反击，批评了他们一顿。对马列主义中国化，他们也反对，我们无非是把马克思主义、列宁主义的普遍真理和中国革命的实际相结合，这是一个树干和枝叶的关系，有什么好反对呢！每一种树都是不一样的，杨柳和松柏就不一样。

同样是杨柳，这一棵和那一棵是有差别的。同样是松树，这一棵和那一棵都是有不同的。各国具体的历史、具体的传统、具体的文化都不同，应该区别对待，应该允许把马克思列宁主义具体化，也就是说把马克思列宁主义的普遍真理和本国革命的具体实践相结合。

这是毛主席在八届九中全会上，对81党莫斯科会议讲的一番总结性的话。

第八章

赫鲁晓夫再度挑战

第一节 81党会议后的缓和

81党莫斯科会议后，我党八届九中全会决定对中苏关系采取缓和的方针，停止论战，把力量集中搞国内调整工作，同时争取进一步改善同邻近国家的关系。

早在莫斯科会议之前，我国同缅甸签订了边界条约。莫斯科会议后，周恩来总理亲率我国政府代表团于1961年1月间赴缅，同缅甸政府交换中缅边界条约的批准书，完成了条约生效的法律手续。同这差不多同时，我国政府在1960年12月同柬埔寨签订了中柬友好和互不侵犯条约。这两个条约，都是根据中国和印度两国政府总理（周恩来总理和尼赫鲁总理）于1954年共同倡导的和平共处五项原则签订的。这向全世界表明,中国政府是认真倡导并遵循和平共处五项原则的,是真诚愿意同所有不同社会制度的国家、尤其是邻近国家友好共处的。

1961 年 4 月间,中国又同印度尼西亚政府签订了友好条约和文化合作协定,同老挝王国政府建立了外交关系。6 月间邀请越南总理范文同和印度尼西亚总统苏加诺相继访问中国。7 月间中国政府和朝鲜人民民主主义共和国签订了友好合作互助条约。10 月间,我国又同尼泊尔王国签订了中尼边界条约。

这一系列的工作,使我们有一个比较缓和和友好的国际环境,有利于进行国内的调整工作。

这中间应该特别提到的是日内瓦会议。陈毅同志作为副总理兼外交部长率领中国代表团,参加了关于老挝问题的扩大的日内瓦会议,会议的第一阶段从 1961 年 5 月到 7 月,历时两个月。

因为我党跟苏共在 81 党会议期间有过一个君子协议,所以在这次日内瓦会议上,我国代表团把我们设想的方案先跟越南、苏联协商,协商好了再跟老挝的三位亲王协商。他们是富马亲王、苏发努冯亲王和富米诺沙旺亲王。

由于我们对老挝情况比较熟悉,又跟越南关系比较密切,所以在整个日内瓦会议期间,陈毅副总理兼外长率领的中国政府代表团处于相当主动的地位。而由苏联外长葛罗米柯率领的苏联政府代表团,对亚洲情况尤其老挝的情况不熟悉，而且外交策略也比较简单化，在会议中成了一个陪衬的角色。因此，对法国、英国等国做工作的主要还是中国代表团；对美国进行斗争也是中国和越南站在第一线，同苏发努冯亲王相配合。但是总的来说，中国和苏联在这次日内瓦会议上没有什么大的争论，一般还比较协调。我们提的意见也比较得体，苏联方面也没有完全反对或表示不可接受，中苏双方合作得还是比较好的。

虽然在日内瓦会议上中苏双方比较协调，但是，应当说，在整个1961年，中苏关系积极的改进很少。米高扬不是在莫斯科81党会议期间提出过可以派专家、可以给我们经济援助吗？但是，实际上，81党会议后，他们再没有提过这些问题，我们也不理睬这些问题。在这方面还是保持1960年他们专家全部撤走、所有合同全部撕毁的状况。当然双方还做生意，既没有减少，也没有增加多少。在1961年，中苏关系既没有坏到哪里去，也没有多大的好转，只是形势比较缓和而已。

相反的，在国际群众团体的会议上，中苏之间的分歧就很明显地暴露出来。虽然有莫斯科81党会议的声明和1957年《莫斯科宣言》，但是苏联代表团还是照他们过去的那一套办，把赫鲁晓夫的“三无世界”那一套搬到国际群众组织中去。无论在什么会议上都强调裁军，把实现“没有军队、没有武器、没有战争”的世界，作为当前“压倒一切”的任务，而对支持被压迫民族、支持第三世界的斗争，则不愿意多提。这样不能不引起我们同他们争论。

在1961年，国际群众组织召开的会议主要有三个，一个是在莫斯科召开的世界工联会议；一个是在新德里召开的亚非团结理事会会议，还有一个是在斯德哥尔摩召开的世界和平理事会会议。

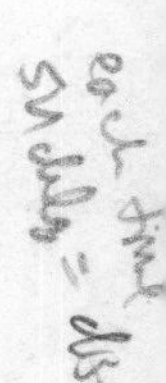

在这几个会议上，苏联代表每次都把裁军问题、实现"三无世界"问题作为压倒一切的任务提出来。这当然就引起了许多国家的反对，特别是遭到亚非拉那些受新老殖民主义的欺压、侵略、剥削的国家和在殖民主义统治下还没有获得独立的国家的代表们的反对。苏联代表相当孤立，即使是在莫斯科召开的世界工联会议也是这样。在新德里召开的亚非团结理事会会议上，不但苏联代表遭到冷落，印度因为想得到美援不敢得罪美国，印度代表提出的主张不敢高举反殖民主义的旗帜，也为许多亚非拉国家代表所不满。在斯德哥尔摩召开的世界和平理事会会议上，情况也是如此。

我们在这些会议上提出的支持各国人民为反对新老殖民主义的斗争，支持各国民族独立运动，支持各国人民为维护民族独立和发展民族经济而斗争的主张，得到大多数代表的赞同。比如我们的代表指出：裁军问题不是压倒一切的问题。为了世界和平必须解决各国人民的民族独立问题、发展民族经济问题，还得支持欧美各国工人和劳动群众为改善生活而斗争、反对垄断资本等问题。不能一切都得围着"裁军"转、围着"三无世界"转。我们

的这些主张都得到大多数代表的支持。

虽然这样的国际会议是同各式各样的和平主义者搞统一战线的会议,但是,就是在这样的会议上,很多和平主义者也不赞成不提反对新老殖民主义、亚非拉的民族独立、发展民族经济问题。

从这三次比较大的国际会议来看,苏联共产党在赫鲁晓夫主持下,尽管经过莫斯科 81 党会议的斗争,他们原来的观点并没有放弃,还是要贯彻下去。虽然没有跟我们发生正面争论,两党之间的关系在 1960 年到 1961 年的大多数时间内也比较缓和,但是没有明显的改善,苏方也没有主动采取改善的步骤。

值得注意的是,虽然他们对我们暂停争论,采取比较缓和的姿态,但是,对阿尔巴尼亚却不断施加压力。

在 1961 年 3 月间,苏联领导在华沙条约国首脑会议上通过一个指名谴责阿尔巴尼亚的决议。这是一个相当严重的步骤,是过去没有过的。同时,苏联军队从阿尔巴尼亚发罗拉海军基地撤出,把阿尔巴尼亚完全暴露在北大西洋公约组织面前。5 月间苏联宣布停止对阿尔巴尼亚的一切援助。到 8 月,华沙条约国首脑会议拒绝阿尔巴尼亚代表出席,实际上就是把阿尔巴尼亚开除出华沙条约国组织。

上面的这些情况,是莫斯科 81 党会议之后一直到苏共“22 大”召开之前整个 1961 年的形势。总的来讲,可以说比较缓和,但潜伏着严重的分歧。

在这个时期,赫鲁晓夫采取各个击破的办法,先压阿尔巴尼亚。当然,阿尔巴尼亚非常英勇,坚决不屈服,坚持马克思主义立场,坚决反对赫鲁晓夫大国沙文主义,不放弃他们支持中国的立场,坚决顶住赫鲁晓夫的压力。

赫鲁晓夫的这种做法当然引起了我们党的警觉。我们党是坚决支持阿尔巴尼亚党抵抗赫鲁晓夫的大国沙文主义的,但是,当时我们还没有公开表示,因为苏联党还没有单独出头来骂阿尔巴尼亚党。当时我党中央估计,既然华沙条约国首脑会议作出决议点名攻击阿尔巴尼亚,甚至拒绝阿尔巴尼亚代表出席会议,那么很显然他们还要走下去,很可能完全破裂跟阿尔巴尼亚的关系。中央决定看一看再说。

第二节　苏共错误观点的系统化

1961 年 8 月到 9 月,中央在庐山召开调整工商业的工作会议。在这个会议期间,苏共中央发表了《苏共纲领草案》。这个纲领草案是苏共中央准备提到苏共“22 大”讨论的,在苏共“22 大”开会之前先在报上发表,供全党讨论。

9 月 5 日,在毛主席住处开常委会的时候,周总理提出这个问题。他说,现在苏共发表了一个纲领草案,很长,现在忙不过来看,据北京的同志说,这个纲领草案不是个好纲领。

当时在常委会上进行了议论,谈了两点意见:

一、苏共现在发表的这个纲领草案,是作为他们党的一个纲领。这是他们一个党的事务,不同于兄弟党会议的共同文件。现在我们不好表示反对,但也不好公开表示完全赞成,可以考虑支持其中积极的东西,不提其中消极的东西。就是说,将来苏方根据这个纲领采取什么行动,比如在外交上,是好的我们表示支持,消极方面的我们可以不提。当时大家已经知道苏共纲领草案中有全民国家、全民党的提法,认为这两个提法都是违反马列主义原理的,很值得研究。

二、关于苏共"22大"。当时中央常委估计,苏共"22大"是要讨论这个纲领的。我们对这个纲领可以不提意见,但是要预计苏共"22大"会议上可能组织对我们围攻。要估计到这个可能。如果这样,我们就要在大会上进行针锋相对的斗争,现在就要做准备。苏共"22大"也有可能不围攻我们,而围攻阿尔巴尼亚。如果这样,我们也要有所表示。现在要请中联部和外交部先行考虑,如果出现对阿尔巴尼亚围攻,我们怎么办?如果出现对我们围攻,我们又怎么办?我们应该采取什么样的对策?这个问题请两个部共同研究后向中央提出意见。

毛主席说,苏共这个纲领草案很长,请大家抽空看看。在庐山会议后期抽点时间再来议一议。特别请秀才们好好看一看。

当时只有我参加了这次常委会。乔木同志在庐山会议之前，从夏天起就因病休养了。因为从1960年中苏两党会谈起，一直到莫斯科81党会议他都参加，工作非常紧张，非常劳累，结果患了神经疲劳症，经常头痛。毛主席知道这个情况后，要他完全休息，时间不限，休养到身体完全恢复才恢复工作。所以毛主席要我跟北京联系一下，告诉没有到庐山来的在北京的秀才，请大家研究一下，看看有什么意见。

这次常委会是9月5日下午在主席住处开的。这次庐山会议主席住的地方不是原来第一次庐山会议时住的蒋介石过去住过的"美庐"，而是住在庐山人工湖畔的新盖的大平房里。主席一般喜欢住平房，不喜欢住楼房。这个平房建在庐山剧院以东三五里的人工湖旁，是一个中西合璧式的平房，外表看是西式的，里面很高大，整个别墅伸入湖中，主席平常就在人工湖里游泳。

在这以后，在北京和在庐山的同志都看了《苏共纲领草案》，大家都作了研究，特别是做理论工作的同志做了比较仔细的研究。理论界的意见由宣传部集中，陆定一同志综合；外交部的意见由章汉夫同志集中；联络部的意见由王稼祥同志集中，他们三位都参加了庐山会议。

9月中旬的一天，陆定一召集刘宁一同志、章汉夫同志和我碰头，刘宁一、章汉夫把联络部、外交部的意见讲了，我也把人民日报和新华社的意见讲了。然后大家一致推定，主席那里开会时，由定一同志把大家的意见综合

汇报。定一同志很客气地说,他大体上只能讲他的主要看法,别的部门有什么意见要补充的由各人自己讲。

9月15日下午,毛主席在他的住地开常委会,除了常委同志以外,陆定一、王稼祥、刘宁一、章汉夫,还有彭真、杨尚昆和我也参加了。小平同志在庐山只参加了前半段的会议,后半段他下山率代表团访问朝鲜,没有参加这次会议。

在会上,毛主席先讲。他说,这个《苏共纲领草案》是王大娘的裹脚布,又臭又长。他说,我看了一遍没什么头绪,很难看,文理、逻辑都不通,结论在前,很多问题都是两面讲,有两重性。今天我们先不做结论,不妨大家各抒己见。

陆定一同志接着讲了他的意见。他说,这个《苏共纲领草案》有两面性,刚才主席讲了。它包含一些正确的话,把赫鲁晓夫在"20大"的报告和"21大"的报告作了一些修补,比较起来有更大的欺骗性。这是他讲的第一点意见。

陆定一说,第二,这个《纲领》不仅比1957年《莫斯科宣言》倒退了,也比1960年81党会议的声明倒退了。倒退的表现就是他把原来苏共起草的81党声明草案中包含的一些重大的错误观点又写到他的《纲领》里去了。这些重大的错误观点,经过我们各兄弟党在81党会议上的斗争,在1960年《声明》定稿时已经删掉,现在他们又写上去了。比如,苏共纲领中写了和平共处是社会主义国家的总路线，1960年声明里是修改的，因为不能只讲和平共处，还要讲国际主义，还要讲支持被压迫民族的民族独立运动。又比如，反对民族共产主义、反对单干的问题，这两个问题在莫斯科81党会议上斗争很激烈，这是苏共针对我们安的两颗钉子。斗争的结果，都把它们删去了。这次在《苏共纲领草案》里又提出来了。可见苏共在莫斯科81党会议上的让步，同意删去一些钉子，补了一些正确的东西，是一种敷衍，是迫不得已的。我们斗争的结果，虽然把他们的错误的东西搞掉了，但是，现在看来他们在思想上并没有改变，并没有放弃原来的立场。

陆定一认为，《苏共纲领草案》反映了赫鲁晓夫这一帮人背弃了马克思列宁主义的根本原则，不讲阶级斗争，不讲阶级分析，要害是反对无产阶级革命和无产阶级专政。赫鲁晓夫在世界范围内讲改良主义，讲人道主义，讲"三无世界"，不讲无产阶级革命，有一点西方资产阶级鼓吹的世界主义的味道；而在国内问题上，大讲全民党、全民国家，这就抛弃了无产阶级专政，背弃了马克思列宁主义的精粹，有如西欧的社会民主主义。马克思早就讲过，阶级斗争并不是他发明的，他只是发现社会发展的规律，即：阶级斗争最终导致无产阶级专政，这是他的新的意见。这是要害。马克思主义区别于一切机会主义的一个最重要的东西，就是它的革命理论中关于无产阶级革命和无产阶级专政的理论。现在苏共在它的《纲领草案》里大讲全民国家，说没有任何阶级冲突了，没有任何阶级斗争了，不需要无产阶级专政了。苏共纲领还大讲全民党，说党已经不是无产阶级的先锋队了，是全体人民的党了，党的阶级性质改变了。这是苏共在理论上的重大背叛，是对马克思列宁主义的背叛，特别是对无产阶级革命和无产阶级专政学说的背叛。

第三，在国家关系方面，这个《纲领草案》讲了一些反对帝国主义的漂亮词句，但是赫鲁晓夫还是想跟帝国主义平起平坐，想争得一个跟肯尼迪平起平坐的同等地位，要跟帝国主义谈判达成妥协，搞“三无世界”。这实质上是一个先安内然后攘外的方针，矛头是针对社会主义国家、针对中国、阿尔巴尼亚这样的国家的，就是要大家服从他的指挥棒，在社会主义阵营中实行大国主义，同帝国主义合作，同社会民主党合作，同那些不管采取什么反动政策的民族主义国家合作。这就是过去赫鲁晓夫在中印边境冲突中间偏袒印度、指责中国的继续。

在这次常委会上，主要是陆定一讲，他讲得比较详细。在他讲话过程中一些同志也做了一些插话。插话的主要内容有以下几点意见：

（一）我们这两年的斗争是有效果的，把赫鲁晓夫拖住一些，但是没有完全拖住。

（二）赫鲁晓夫的思想反映在《苏共纲领草案》上是一种庸俗的唯物论，只考虑要生产多少吨钢、多少吨铁、多少吨石油、多少机床、多少粮食，而看不到阶级和阶级斗争，既抹煞国内范围的阶级斗争，也抹煞国际范围内的阶级斗争。他的思想不是历史唯物主义，特别是他违反了马克思主义对立统一的规律。这个规律反映在人类社会上，反映在当今世界上就是有两个阵营的对立和斗争，有资产阶级和无产阶级的对立和斗争，有帝国主义、新老殖民主义同广大殖民地、半殖民地、新独立国家之间的对立和斗争；在社会主义国家内部还有大量的人民内部矛盾，也还有阶级斗争。所以说赫鲁晓夫的这种思想方法，不是历史唯物主义的，不是辩证的，而是庸俗的唯物主义思想，是形而上学的思想，不是辩证唯物论。

在会议过程中，主席有很多插话。他说，总的估计，这两年我们的斗争没有能够完全拖住赫鲁晓夫，更谈不上改变他的基本立场。他是很顽固地坚持他的立场的。看来，赫鲁晓夫这样的人是代表社会主义社会中的高薪阶层，包括那些收入很高的经理、作家、科学家，当然不是所有的作家、科学家，而是一些在银行存了几十万、上百万卢布的那么一些人，他们有一本支票，可以任意从银行里取钱。在苏联党的干部队伍中是有这么一个特殊的阶层的。这个特殊阶层还包括社会上的盗窃集团和搞非法经营、搞黑市、投机倒把、牟取暴利的那么一帮子人，也就是社会主义社会中的新生的资产阶级分子。这些人的思想反映到《苏共纲领草案》中。他们有权、有势、有钱，特殊于广大人民群众和一般干部。赫鲁晓夫讲的全民党是一种欺骗。现在苏联社会正在分化。要从经济上最后消灭资产阶级是很不容易的，在意识形态上同资产阶级思想的斗争更是长时期的事情，这个任务是很艰巨的，甚至要几十年、上百年。这个高薪阶层对低薪阶层毫无人道主义，而赫鲁晓夫却大讲人道主义。其实，现在苏联社会是很不公正的、很不人道的，两极分化，贫富悬殊已经出现了。还有反革命分子，还有帝国主义间谍。社会主义社会这么复杂，怎么能说是一个全民国家呢？所以说赫鲁晓夫的思想是一个唯心主义的、实用主义的，或者说是主观唯心主义的。

毛主席说，赫鲁晓夫对兄弟党、兄弟国家就是要欺压，就是要把你压服，压不服就整你，把兄弟党、兄弟国家当做敌人，搞颠覆，这是典型的大党主义、大国沙文主义。另一个方面，对帝国主义，赫鲁晓夫是怕帝国主义的，他口口声声说要搞裁军、搞谈判，实际上是要争取在帝国主义的舞台上有一席地位。

毛主席说，赫鲁晓夫说我们是民族共产主义，说我们单干，其实我们搞的是自力更生。这也不是我们自己发明的，而是学苏联的，首先是学列宁，其次是学斯大林，他们是搞自力更生的。那个时候只有一个社会主义国家，帝国主义四面包围，他不搞单干怎么办？只能单干。我们学的是他们，这有什么罪过？我们并没有要共苏联人的产，我们是自力更生。我们国家有我们国家的上帝，那就是玉皇大帝。他们是什么呢？是东正教，他们有他们的上帝。我们只能采取自力更生的方针把我们自己国家建设好。

毛主席说，当然，去年的莫斯科会议也是开得好的，我们斗争是必要的，而且斗争是有成绩的，至少是一段时间内限制赫鲁晓夫修正主义思潮的泛滥。我们同赫鲁晓夫的斗争是阶级斗争，是在意识形态领域里无产阶级思想和资产阶级思想的斗争，在国家关系上是国际主义和大国沙文主义的斗争。我们并没有脱离社会主义阵营。撤退专家、在中印边境问题上发表塔斯社声明谴责我们，是赫鲁晓夫搞的，是他首先骂我们的。我们并没有挑起争论，而是在他已经下了倾盆大雨之后，我们迫不得已起来抗争，才发表了三篇文章。不能不发表这三篇文章，我们应该坚持这三篇文章的立场。

毛主席说，现在，赫鲁晓夫又来挑战了，我们怎么办？我看，我们要做两件事情，一件事情是修堡垒，就是把我们内部整顿好，做好物质建设，也要做好思想建设。另一件事情就是要准备斗争，现在要准备可能在“22大”上有一场斗争，也可能斗争很激烈，也可能只攻阿尔巴尼亚不攻我们，也可能围攻我们，我们要做这个准备。说修堡垒也不是说我们把自己封锁起来，不让人民知道赫鲁晓夫这一套东西。我们要发表赫鲁晓夫这个《纲领》，等他们通过以后就发表，利用这个东西来进行思想政治工作，解释为什么说他们提出的这些观点是错误的，是修正主义的，为什么我们要坚持反对他的错误观点。

毛主席说，从这个《纲领》上看，现在赫鲁晓夫是违背81党声明的。那个声明虽然是妥协的产物，但是基本上是好的，应该成为我们手里同赫鲁晓夫、同一切修正主义进行斗争的武器。我们要批评他们违反1957年的《莫斯科宣言》和1960年的81党《声明》，这两个文件是我们进行反对修正主义斗争的重要武器。毛主席说，我们要高举这两面旗帜同他们进行斗争。我们一方面要坚持原则，另一方面要坚持团结。

毛主席说，当然，现在他们还没骂我们，他只发表了一个《纲领》，宣传他的观点，所以我们也不好现在就来批评他。去年81党会议以后平静了一个时期，从去年12月到现在已经10个月了，总的来讲还是可以的，只是他要整阿尔巴尼亚这一点我们一直是反对的。中苏方面没有变好，也没有变坏，还是维持1960年他撤退专家、撕毁合同的那个状况，没什么大的改善。现在我们的方针是集中力量搞好我们自己的整顿工作，把过去三年的缺点错误改正过来。对中苏关系，我们要尽量使目前这种比较缓和的时间延长，不希望很快又公开吵起来。虽然现在是不死不活，但是比起公开吵起来还是有利一点。我们要尽量延长这个时间。如果他们在“22大”发动进攻，那我们也没办法，我们只能被迫还击，叫做自卫反击。我们对国民党发动的内战也是实行这个方针，也叫自卫反击。现在虽然不能把赫鲁晓夫看成是国民党，但是现在他背叛马列主义，已经对马列主义发动进攻，对社会主义国家发动进攻，首先对阿尔巴尼亚进攻，这些是不可调和的对抗性矛盾。但是他还没有对我们进行公开的围攻，我们要保持某种形式的团结，尽量延长这个时间，争取时间把我们国内搞好。

少奇同志在发言中说，这个《苏共纲领草案》在重大原则问题上是违背 1957 年《莫斯科宣言》和 1960 年《莫斯科声明》的，特别是 1960 年兄弟党会议否定的苏共领导的许多错误观点，又在这个《苏共纲领草案》中间出现了。应该说这个《纲领草案》是苏共领导、赫鲁晓夫从苏共"20 大"以来执行的错误路线更加系统化、理论化。概括地讲，可以叫做"三和两全"，"三和"就是和平共处、和平竞赛、和平过渡；"两全"就是全民国家、全民党。这个"三和两全"是赫鲁晓夫路线的概括，是违反马克思列宁主义的核心，违反无产阶级革命和无产阶级专政的理论，违反无产阶级政党的理论的。这是一个很严重的问题。归根结底，这个《纲领草案》是要资本主义世界的人民不要搞社会主义革命了，社会主义国家的人民不要继续革命了，实质上是这么一个问题。少奇同志还特别强调，赫鲁晓夫修正主义的一套理论已经形成了。

第三节　赫鲁晓夫大搞"四反"

苏共"22 大"是在 10 月 16 日到 10 月 31 日举行的。

在苏共"22 大"召开之前，有消息说，苏共要在"22 大"之后召开兄弟党会议，而且要各党都派第一书记参加。因此我党中央在苏共“22大”之前考虑两个问题:一是我党派什么人去参加苏共的“22大”,在“22大”上采取什么方针;二是如果苏共正式提出召开兄弟党会议,我党采取什么态度。

庐山会议后,中央领导同志回到北京,因为当时主席还在外地,所以讨论这两个问题时,或者由少奇同志召开政治局会议,或者由小平同志召开书记处会议。

在少奇同志9月20日召集的一次小会上,少奇同志提出,从苏共的《纲领草案》上看,矛头是针对我们的,也是针对阿尔巴尼亚的,只是都没有点名。我党去参加“22大”,究竟对这个《纲领草案》采取什么态度?会议讨论后认为我党参加苏共“22大”的代表团奉行的方针,仍然是毛主席在庐山会议结束前在常委会上提出的意见,即:既坚持原则,又坚持团结,对苏方攻击阿尔巴尼亚,应表示反对,如苏方攻我,则进行反击。另外还提出以下几点意见:

第一,苏共《纲领草案》中有建设共产主义的规划。我们在苏共“22大”上表态的时候,采取的方针应该是只对它建设方面表态,只讲它是一个建设共产主义的宏伟规划,只讲一些虚话,不谈什么实质性问题,根本不提苏共《纲领》本身。

第二,关于谁去参加“22大”,经过跟毛主席商量确定:毛主席当然不去,少奇同志也不去,只派恩来同志去。由恩来同志当代表团团长,而且在苏联只停留一个星期,不等会议结束就回来，理由是国内事情很忙。因为这个时候国内事情的确很忙，正准备搞七年规划，这个规划包括第二个五年计划的最后两年(1961 年和 1962 年)，再加上第三个五年计划的五年，一共七年。这个规划准备提交中央工作会议和全国人民代表大会讨论确定。

第三，如苏方提出要召开兄弟党会议，我应采取坚决抵制的方针。因为华沙条约国首脑会议时没有叫阿尔巴尼亚参加，这表明开兄弟党会议时他们也不会让阿尔巴尼亚参加。如果没有阿尔巴尼亚参加，那么只能是一个分裂的会，我们不能参加。所以如果苏共在“22 大”会议期间提出召开兄弟党会议，我们要坚决反对。

中央提出这三点意见，经报告毛主席同意后，周总理即着手组织参加苏共“22 大”的代表团，其中包括彭真同志和康生等，着手做好各种准备。

国庆节前夕，毛主席在武昌会见英国元帅蒙哥马利后即返回北京。在节日前后，毛主席同常委曾多次议论苏共“22 大”问题，主要是在会见外宾前后。周总理在“22 大”的致词，是在 10 月 5 日小平同志主持的会议上讨论修改并经毛主席审定的。

苏共“22 大”前夕，总理率领的我党代表团于 10 月 15 日离京飞抵莫斯科。苏方表面上非常客气，赫鲁晓夫亲自到机场迎接，而且一直送到别墅，一路上有说有笑。但是后来证明这种姿态是迷惑我们的。

据代表团发回来的报告，赫鲁晓夫在苏共“22 大”会

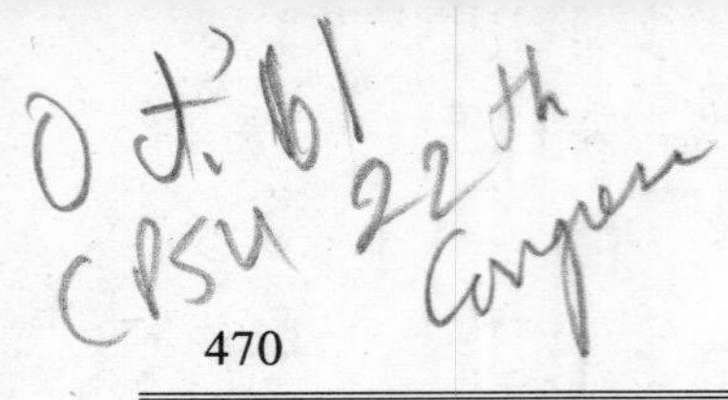

上做报告，有两点是出乎代表团的预料。

一点是对帝国主义的态度，首先是对美国的态度。在苏共《纲领草案》里，还是讲帝国主义的本质没有改变，还讲帝国主义是战争的祸根。可是赫鲁晓夫在报告里，对帝国主义的语气出乎预料的温和，近于乞求，大讲谈判、裁军、和平竞赛。

另一点是他大反"反党集团"、大反斯大林。所谓反对莫洛托夫等的"反党集团"问题本来早在1957年解决了，为什么事隔四年之后又来大反一顿呢？同时，赫鲁晓夫还在报告里大反斯大林，并大声疾呼要把斯大林遗体搬出列宁墓，焚尸扬灰。

原先我们估计他可能要反对阿尔巴尼亚，拿阿尔巴尼亚开刀，实际上也是针对我们。这一点我们估计对了。赫鲁晓夫公开指名大肆攻击阿尔巴尼亚。但是没有估计到他要大反斯大林、大反"反党集团"。

苏共"22大"大搞"四反"，就是反斯大林、反"反党集团"、反阿尔巴尼亚、反华。

关于反斯大林、反"反党集团"，在一定意义上说也是配合反华的。因为他们一直是以反对个人迷信为借口来反斯大林，并要求各兄弟党也照这样做，比如要朝鲜党反对金日成，要阿尔巴尼亚党反对霍查，说中国党也搞个人迷信。这就是他反个人迷信、反斯大林的实质内容。这次赫鲁晓夫在大会上大叫要对斯大林焚尸扬灰，可谓登峰造极。

关于反对“反党集团”的问题，就是反对莫洛托夫、卡冈诺维奇、马林科夫这些人。这个问题发生在 1957 年，因为他们党中央做了决定，当时我们只好表示支持。但当年举行莫斯科会议时，毛主席曾跟赫鲁晓夫说过，他们反对“反党集团”是不是可以考虑组织上不一定采取那样的措施，比方说是不是可以考虑把莫洛托夫留在中央委员会里面。毛主席说，我们“七大”、“八大”都把王明留在中央委员会里面。他实行“左”倾路线给党造成很大的损失，抗日战争初期又犯了右倾机会主义的错误，一直不做自我批评，反对中央的路线。他现在不是还住在莫斯科吗？我们还是选他当中央委员。事隔四年，赫鲁晓夫在“22 大”又一次大反“反党集团”，是出于一种什么需要呢？

当时中央估计，他们搞四反是出于内政的需要，就是毛主席讲的是安内的需要，就是说现在赫鲁晓夫的地位不稳，受到国内的反对，党内也有人反对他。斯大林的幽灵时刻威胁着赫鲁晓夫，使他枕席不安，万般无奈，只好咬牙切齿地把斯大林大骂一顿，又把莫洛托夫、马林科夫这个所谓“反党集团”拿来大贬一通。看来是这个需要。这是我们没有预料到的。

在赫鲁晓夫做了报告之后，我代表团从莫斯科打电报请示中央，提出代表团对反阿尔巴尼亚问题要表态，对斯大林问题、“反党集团”问题不表态也可以，因为这两个问题过去我们都讲过了。但是对这样公开地在一个党的代表大会上谴责另外一个兄弟党这件事,我们应该表态,请中央考虑。

中央收到代表团的电报后,少奇同志召开政治局会议,讨论这个问题。会议决定在恩来同志以团长身份发表的致词中,除了原来的一般性内容以外,要增加一段表明我党不同意赫鲁晓夫在大会上大反阿尔巴尼亚。因为赫鲁晓夫讲话以后,其他支持他的兄弟党也跟着起哄,大骂阿尔巴尼亚。所以我们代表团不能不对这个问题表示态度。少奇同志指定我负责起草一段话插在总理致词的稿子里。这段话起草好经中央讨论修改并报毛主席审定以后发到莫斯科。这段话是这样说的:“我们认为,兄弟党、兄弟国家之间如果不幸发生了争执和分歧,应该本着无产阶级国际主义的精神,平等和协商一致的原则,耐心地加以解决。对任何一个兄弟党进行公开的、片面的指责是无助于团结、无助于问题的解决的。把兄弟党、兄弟国家之间的争执公开暴露在敌人面前,不能认为是马克思列宁主义的郑重的态度,这种态度只能使亲者痛、仇者快。中国共产党真诚地希望,有争执的、分歧的兄弟党将会在马克思列宁主义的基础上,在互相尊重、独立和平等的基础上,重新团结起来。我想这是我们共产党人在这个问题上应具有的立场。”

周总理在19日致词的时候就加进了这一段话。这段话是比较含蓄的,没有指名道姓地说赫鲁晓夫等人大反阿尔巴尼亚,但实际上大家都看得清清楚楚。

在中央的会议上，同时还决定要总理在致词以后再找赫鲁晓夫谈一次，表明我们反对他们大反阿尔巴尼亚的态度，然后立即动身回国。原来周总理只准备在莫斯科呆一个星期，现在更有必要提前回国。所以周总理在致词后，我代表团向苏共中央提出，望在周总理回国之前跟赫鲁晓夫和其他苏共中央的同志会谈。

22日，中苏两党代表团会谈。我方参加会谈的有周总理、彭真同志和代表团其他同志，苏方有赫鲁晓夫、米高扬、苏斯洛夫、勃列日涅夫。在会谈中，周总理严肃地批评了赫鲁晓夫在苏共"22大"的报告中间公开指责阿尔巴尼亚党的做法，重申我党中央反对这种做法。周总理说，我们代表团在致词中谈到这个问题是迫不得已的，但是我们对苏共的批评还是留有余地。周总理还劝告苏共要搞好跟阿尔巴尼亚的关系。周总理指出，他们最近对阿采取的行动，如3月间华沙条约国首脑会议通过谴责阿的决议，5月间苏军从阿港口法罗拉撤出，8月华沙条约国首脑会议拒绝阿代表出席等等，都是不对的，是无助于问题的解决的，是不符合兄弟党、兄弟国家关系准则的。周总理希望他们郑重考虑中国党的意见，并且表示这些意见是受中共中央的委托向苏共中央提出的。

周总理还谈到关于斯大林问题，说明我党在这个问题上的态度已经多次向苏共中央谈过。早在1956年4月毛泽东同志就先后同米高扬和当时苏驻华大使尤金谈过，指出"对斯大林要具体分析"，"要有全面估计"，斯大林功大于过。当年10月,毛主席又对尤金说,“斯大林是需要批判的,但是你们批判的方式,我们有不同意见。还有若干问题我们是不同意的。”11月间,毛主席又对尤金说,斯大林执政期间的根本方针和路线是正确的,不能用对敌人的办法来对待斯大林。周总理还谈到:1956年10月至12月,刘少奇同志和他本人在莫斯科同赫鲁晓夫会谈时,都详细地谈到这个问题。中国党对斯大林的系统意见,都写在1956年4月和12月先后发表的《人民日报》编辑部的论无产阶级专政的历史经验两篇文章中,当时苏共《真理报》还转载了这两篇文章。

但赫鲁晓夫却完全拒绝周恩来同志的劝告和批评。他反对中国党关于阿苏关系的批评和劝告。他也反对中国党关于斯大林问题的立场,甚至说我们这样的立场是支持他们党内的“反党集团”,因此他表示要支持我们党内的反党分子。他在会谈中嚣张地说,“我们过去是很需要你们的支持,当时中国共产党的声音对我们有很大的意义。但是现在不同了,现在我们好了,我们要走自己的路了。”赫鲁晓夫这些话的意思是表示:当他在困难的时候,就是在斯大林去世之后,他刚上台的时候,是很需要中国党的支持的,而现在他已经站住了,不管中国态度如何,他要走自己的路了,要沿着他的修正主义道路走下去了。

周总理在跟赫鲁晓夫谈话的时候,苏方没有谈起召开兄弟党会议的问题,我们也没有提。

在周总理同赫鲁晓夫会谈之前,10 月 20 日,少奇同志召集一个小范围的会议,讨论了关于兄弟党会议问题。会上谈到,如果赫鲁晓夫提出要召开兄弟党会议,我们怎么办。少奇同志预先就此同毛主席通了电话,商定采取坚决抵制、绝不参加的方针。在这次会议上,小平同志谈了 81 党会议以后苏共中央的表现。他说,苏共中央在过去半年内,在公开表现方面多多少少受 81 党会议《声明》的约束,表现得还比较缓和,但是他们在内部并没有停止反华。苏共"22 大"之前,他们已经发表不指名地攻击中国的文章,针对我们党的观点,用阐述他们《纲领》的形式发表一系列的反华文章,为"22 大"做准备。他们既要反对阿尔巴尼亚,又要反对我们。在这种情况下,召开兄弟党会议显然是不适宜的。小平同志说,兄弟党会议如果没有阿尔巴尼亚参加,我们决不参加。

小平同志认为,苏共"22 大"形式上是围攻阿尔巴尼亚,实质上是不指名地攻击中国,原因是阿尔巴尼亚曾经在布加勒斯特会议上和后来的 81 党会议上支持了我们。现在他们拿阿尔巴尼亚开刀,这是杀鸡给猴看。他们想用国际共产主义运动中的右派来压左派,要他们不支持我们,孤立我们。小平同志认为,我们的态度向来是人不犯我,我不犯人,人若犯我,我必犯人。看来,又一场争论不可避免,首先理论上的争论是不可避免的。至于公开涉及政治方面、党的关系方面的问题,看来也难避免。所以今后召开兄弟党会议,如果没有阿尔巴尼亚参加,我们决不参加。但是其他的国际群众团体的活动,特别是有关亚非拉的国际群众团体的活动,我们还是要继续参加,还是要继续支持民族解放运动与和平运动。

少奇同志认为,公开反对阿尔巴尼亚、不指名地反华,是既成事实了,今后可能发展到指名反华。这是一个大问题。我们的态度应该怎么样?请大家考虑。接着,少奇同志就提出他同毛主席通电话商定的方针,就是对苏共召开兄弟党会议采取抵制的态度。请大家考虑是否这样。

少奇同志说,在正常情况下面,兄弟党会议我们是应该参加的,但是现在出现修正主义思潮,出现了分裂主义逆流,首先是把阿尔巴尼亚驱逐出去。我们应该怎么办呢?可以设想有几种情况。少奇同志列举了四种情况:

第一种情况,阿尔巴尼亚不参加,我们也不参加。

第二种情况,阿尔巴尼亚参加,他们也请我们参加。那样,我们必须提出:在兄弟党会议之前要做好充分的准备工作,首先要举行中苏两党会谈,对重大原则问题达成一致的意见。

第三种情况,中苏两党为召开兄弟党会议进行准备工作达不成协议,在这种情况下,我们坚决反对召开这种会议;如果他们要开,我们决不参加。

第四种情况,如果苏共硬是要开,不管其他兄弟党参加不参加,即使他们拉了一帮人开会,不一定有 81 个党,也可能只有几十个党、甚至二三十个党参加,那样我们也坚决不参加。不仅不参加,而且要发表声明坚决反对。我们再也不能像布加勒斯特会议那样踏进他预先布置好的圈套里面去。

少奇同志说,我们在布加勒斯特会议已经上了当,以后再也不要上这样的当了。我们要坚决抵制。要开会就要先有准备,按去年莫斯科会议那个办法开,先是中苏两党会谈,然后是起草委员会开会。如果达不成协议就不参加。这次我们给代表团的方针是抵制的方针。估计苏共可能不提召开国际会议,但也可能硬要开。在这种情况下,除了阿尔巴尼亚不参加以外,即使只有我们一家不参加,我们也抵制。因为这是分裂的会,不是团结的会。

少奇同志说,我们绝不能使苏共召开的这种分裂国际共运性质的兄弟党会议合法化,不受他们的围攻。总理在苏共“22 大”上的致词回答赫鲁晓夫是必要的,也是比较有分寸的。今后凡是没有阿尔巴尼亚党参加的兄弟党会议,我们决不参加。

少奇同志说,中苏关系今后可能会紧张起来,我们要求团结也没有用。中苏经济上的往来,他们不搞也没有什么。苏联的大国沙文主义严重极了。当然,赫鲁晓夫还是有他的两面性的。他还打着革命的招牌,因为有这个需要,他还需要打这个招牌骗人。但是,实质上他搞的不是马列主义,而是修正主义。我们应该相信苏联人民、苏共大多数人是不会完全跟赫鲁晓夫走的。至于西欧的党、美洲的党,可能有一些党变为社会民主党,但是革命是不可阻挡的。

会议上少奇同志还决定把会议讨论的结果写成电报发给在莫斯科的代表团，要他们在和赫鲁晓夫谈话的时候，如果赫鲁晓夫提出要开兄弟党会议，就坚决反对，并根据中央估计的四种可能来回答赫鲁晓夫。

周总理在苏共“22 大”上的致词，在兄弟党中间的反应比较强烈，不少党很受震动。赫鲁晓夫在中苏两党会谈时，没有提出要开兄弟党会议。可能他觉得在这次苏共“22 大”上，那些跟他走的人在会上大反阿尔巴尼亚一通，他的目的似乎达到了，所以他再也不提开兄弟党会议了。

周总理 10 月 24 日回到北京，以毛主席为首的中央领导同志一起到机场迎接，表示支持总理在苏共“22 大”上表明我们的立场。毛主席随即同周总理、少奇同志、小平同志等一起到颐年堂，由总理汇报同赫鲁晓夫会谈的经过。周总理说，在苏共“22 大”会上，苏共大反阿尔巴尼亚是不得人心的。在会上一共有 40 多个代表团的团长或代表跟着赫鲁晓夫的指挥棒转，在讲话时也大反阿尔巴尼亚。但是，另外有 32 个代表团的团长或代表在讲话时没有反阿尔巴尼亚，差不多是旗鼓相当。在中苏两党会谈中，赫鲁晓夫拒绝我们的批评，但理不直，气不壮。我没有参加听取周总理汇报的会议，是周总理在第二天(10 月 25 日)找我去他办公室时扼要谈到的。他根据前一天在颐年堂商定的方针，布置我在《人民日报》上同时发表苏阿两国报刊发表的苏共“22大”期间有关苏阿关系的文件。我照办了。

苏共“22大”之后，越南代表团回国路过北京，胡志明在跟毛主席谈话时说，对会上大反阿尔巴尼亚我就不鼓掌。他说，我坐在主席台上，看到在我坐的那一排对大反阿尔巴尼亚的讲话有多种对付的办法：一种是低头看文件，这是印度党高斯的办法；一种是埋头做记录、写东西，这是印尼党艾地和英国党高兰的办法；日本党野坂的办法是闭目养神；还有一种办法就是把两只手放在桌子下边，谁也看不见是鼓掌还是不鼓掌。胡志明说，这是我和黎笋的办法。胡志明说，这几种办法说明在兄弟党里面，好些人是不赞成苏共大反阿尔巴尼亚的。彭真插话说，我的办法是两手平摆在桌面上，动也不动，就是明白表示不赞成。

印度尼西亚党的艾地在参加苏共“22大”后路过北京，他跟毛主席会谈时讲到：凡是苏共或其他党的代表谴责阿尔巴尼亚时，我就做笔记；胡志明就把双手藏在桌子底下，也不知道他是鼓掌还是不鼓掌；日共的野坂他一上主席台就闭目养神。艾地讲的这个情况跟胡志明讲的情况差不多。

从以上的情况看起来，一方面苏共“22大”搞“四反”表面上是非常嚣张，但是也可以看到，同一年前的81党会议相比，不赞成反阿尔巴尼亚的人增加了。这次苏共“22大”表明，赫鲁晓夫的地位不是如日中天，而是江河日下了。

周总理提前回国后，由彭真同志任代理团长，继续参加苏共“22大”的会议。彭真同志10月30日回国以后也作了汇报。中央常委在听取汇报时，对苏共“22大”做了一些分析，但是没有详细地议论。因为当时中央正全力准备召开中央工作会议，全面调整国民经济。

第四节 对苏共“22大”的看法

苏共“22大”以后，中央对一年来中苏关系进行比较系统的总结，是在1962年12月开始的中央工作会议的时候。在这次会议上，小平同志对此专门作报告，少奇同志讲话中也谈到这个问题，最后毛主席也讲到反修斗争的问题。

在12月21日中央工作会议（七千人大会前的）上，小平同志着重就反修斗争讲话。因为整个国际形势由周总理作报告。

小平同志说，苏共“22大”赫鲁晓夫大反斯大林、反“反党集团”、反阿尔巴尼亚、反华，这是赫鲁晓夫修正主义的总暴露。在这种情况下，国际共产主义运动面临一个分裂的问题，首先是社会主义阵营、主要是中国和苏联的关系。各国党都以这个为标志，有的赞成中国党的意见，目前还是少数，多数赞成苏共的意见。苏共内部也出现维护斯大林的左派。其他党内也有分化。这不是坏事,这是好事。从历史发展上看,这种分裂是不可避免的。因为马克思主义和修正主义的矛盾是不可调和的,思想上的分歧必然发展到组织上的分裂。修正主义不会同马克思列宁主义"和平共处",马列主义者也不能和修正主义者同流合污,只有划清界线,才能领导人民继续革命。不仅澳大利亚、比利时等党已经出现了分裂,而且印度、法国、意大利的党也出现了分化的情况。许多党都面临究竟是跟赫鲁晓夫讲一样的话好,还是各说各的好的问题。赫鲁晓夫对阿尔巴尼亚采取那种绝然的态度(按:12 月 15 日苏联政府宣布苏驻阿外交人员撤离阿尔巴尼亚和要求阿撤离驻苏的外交人员)以后,把阿尔巴尼亚推上按自己的立场独立发言的地位。各个党也都要考虑自己要讲什么话。这就使过去赫鲁晓夫一呼百应的那种情况一去不复返了。

小平同志说,苏共"22 大"表明,赫鲁晓夫又一次掀起一个反马列主义的修正主义浪潮,以反华为特征。对此我们要有充分的思想准备。但是,现在的情况,同五年前苏共"20 大"以后的情况有所变化。中国的影响不是削弱了,而是增长了。孤立的并不是我们。相反的,赫鲁晓夫集团的威信不是提高了,而是降低了。许多跟着他走的那些党的领袖们,在他们党内的威信也不是增加了,而是削弱了。这是一个总的趋势。

小平同志接着说,国际共产主义运动会不会来一个挫折？他说，从这几年的情况看起来，挫折、倒退很难避免。从历史上看，国际共产主义运动有起有伏是合乎规律的。因此我们要有思想准备。但是，天也不会垮下来。因为世界上的基本矛盾没有得到解决，斗争会继续下去，这中间可能有起伏，不会急转直下，我们还大有回旋的余地。马克思列宁主义的队伍是一定要经过斗争才能得到锻炼壮大。我们中国党要考虑自己的责任，我们究竟是随波逐流、跟着赫鲁晓夫走，还是高举马克思列宁主义的旗帜，跟他斗争到底？中央反复考虑，认为红旗不能倒，我们还要高举马克思列宁主义的旗帜，高举反对现代修正主义的旗帜。全世界许多马克思列宁主义者都希望我们能够顶住赫鲁晓夫的压力。因为现在全世界确实只有中国这个大党能够担当起顶住赫鲁晓夫压力的重任。所以现在摆在我们党面前和整个国际共产主义运动面前的一个十分严肃的任务，就是高举马克思主义旗帜、反对修正主义思潮。

在接着举行的七千人大会上，少奇同志为说明书面报告而作的长篇讲话中，主要是谈国内问题，但是首先谈了国际问题。他说，这几年世界的形势本来对各国人民、被压迫民族，对社会主义阵营，对国际共产主义运动，都是很有利的，对帝国主义是很不利的。但是，就在这个关键时刻，在社会主义阵营中产生了修正主义，威胁到社会主义阵营的团结和国际共产主义运动的团结。社会主义阵营和国际共产主义运动队伍分裂的危险摆在面前。这是国际形势中间不好的一面。修正主义很早就出现了，有各种类型，现在又出来了一个莫斯科型的。莫斯科型的修正主义开始于苏共“20大”，影响全世界。

少奇同志说，1956年苏共“20大”以后，召开过1957年的莫斯科会议、1960年的81党会议，这两次会议对于世界人民、对于马克思列宁主义者，都有好作用。对修正主义者有一点作用。但是不能够完全约束他们，尽管他们在会议上签了字，但是会议之后仍然是他们干他们的，赫鲁晓夫还是沿着修正主义的道路走下去。到了苏共“22大”，莫斯科型的修正主义已经发展成为比较完整的体系了。

少奇同志说，苏共“22大”的主要内容就是“四反”，而对关于建设共产主义的规划实际上并没有认真讨论。苏共“22大”以后，在12月3日苏联又断绝了和阿尔巴尼亚的外交关系。可以看出赫鲁晓夫修正主义集团对同志很狠，对敌人却很和，干了很多坏事情，暴露了他的面目。毛主席说过，苏共“22大”大暴露是一件好事情。遮遮掩掩、扭扭捏捏、犹抱琵琶半遮面，那会欺骗很多人。现在大暴露，大家就看出他的真面目了。苏共“22大”以后，修正主义地位不是加强了，而是削弱了。很可能他们国内发生了什么问题，所以赫鲁晓夫把莫洛托夫等四人所谓“反党集团”又加上一个伏罗希洛夫。他历来是一个又一个地搞掉他的对手的。

少奇同志说，据毛主席讲，在1957年毛主席访问莫斯科的时候，在 10 月 7 日晚上的酒会上，赫鲁晓夫同毛主席交谈中大讲“反党集团”。赫鲁晓夫说，在斯大林断气之前，他就同布尔加宁商量，要采取一系列步骤消除和他们有分歧的人。赫鲁晓夫说首先要搞掉贝利亚，把克格勃抓过来；第二步是用布尔加宁取代马林科夫任部长会议主席；第三步是整莫洛托夫和卡冈诺维奇，把他们和马林科夫打成“反党集团”。后来米高扬来中国时又得意地多次谈到赫鲁晓夫的计划，除了以上三个步骤外，还谈到第四步再把布尔加宁和伏罗希洛夫搞掉，因为他们都是反对赫鲁晓夫的。至于朱可夫元帅，赫鲁晓夫怕他坐大，在搞掉莫洛托夫后很快就把他撤职，尽管朱可夫在打倒莫洛托夫等人时帮了赫鲁晓夫的大忙。

少奇同志说，看起来这次“22 大”赫鲁晓夫大反斯大林、大反“反党集团”是有他们内部的需要，就是内部有人反对他，他要用这个“反党集团”大帽子来吓唬人。所以说“22 大”表明，赫鲁晓夫的阵地不是加强了，而是削弱了。关于大反阿尔巴尼亚也有同样的情况。赫鲁晓夫在他自己的党代会上公开谴责阿尔巴尼亚，这件事情是不得人心的，有三十几个党没有跟他一起谴责阿尔巴尼亚，不赞成他的人比 81 党会议的时候增加了。

少奇同志说，我们跟修正主义的分歧不是一般的分歧，而是关于世界革命的路线的分歧。关于帝国主义的本质，关于战争与和平问题，关于兄弟党、兄弟国家相互关系准则这三大问题，我们和修正主义之间有严重分歧。

因为它们关系到马克思列宁主义的基本原则，所以我们不能不进行斗争，不能再像过去那样听任他到处放毒。当然过去我们也没有完全听他的。在王明领导时是完全听苏共的。现在我们不能这样干，不能学王明的样子，我们要坚决斗争，坚持原则。这样的斗争将是长期的、复杂的，这种局面我们不能回避。

少奇同志回顾历史时说，在国际共产主义运动史上，马克思死后，恩格斯在欧洲组织了第二国际，把欧洲的工人阶级组织起来了，这是好的。但是恩格斯死后、第一次世界大战之前，许多国家的社会民主党纷纷叛变，背叛马克思主义。列宁同社会民主党中的机会主义进行了尖锐的、坚决的斗争，重建了共产党，建立起一个布尔什维克党，并帮助许多国家组织了新的党。现在列宁已经去世，斯大林也去世了，许多列宁和斯大林帮助建立起来的共产党是不是有可能发生分歧、发生叛变呢？有这种可能。从历史唯物主义的观点看来，国际共产主义运动队伍的分化是不可避免的，而且现在已经开始有分化了。这种分化是好事还是坏事？在一定意义上讲是好事，因为把界线划清楚了，不是糊里糊涂了，不是是非不分了。分清了是非就可以进行原则性的斗争，就可以揭穿修正主义的面目了。

少奇同志又说，当然，国际共产主义运动队伍能够保持团结是好事情，而分化总的说来并不是好事情，只是在上述的一定意义上是好事。所以我们的方针是希望能把分裂的时间推迟，使各国的马克思列宁主义者做好准备。我们反对分裂，但也不怕分裂。他什么时候分裂也由不得我们做主，他要分裂有什么办法。到那个时候，我们要看到分裂的积极的一面，它好的一面，这就是分清了是非，划清了界线，泾渭分明，这样就可以使左派能够团结起来，使中间派不能不考虑他们究竟是往哪里走，使右派越来越孤立。

少奇同志说，现在的形势比列宁那个时候好得多。列宁那个时候共产党人很少，而现在马克思列宁主义者比列宁那个时候多得多。社会主义阵营、国际共产主义运动分裂的关键是中苏关系。整个国际共产主义运动分裂看来不可避免，那么中苏关系是不是也一定分裂？是不是也是不可避免的呢？少奇同志说，看来有三种可能：一种可能是维持现状；另一种可能是进一步恶化，但是还不分裂；第三种可能就是公开破裂。万一破裂怎么办？我们党，特别是高级干部应该有精神准备，应该做最坏的打算。如果赫鲁晓夫一定要把分裂强加在我们头上，那也没有什么了不起。现在实际上苏联对我们的所谓援助已经没有什么了，我们也不依靠他们的援助，我们搞自力更生。当然，他要做生意，我们也可以做，他不做也就拉倒。比方粮食，我们也可以跟帝国主义做生意。反正中国这块地方有自己的上帝，我们的上帝就是玉皇大帝。毛主席多次讲过，天不会塌下来，树木照样长，河里的鱼照样游，女人照样生孩子，没什么不得了，不是地球就不转了。

少奇同志说，当然，如果赫鲁晓夫集团要公开破裂，我们也可以考虑采取比较符合苏联人民、世界人民愿望的方式。比如说，原则我们是要坚持的，但方式可以照顾到各国人民、苏联人民，也包括中国人民的意愿。要相信苏联人民是伟大的人民，苏联是列宁的故乡。苏联人民搞社会主义建设已经搞了几十年了，很难设想他们愿意把命运交给修正主义者，听任长期被摆布。即使将来情况变得更坏，我们对苏联人民更要做工作，要表示同他们友好。同修正主义作斗争是一回事，同苏联人民友好又是另外一回事。对修正主义本身，它要挑衅我们就顶回去，顶回去之后我们还是讲友好。各国人民要革命、要解放的愿望，和为实现这种愿望而进行斗争的这种历史潮流，无论帝国主义也罢，修正主义也罢，都是阻挡不了的。

1月30日毛主席在七千人大会上讲话，他主要讲国内问题，也讲到反修斗争的问题。

毛主席在讲话的第五部分讲到国际问题、反修斗争问题时说，在中国、苏联和全世界，百分之九十以上的人归根到底是拥护马克思列宁主义的。现在还有许多人被帝国主义、修正主义、社会民主党、反动派蒙蔽，但是他们终究会觉悟过来的。世界革命的潮流是不可阻挡的。

毛主席还说，应该坚决相信苏联是个好的国家，无论哪一年、无论什么时候，都要学苏联的经验，不学就会犯错误。当然，我们要学的不是学它的修正主义，不是学它错误的东西,而是学正确的东西,合乎马克思列宁主义的好的经验。

毛主席说,我们跟苏联的关系,不一定采取阿尔巴尼亚那种办法。即使苏联要破裂,我们可以不破裂,我们要求谈判,我们要建议召开有 81 党参加那样的国际会议。就是说用一切办法避免破裂、推迟破裂,即使是维持一个很不好的、表面上不破裂的局面也是好的。现在苏联大反阿尔巴尼亚,有一些党又指名反对我们,苏联也登了很多不指名地反对我们的文章,但是,我们现在不要登反批评的文章,不要和他们争论,让他们骂。现在骂我们的人多着哩。历史上我们就是挨骂的,但我们也从来不怕孤立。现在我们的七千人大会代表六亿五千万的中国人民在这里开会,力量更大了,党更大了,还怕什么孤立呢!延安时期开“七大”的时候,解放区只有几千万到一亿人。现在我们新中国比那时的解放区大得多,我们更不怕孤立。实际上全世界百分之九十以上的人最终会站在我们一边的。

毛主席说,我们要团结全党、全国人民的绝大多数。这不同于修正主义,它只代表占人口百分之十以下的人,我们要有倾向,就是倾向百分之九十以上的人民。列宁开始建党的时候是少数,布尔什维克党长期是少数,到 1917 年十月革命前夜才在苏维埃代表中占百分之五十一,所以才决心发动十月革命。我们不要怕孤立,不要怕我们暂时好像是占少数,实际上我们代表正确方面,终究是会取得大多数人拥护的。我们要有充分的信心。

毛主席在谈到赫鲁晓夫修正主义的发展时说,赫鲁晓夫修正主义的顶峰就是苏共“22大”,他在大会上搞“四反”,好像是嚣张得不得了,但是他已经到了顶点,接着就走下坡路。赫鲁晓夫修正主义有比较完整的纲领、路线和理论体系,这就是苏共“22大”通过的《纲领》和赫鲁晓夫所作的报告。这是他的顶峰,从此就走下坡路了。

从上面小平同志、少奇同志和毛主席的讲话,可以看到当时中央对苏共“22大”的看法是:

第一,苏共“22大”反斯大林、反“反党集团”、反阿尔巴尼亚,实际上反华,是一次“四反”的大会,赫鲁晓夫的修正主义到此登峰造极,以后就走下坡路了。

第二,我们要有精神准备,要看到国际共产主义运动、社会主义阵营以至于中苏关系,有出现破裂的危险。现在已经出现分裂的现象。我们要准备最坏的情况,准备苏共领导把公开破裂强加于我们。

第三,我们的方针是尽力推迟破裂。我们既要坚持原则、坚持斗争,也要坚持团结。他要破裂,我们要千方百计避免破裂,至少要力争推迟破裂。推迟破裂的目的,是使所有的马克思列宁主义的党能够有时间作充分的思想上、政治上、组织上的准备。采取拖的方针、推迟的方针,就是过去曾经讲过的,即使赫鲁晓夫要破裂,我们也要赖着不破裂。到最后他一定要破裂,我们也可以采取对中国人民、苏联人民和全世界人民、各国党比较有利的方式，原则是要坚持的，但方式可以灵活些。

第四，对目前苏共大反阿尔巴尼亚、不指名地反对我们的做法，我们采取暂时不予理会、让他们骂、让他们充分暴露的方针，而把我们的力量集中搞好国内工作。七千人大会是一个全党总结过去三年我们工作中的错误，全面纠正大跃进、人民公社中的“左”的倾向，统一全党思想，进一步实行全面调整方针的大会。我国社会主义建设正处于调整时期，要集中力量把我们国内工作搞好。搞好国内工作是我们搞好国际斗争的最根本的保证。

Zhou on utilization of contradictions, p.10
Critique of SU approach @ Geneva, 54

量变，质变

India-China, 1960 "swap" offer, p.249

Tibet: 193–204, 208–210

Sino-Indian "swap" on border. p.249-

Outer Mongolia. 324.

61 Conf. on Laos, 453